MONTRÉAL

SON HISTOIRE

SON ARCHITECTURE

Remerciements

Ministère des Affaires culturelles du Québec à Montréal:
  Aline Paradis.
Parcs Canada à Ottawa: Michel Audy et Richard Martineau.
Archives de la Ville de Montréal: René Veillette et Francine Houle.
Service de la planification du territoire de la CUM:
  Germain Casavant et Louis-Alain Ferron.
Archives nationales du Québec à Montréal: Yves Jean Tremblay.

MONTRÉAL
SON HISTOIRE
SON ARCHITECTURE

GUY PINARD

PRÉFACE DE
PHYLLIS LAMBERT

la presse

Éditeurs:
LES ÉDITIONS LA PRESSE (1986)

Maquette et illustration de la couverture:
MICHEL BÉRARD

Photographie de la couverture:
PIERRE McCANN

Maquette des pages intérieures:
JEAN PROVENCHER

Index:
MARTHE SCOTT PINARD

Tous droits réservés:
LES ÉDITIONS LA PRESSE, LTÉE
©Copyright, Ottawa, 1987

(Les Éditions La Presse [1986] sont une division de
Les Éditions La Presse, Ltée, 44, rue Saint-Antoine ouest,
Montréal H2Y 1J5)

Dépôt légal:
BIBLIOTHÈQUE NATIONALE DU QUÉBEC
4ᵉ trimestre 1987

ISBN 2-89043-225-4

1 2 3 4 5 6   92 91 90 89 88 87

À la mémoire de l'architecte Patrick Blouin,
qui m'a inculqué l'amour de l'architecture
et inspiré un profond respect
pour notre patrimoine architectural.

Table des matières

Préface

La ville que nous habitons est complexe. Elle est la somme de passés différents et de présents qui s'enchaînent.

Le cadre bâti témoigne de la diversité des couches, des époques qui reflètent nos aspirations et nos réalisations sociales, religieuses, technologiques et artistiques. Notre environnement construit est la patine d'une culture nous révélant à nous-mêmes.

Sans le passé, nous ne sommes que des sauvages. Il imprime sa marque au présent, ébauche le futur en traçant la voie de notre évolution et nous guide pour mieux construire l'avenir, qui sera le quotidien des générations de demain.

La ville peut se comparer à un album de famille qui permet de retracer les traits et les influences des générations d'hier, de connaître les lignées et tout ce qui les a transformées. Dans toute famille, on renie certains membres, certaines branches; on cherche à taire certains événements pour prendre d'autres modèles suivant lesquels nous établissons notre comportement.

Le livre de Guy Pinard, *Montréal, son histoire et son architecture*, est à l'image de ces albums si fascinants. Il tire de l'oubli des objets rangés depuis longtemps au fond d'un placard. Certains de ces sujets nous sont familiers. D'autres ont suscité la publication de quelques rares livres ou ont été le sujet d'ouvrages spécialisés. Plusieurs encore ont provoqué des débats publics au cours des vingt dernières années, une période angoissante marquée par les destructions gratuites dont notre patrimoine a été victime. Avant que Guy Pinard ne commence, le 18 mai 1986, sa série hebdomadaire sur les visages de la ville intitulée « Rendez-vous 92 » publiée dans *La Presse*, les Montréalais avaient des connaissances disparates de l'architecture de leur ville, à plus forte raison sous forme de corpus. Ce livre qui les rassemble aujourd'hui constitue un document permanent et s'adresse aussi bien aux Montréalais qu'à une audience nationale et internationale.

Riche de connaissances historiques de base, indispensables à une meilleure compréhension des faits, ce livre nous fournit les arguments pour mieux défendre Montréal et la texture historique de l'île.

En effet, la connaissance est indissociable de la sauvegarde et de la mise en valeur du patrimoine et de l'environnement urbain. L'ignorance du public en ce qui concerne l'inestimable valeur de son patrimoine a amené les démolitions massives (32 000 logements du centre-ville éliminés entre 1961 et 1975) dont Montréal a été le théâtre. Les citoyens ne connaissaient pas leur ville et n'étaient donc pas prêts à faire des revendications pour la protéger.

Alarmés par la gravité de la situation, des citadins ont cependant réagi à la disparition imminente de notre ville en tant que telle. Ils se regroupèrent et fondèrent en 1973 Sauvons Montréal pour mener des campagnes publiques dans le but d'endiguer le saccage ininterrompu de la ville et d'appliquer des tactiques de la « guérilla urbaine » pour signifier leur opposition. Des architectes du groupe firent des contre-propositions prouvant que les démolitions n'étaient pas nécessaires. D'autres membres effectuèrent des recherches historiques. En 1975, on créait la fondation Héritage Montréal dans le but de recueillir des fonds et d'aider ces groupes à poursuivre leur oeuvre.

Leur seul moyen de sauvegarder le patrimoine était de le faire connaître, de lutter contre la méconnaissance des Montréalais envers leur histoire. Il fallait de toute urgence entreprendre des recherches afin de démontrer la valeur patrimoniale et architecturale des bâtiments menacés et d'en assurer la protection. On demanda au ministère des Affaires culturelles d'appliquer l'unique moyen de protection qui existait à l'époque : le classement d'un édifice à titre de monument historique. À Sauvons Montréal et Héritage Montréal, on entreprit les recherches et on en publia la teneur sous forme de plaquettes et d'articles dans les journaux.

Le besoin urgent et réel de sauvegarder et de mettre à l'honneur notre patrimoine a donné naissance à toute une « industrie » de la recherche qui effectue, depuis plus de dix ans, des études pour mieux comprendre notre patrimoine et notre histoire. Cette activité a d'abord été l'apanage de groupes issus de la ferme volonté de voir Montréal se développer et s'épanouir en harmonie avec son histoire et sa vie culturelle. Par la suite, la recherche a pris de l'ampleur avec la participation d'organismes privés et publics attirant ainsi des ressources de plus en plus importantes.

Dans la foulée de ce mouvement, les gouvernements ont trouvé les ressources pour effectuer eux-mêmes les recherches nécessaires. Le ministère des Affaires culturelles a mis sur pied un service de recherche pour mieux répondre au nombre grandissant de demandes de classement. La Communauté urbaine de Montréal a, pour sa part, formé une équipe de chercheurs qui consignent le résultat des travaux sous forme de répertoires d'architecture traditionnelle. Aujourd'hui, de telles structures confèrent à la recherche et à la documentation un caractère permanent, essentiel au sein de ces organismes gouvernementaux.

La recherche a aussi été motivée par le travail de plusieurs autres organismes qui sont autant de nouvelles structures permanentes. Tel est le cas pour le Centre canadien d'architecture fondé en 1979 dans le but de faire connaître les oeuvres architecturales en relation avec l'histoire et la société. Les universités ont, elles aussi, pris part à ce mouvement. La Faculté de l'aménagement de l'Université de Montréal vient de lancer en étroite collaboration avec Héritage Montréal une maîtrise en conservation architecturale, la première du genre au Canada. L'Université McGill a établi une chaire en histoire de l'architecture. Enfin, l'UQAM et l'Université Concordia offrent depuis plusieurs années des programmes d'étude et de recherche en histoire de l'architecture canadienne.

La somme de tous ces travaux de recherche doit maintenant profiter à la population et l'aider à mieux comprendre et connaître le milieu dans lequel elle vit. *Montréal, son histoire et son architecture* répond à ce besoin. Guy Pinard rassemble et décrit pour nous le fruit de ces recherches et nous révèle aussi l'existence de nombreux documents provenant d'archives, de bibliothèques ou de diverses sources, tous dignes d'être connus.

Chaque chapitre est riche d'informations de base qui devraient figurer dans toute description historique de bâtiment : le nom du bâtiment et sa fonction, le nom de l'architecte et celui du client, l'année de la construction. À partir de ces données, Guy Pinard nous livre une tranche d'histoire et relate l'évolution du bâtiment, depuis l'époque de sa construction jusqu'à nos jours, à l'aide de repères figurant dans son texte, d'illustrations, de photos anciennes ou de dessins.

Guy Pinard nous apprend que le travail acharné d'une poignée de gens a permis la sauvegarde et la restauration de certains bâtiments et que le zèle et la vigilance d'organismes privés et publics ont rendu possible la restauration d'autres édifices. Qu'il s'agisse de la maison Brossard-Gauvin dans le Vieux-Montréal, de la maison Trestler à Dorion, de projets plus importants comme la maison Alcan ou de la transformation du monastère du Bon-Pasteur, Guy Pinard fait une description suivie et critique des travaux de rénovation.

Au fil des semaines, Guy Pinard nous a décrit des maisons du XVIIIe siècle encore présentes sur l'île, des gratte-ciel du siècle dernier, sans oublier les institutions, les églises ou les édifices industriels construits le long du canal Lachine et ce faisant, nous a dressé un tableau des grandes composantes de notre environnement bâti. Ce livre, qui regroupe les 50 premiers articles de sa chronique, est un outil précieux pour le Montréalais comme pour le visiteur, car il l'invite à jeter un regard neuf sur la ville et l'île de Montréal et à mieux les comprendre.

À ses articles, Guy Pinard a ajouté des points de repère pour aider le lecteur à se situer par rapport aux bâtiments et à s'y rendre plus facilement. Avec tous ces éléments, un riche portrait de l'île de Montréal émerge. Toutefois, cette ville n'est pas seulement faite de « monuments » qui se distinguent par leur histoire ou leur architecture exceptionnelles, mais elle est constituée de bâtiments s'intégrant aux rues et aux quartiers. Cette architecture traditionnelle, omniprésente sur l'île de Montréal, est l'essence même du tissu urbain.

Montréal, son histoire et son architecture offre aux Montréalais et aux visiteurs une information précieuse et fort utile. Ce livre nous permet d'approfondir nos connaissances, il nous dépeint le plaisir qu'il y a à vivre à Montréal. Autant dire que nous attendons avec impatience la publication des futurs articles de la chronique de Guy Pinard et de son prochain recueil qui, nous l'espérons, sera traduit pour la plus grande joie des visiteurs non francophones.

Phyllis Lambert

Avant-propos

Tout a commencé à l'été de 1985. Cette année-là, *La Presse* avait décidé de publier une série de circuits pédestres afin d'inciter les Montréalais à mieux connaître, sinon à découvrir leur patrimoine architectural. La direction du journal m'en avait confié la responsabilité.

Cette tâche fut une révélation. Même si j'approche la cinquantaine, même si, comme des dizaines de milliers de Montréalais, j'ai passé toute ma vie à Montréal et dans ses banlieues, j'ai soudainement réalisé à quel point je connaissais fort mal Montréal et son histoire. Certes le pays est relativement jeune par rapport aux plus vieilles civilisations du monde, mais on y trouve néanmoins des richesses souvent insoupçonnées qui méritent toute notre attention.

Dès lors, a germé l'idée d'une série qui serait entièrement consacrée au patrimoine architectural de Montréal et de ses environs. Et la proximité du 350e anniversaire de fondation de Montréal, en 1992, servit de levier pour convaincre la direction du journal de la « nécessité » de publier une telle série.

C'est dans ce contexte que « Rendez-vous 92 » vit le jour dans l'édition dominicale du 18 mai 1986. Les centaines de témoignages reçus depuis lors ont démontré à quel point *La Presse* avait vu juste : les Montréalais sont assoiffés d'histoire, et ils l'apprécient encore plus si elle leur est racontée en faisant parler les vieilles pierres de bâtiments historiques qu'on côtoie quotidiennement sans jamais les voir.

Cet intérêt soutenu est à l'origine de la décision des Éditions La Presse de publier la série d'articles sous forme reliée, en privilégiant la photo dans toute la mesure du possible.

Ce volume est donc le premier de ce qui pourrait être une série de six. Il comprend les 50 premiers textes de la série « Rendez-vous 92 », enrichis, dans certains cas, d'éléments nouveaux découverts depuis la parution originale de certains dossiers qui continuent d'évoluer.

Je n'aurais qu'un voeu à formuler en guise de conclusion : puisse la lecture de ce volume inciter le lecteur à visiter ces merveilleux édifices. Ils ont tous quelque chose à lui raconter !

Guy Pinard

L'astérisque (*) qui suit certains mots du texte invite le lecteur à consulter le lexique à la fin du livre. Lorsqu'il s'agit d'une expression, l'astérisque suit le mot qu'il faut chercher. Exemple : clés* de voûte.

Les mesures dans les textes sont indiquées en pieds, non pas pour contester le système international pourtant beaucoup plus simple à utiliser, mais plutôt parce que ces bâtiments ont été construits en pieds et en pouces, et que la plupart des documents qui s'y rapportent sont en pieds et en pouces. Quand on dit qu'un mur a trois pieds d'épaisseur, l'image est beaucoup plus immédiate dans l'esprit d'une très grande majorité qu'en écrivant la mesure métrique correspondante de 914,4 mm. On pourrait évidemment ajouter au texte les mesures correspondantes du système international, mais le texte s'en trouverait alourdi.

1

La maison Sir-George-Étienne-Cartier

Construction: 1837
Architecte: inconnu

Chaque fois qu'un organisme épargne à un bâtiment historique du Vieux-Montréal la démolition qui le menaçait et procède à sa restauration, il y a lieu de se réjouir de cette nouvelle addition à l'inventaire architectural de cet arrondissement privilégié de Montréal.

Parcs Canada a fait encore plus dans le cas de la maison Sir-George-Étienne-Cartier puisque l'organisme fédéral l'a transformée en musée afin d'honorer la mémoire de Cartier, un homme politique de formation juridique qui fut un des Pères de la Confédération canadienne.

Historique du bâtiment

La décision de Cartier de s'installer à cet endroit précis pour y vivre et y pratiquer le droit ne tenait pas du hasard. Cartier faisait partie de l'élite bourgeoise qui foisonnait dans ce secteur résidentiel très recherché.

À vrai dire, Cartier avait déjà « les pieds dans la place » comme on dit communément, puisqu'en 1847, il avait fait construire sur le versant nord, rue Saint-Paul, à l'angle de la rue Berri, deux maisons avec écurie, immédiatement derrière l'emplacement aujourd'hui occupé par la maison Cartier. L'une de ces deux maisons existe toujours et elle appartient à l'organisme connu sous le nom de « La porte du ciel ».

Photo Parcs Canada

La maison ouest, entre la maison est et la maison Francis Perry, remplacée par l'ex-cathédrale Saint-Nicholas, vers 1885, selon une peinture de Georges Delfosse.

Photo Robert Mailloux, La Presse

La maison Cartier après la restauration

Mais revenons à l'ensemble qu'on appelle la « maison Cartier ». En 1837, le propriétaire du terrain, un dénommé Arthur Ross, décida d'y faire construire deux maisons en pierre, séparées par une porte cochère qui s'ouvrait sur un passage mitoyen (pris à même le rez-de-chaussée de la maison la plus à l'ouest) conduisant à un bâtiment en bois servant d'écurie-remise.

Identiques et de style néo-classique, les deux maisons, à façade en pierre de taille, comportaient un étage et demi au-dessus du rez-de-chaussée. Elles étaient dotées d'un toit* à pignon à deux versants percé de lucarnes*. Le toit était recouvert de tôle étamée. Ces

15

Photo Parcs Canada

La maison Cartier avant la restauration, en 1976. À noter l'absence de porte cochère.

deux maisons qui deviendront propriété de Sir Cartier sont identifiées par les appellations maison est et maison ouest.

Les occupants

La maison est était initialement occupée par M. Ross. Ce dernier la céda par donation à sa mère, Jane Davidson, en septembre 1839. Cartier l'acquit en 1848.

Le bâtiment mesurait alors 38 pieds de façade sur 40 pieds de profondeur. Pour satisfaire à leurs exigences bourgeoises, les Cartier firent installer un système de chauffage et d'éclairage au gaz. Ils n'apportèrent aucun autre changement majeur au bâtiment.

Les Cartier habitèrent cette maison pendant sept ans, jusqu'à ce que le gouvernement du Bas-Canada déménageât à Québec en 1855. Cartier décida alors de louer sa maison à Me Henry O. Andrew, qui l'habita sans lui apporter de modifications majeures.

En 1871, la maison fut convertie en hôtel particulier, type d'occupation qui entraîna les premières d'une série de transformations plus ou moins heureuses. En 1881, l'hôtel fut loué au ministère de la Milice qui l'occupa pen-

dant trois ans, puis l'édifice prit le nom de Grand Pacific Hotel.

En 1893, la Ville de Montréal mit en application sa décision de 1881 d'exproprier une partie de la maison pour construire le tunnel de la rue Berri sous la rue Notre-Dame. La façade fut donc amputée de 10 pieds, ce qui entraîna d'importantes modifications architecturales, comme nous le verrons plus loin.

Quant à la maison ouest, elle fut vendue un an après sa construction à Me John Bleakley qui l'habita jusqu'en 1862, alors que Cartier en fit l'acquisition à son retour de Québec. La famille Cartier y demeura jusqu'en décembre 1871, alors que Madame et ses deux filles partirent pour Londres. À cette époque, Cartier s'affichait de plus en plus souvent avec sa maîtresse, Luce Cuvellier, avec laquelle il vivait depuis

Photo Parcs Canada

Viaduc de la rue Berri vers 1910, selon un tableau de Georges Delfosse. À noter les clochers aujourd'hui disparus de l'ex-cathédrale Saint-Nicholas (occupée par l'Union nationale belge).

Photo Robert Mailloux, *La Presse*

L'arrière de la maison rénovée. À noter qu'on a choisi de murer quatre fenêtres.

16

Photo Robert Mailloux, *La Presse*

La salle d'exposition de l'entrée permet de se tremper dans l'atmosphère socio-économique qui prévalait au temps de Cartier.

quelque temps. Malade (il souffrait d'une néphrite) et déçu, Cartier rejoignit sa famille à Londres après sa défaite électorale de 1872. C'est le Dr A.-G. Ricard qui occupa ensuite la maison à titre de locataire jusqu'en 1893.

L'année des transformations

L'amputation de 1893 entraîna d'importantes transformations, respectées par la restauration, exception faite du passage cocher.

Au rez-de-chaussée, on ferma le passage cocher et remplaça sa porte à arc* en plein cintre, munie d'une imposte* décorative, par une porte ordinaire, afin de récupérer le volume à des fins d'habitation. À l'étage, on refit la façade est en lui ajoutant un balcon qui commençait à l'angle* nord-est en pan coupé et se poursuivait sur toute la longueur de cette façade.

Le toit subit les transformations les plus importantes. En premier lieu, on remplaça le toit à pignon par un toit* mansardé recouvert d'ardoise et se terminant par une plate-forme* à égout central en guise de terrasson*. (À l'arrière, on se contenta d'élever le mur jusqu'à la hauteur du toit). Les deux brisis* du toit aboutissaient à un petit pavillon* avec terrasse* faîtière dotée d'une balustrade en fer forgé et longtemps décorée d'une statue de la Vierge. Des lucarnes à fronton à pignon furent percées dans les brisis est et nord.

Simultanément, l'intérieur subit d'importantes modifications. Ainsi,

Photo Robert Mailloux, *La Presse*

Pièce thématique où on retrace les plus importantes interventions de Cartier en matière législative.

l'étage des combles* de la maison ouest, nouvellement créé par le toit mansardé, fut annexé au Grand Pacific Hotel, tandis que le rez-de-chaussée et l'étage de la maison furent transformés en logements.

En 1901, le Grand Pacific Hotel prit le nom d'hôtel Dalhousie, puis ensuite celui d'hôtel Royal (ce nom est encore lisible sur la façade est) en 1939, alors que l'immeuble fut transformé en maison de pension.

Photo Robert Mailloux, *La Presse*

Le petit salon au rez-de-chaussée.

La succession Cartier vendit l'édifice ainsi transformé en 1951, et le gouvernement fédéral s'en porta acquéreur en 1973.

Courte biographie de Cartier

George-Étienne Cartier naquit à Saint-Antoine-sur-Richelieu le 6 septembre 1814. Il était le sixième de la famille de huit enfants de Jacques Cartier, commerçant, et Monique Paradis.

Après ses études classiques au collège de Montréal et ses études en droit, il fut admis au barreau en 1835, un an après avoir contribué à la fondation de la société Saint-Jean-Baptiste et avoir participé à la campagne électorale de Louis-Joseph Papineau et Wolfred Nelson.

Patriote inconditionnel, il participa en 1837 à la bataille de Saint-Denis-sur-Richelieu, ce qui lui valut une année d'exil aux États-Unis. Il rentra à Montréal en septembre 1838 après

Sir George-Étienne Cartier

avoir affirmé sa loyauté à la Couronne britannique.

Dès lors, il adhéra au principe de l'Union, pratiqua le droit avec acharnement et investit dans l'immobilier, pour finalement occuper une bonne place au sein de la bourgeoisie montréalaise et posséder plusieurs propriétés dans le quartier où il s'installa en 1848.

Sa carrière politique commença en 1848, à titre de député de Verchères, et il s'imposa rapidement comme porte-parole influent des francophones du Bas-Canada dans les délibérations qui ont conduit à la rédaction de la Constitution. Après 1867, il fut ministre de la Milice et de la Défense dans le gouvernement de Sir John A. Macdonald, poste qu'il conserva jusqu'à sa défaite, en 1872, dans Montréal-Est qu'il représentait depuis 1863, alors qu'il avait délaissé Verchères. Cartier mourut en 1873.

Considéré comme un « Père de la Confédération canadienne », Cartier pilota d'importants projets de loi durant sa carrière. Mentionnons l'*Acte des municipalités et des chemins du Bas-Canada*, la création du *Conseil de l'instruction publique* ainsi que la codification des lois civiles et la soumission des Cantons de l'Est aux lois civiles du Québec. Il négocia également l'*Acte du Manitoba* qui, en 1870, assura le statut de province au Manitoba.

Patriote, puis ardent propagandiste de la Confédération canadienne, Cartier a certes joué sur les deux tableaux, de sorte qu'il a profondément marqué son époque.

REPÈRES

Nom : parc historique national Sir-George-Étienne-Cartier.

Adresse : 458, rue Notre-Dame est (angle Berri), Montréal.

Métro : station Champ-de-Mars.

Téléphone : (514) 283-2282.

Heures d'ouverture : de 10 h à 17 h, du mercredi au dimanche inclusivement.

Entrée : libre.

Type de visite : autoguidée.

Handicapés : accès total (l'immeuble est doté d'un ascenseur).

Services : toilettes seulement.

SOURCE:

Parcs Canada: *Parc historique national Sir-George-Étienne-Cartier.*

2

La maison Hertel

Construction: entre 1830 et 1840
Architecte: inconnu

Les amateurs d'histoire familiers avec le Vieux-Montréal connaissent déjà l'importance de la place Royale dans la société montréalaise de la fin du XVIIᵉ siècle.

Alors connue sous le nom de place d'Armes (elle porta aussi le nom de place du Marché avant d'être connue sous son nom actuel), la place servait d'épicentre de toute l'activité montréalaise.

Cela s'expliquait de deux façons. D'une part, elle était située en bordure du fleuve, derrière l'église Notre-Dame, et, d'autre part, c'est tout près de cet endroit que Paul Chomedey de Maisonneuve et ses compatriotes français débarquèrent, en mai 1642, pour fonder Ville-Marie, plus d'un siècle après la première visite de Jacques Cartier à la bourgade d'Hochelaga, en 1535.

D'ailleurs, l'édifice occupe une place de choix puisque tout juste derrière se trouve, au **147**, un immeuble construit sur l'emplacement de la première résidence des sulpiciens au pays, résidence qui servit de séminaire avant le déménagement de ce dernier dans un nouveau bâtiment érigé à l'angle sud-est des rues Notre-Dame et Saint-François-Xavier (il existe toujours, à l'est de l'église Notre-Dame). Rappelons que le sieur de Maisonneuve y résidait l'année de son retour en France, en **1665**. Une plaque commémorative souligne ce fait historique dans la cour arrière du **151**.

L'édifice occupé par la société Fairbanks Scales, selon une gravure d'Eugène Haberer publiée dans Canadian Illustrated News *le 16 novembre 1872, et répertoriée dans* Montréal, Recueil iconographique *par De Volpi et Winkworth.*

Photo Bernard Brault, *La Presse*

L'édifice qui occupe actuellement l'emplacement 173 du vieux cadastre, au 151, rue Saint-Paul ouest.

La maison Hertel

Cela nous amène à parler de la maison Hertel, construite en bordure de la rue Saint-Paul, au sud de la première résidence du fondateur de Montréal.

Construit à des fins d'habitation et de commerce, l'édifice de deux étages au-dessus du rez-de-chaussée a été érigé entre 1830 et 1840 par la famille de Daniel Hertel. Il existe toujours au 151, rue Saint-Paul ouest.

Il s'agit d'un édifice en pierre de taille grise, avec mur latéral en brique rouge. Sa façade typique est unie, si on fait exception de la moulure-gouttière* au sommet, et de l'entablement* du premier étage qui repose sur quatre pilastres* doriques encadrant les ouvertures du rez-de-chaussée.

La toiture à deux versants* de pente faible comporte un revêtement de bardeaux d'asphalte verts.

À l'intérieur, il importe de souligner les colonnes en bois de style dorique et le type de charpente, avec murs portants en bois.

Les recherches du ministère des Affaires culturelles n'ont pas permis de retracer le nom de l'architecte. En revanche, on sait que pendant son premier siècle d'existence, l'édifice a connu très peu de propriétaires, Hiram Seymour et la Fairbanks Standard Scale Co. ayant succédé à la famille Hertel. L'édifice est aujourd'hui la propriété des entreprises Pemik Inc.

La maison Chartier

Le style de la maison Hertel ressemble étrangement à celui de la maison Chartier qui, jadis, occupa la partie est du lot voisin du 151 de la rue Saint-Paul (présentement occupé par Habitat Place Royale après avoir abrité les quincailliers Frotingham et Workman pendant de longues années), tout juste en face de la maison de la Douane, construite en 1803 sur la partie nord de la place.

La construction de la maison Chartier date du dernier quart du XVIIe siècle. Au moment où Pierre Chartier fit l'acquisition de cette maison en pierre en 1703, son voisin était Abraham Bouat, marchand général. Vingt ans auparavant, Bouat avait employé Chartier comme commis.

Le lot de forme irrégulière comprenait la maison principale de 28 pieds de façade sur 38 pieds. D'une profondeur de 37 pieds et demi, le terrain derrière la maison était occupé par une cour intérieure en pavés, une remise en bois à deux étages pour la glace et le sel, la cabine avec fosse hygiénique, le puits et le potager.

Construite en pierre de taille grise, la maison comprenait, comme la maison Hertel, un rez-de-chaussée, deux étages et les combles. La maison comportait deux entrées principales à deux portes même s'il n'existait qu'un seul logis au rez-de-chaussée. Le commerce de Chartier occupait le rez-de-chaussée et le premier étage.

Le toit* à pignon à deux versants était recouvert de bardeaux en pin et percé de lucarnes* à pignon avec fronton* et de deux vasistas*. La maison comportait deux cheminées. Elle a

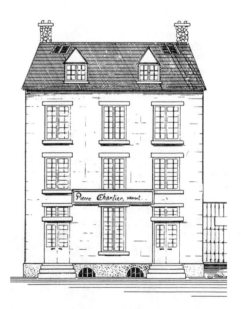

Croquis de la résidence-boutique de Pierre Chartier telle qu'elle existait en 1703, à partir des documents découverts par M. Jean Robert.

20

brûlé en 1803 lors de la conflagration qui a détruit une bonne partie du Vieux-Montréal.

La maison Hertel comporte certaines similitudes avec la maison Chartier, permettant de penser qu'il s'agit d'une reconstruction réalisée à partir de plans connus : même matériau (du moins pour la façade), même nombre d'étages, même dimensionnement du fenêtrage*, toit de même genre (moins les lucarnes et les vasistas), avec versant de pente faible similaire.

Les différences les plus notoires se trouvent au rez-de-chaussée : alors que la maison précédente comportait deux entrées encadrant une fenêtre, celle-ci comprend deux vitrines encadrant l'entrée principale à deux portes, comme au XVIIe siècle.

Autre différence à signaler : le fenêtrage de la maison Hertel est démuni des linteaux* de pierre qui décoraient la façade de la maison Chartier.

Enfin, dernière différence, la maison Chartier ne comportait ni entablement*, ni pilastres.

Quelques notes sur Pierre Chartier

Pierre Chartier était le fils de Guillaume, premier enfant de la deuxième génération des Chartier qui ont émigré au Canada.

Né à Montréal le 22 octobre 1666, il épousa Catherine Catin dans sa ville natale le 27 novembre 1717. Fille de Henry et Jeanne Brossart, cette dernière était de 25 ans sa cadette, et Chartier avait déjà 51 ans lorsqu'il abandonna le célibat. Les époux Chartier n'eurent pas d'enfant.

Pierre étudia à l'école fondée par Marguerite Bourgeoys, sise à proximité (à l'actuel angle sud-est des rues Saint-Laurent et Le Royer) de la maison où il demeura (celle de Pierre Gaudin dit Chatillon), pendant que son père travaillait à la construction d'une maison de ferme à Pointe-aux-Trembles.

Après avoir travaillé sur la ferme de son père, puis à la boutique de Bouat, Pierre Chartier entreprit sa vraie carrière, celle de négociant, d'abord itinérant (surtout pour le compte de Pierre Chesne dit Saint-Onge), puis sédentaire et à son compte, rue Saint-Paul, à partir de 1703.

Pierre Chartier mourut le 5 novembre 1735, à l'âge de 69 ans. Sa femme lui survécut pendant sept ans, et épousa Charles Douaire en secondes noces, le 22 décembre 1737. À sa mort, Pierre légua par testament un total de 13 580 livres à sept de ses dix frères et soeurs.

REPÈRES

Nom : maison Hertel.

Adresse : 151, rue Saint-Paul ouest (entre Saint-Sulpice et Saint-François-Xavier), à Montréal.

Métro : station Place-d'Armes : tourner à droite rue Saint-Urbain et suivre son prolongement (côte de la Place-d'Armes et rue Saint-Sulpice), puis tourner à droite à la rue Saint-Paul.

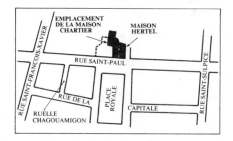

SOURCES:

Robert, Jean (Chartier), recherchiste en histoire: documents divers — Ménard, Adj.: *Les origines de Montréal* — Perrault, Claude: *La découverte de Montréal, en 1535, par Jacques Cartier* — Ministère des Affaires culturelles du Québec: documents divers — Archives de la Ville de Montréal: documents divers — Bureau d'enregistrement du Québec: documents divers.

3

La brasserie Molson

Construction: c. 1780
Architecte: inconnu

Lorsque John Molson débarqua à Québec, le 25 juin 1782, il ne se doutait pas qu'il enracinerait l'une des familles les plus prestigieuses de ce pays en devenir, et qu'il fonderait l'une des entreprises nord-américaines les plus riches en histoire, appelée à célébrer un jour le 200e anniversaire de sa fondation.

La brasserie a évolué depuis ce jour de juillet 1786 où John père (« The Elder ») s'improvisa brasseur. De 1 000$ à la fin des cinq premiers mois d'exploitation, en 1786, les revenus consolidés de cette multinationale sont passés au milliard de dollars en 1985.

Né le 28 décembre 1763 à Snake Hall, dans le Lincolnshire, en Angleterre, John était fils de John et Mary Molson (née Ellsdale). Il avait huit ans à la mort de son père, et 18 ans à son arrivée à Québec. Il lui fallut attendre sa majorité pour toucher l'héritage de son grand-père ; avant d'atteindre ses 21 ans, donc, son avoir en Amérique se limitait à la brasserie et à 400 acres de terrain dans le Vermont.

Une brasserie déjà existante

La première malterie-brasserie existait déjà à l'arrivée en Bas-Canada de Molson, futur associé de Thomas P. Loid. Ce dernier était propriétaire de l'établissement installé au pied du courant Sainte-Marie, dans le faubourg du même nom et contigu au faubourg Québec, hors des fortifications. Le terrain se trouvait en bordure du chemin du Roy (ensuite connu sous les noms de rue Sainte-Marie et rue Notre-Dame).

En juin 1784, Molson poursuivit son partenaire pour dette impayée. Après de longues tractations judiciaires, Molson devint, le 5 janvier 1785, propriétaire de « quarante pieds de terrain situé faubourg Sainte-Marie, avec la brasserie et bâtiments attenants et autres possessions ». Le tout était lié à une hypothèque de 100 £ due au riche propriétaire terrien Pierre Monarque, portant un intérêt de 6 p. cent.

Au retour d'un voyage de 11 mois en Angleterre au cours duquel il acheta

Photo archives Molson

Un des premiers camions utilisés par la brasserie.

l'équipement pour la brasserie, Molson entreprit son premier brassage le 28 juillet 1786. Le même jour, il réalisa son premier achat de huit boisseaux d'orge. Et le jeune homme aux yeux bruns et aux cheveux blonds (il mesurait six pieds), remarquable par son teint hâlé par le grand air, coiffé d'une tuque et vêtu de la tenue des travailleurs de l'époque, consigna d'un air triomphant dans son journal personnel : « Mon début dans le grand jeu du monde ! »

Molson avait épousé Sarah Vaughan quelques mois plus tôt. Le couple vivait modestement dans une maison appartenant à un dénommé Bergevin, attenante à la brasserie. Il payait un loyer mensuel de 3,50$.

À la fin de l'année, la production des cinq premiers mois atteignit 80 tonneaux (19 600 litres, comparativement à 6,4 millions d'hectolitres en 1985!) Sa bière devint la plus populaire et les

La brasserie en 1786

ventes dépassèrent les prévisions par une marge de 50 p. cent.

La brasserie du chemin du Roy

L'actuel complexe industriel Molson a évidemment subi de nombreuses transformations au fil des ans, et on est loin du bâtiment original acquis de Loid.

Selon l'architecte Michel Vinois, responsable de la restauration chez Molson, le tout premier bâtiment fut érigé en bois d'oeuvre, typique des immeubles industriels de l'époque. L'édifice comportait une toiture à double pente faible, et un des pignons longeait le chemin du Roy.

Après la destruction de l'édifice dans un incendie, on vit apparaître les premiers éléments de pierre dans la reconstruction. Il s'agissait du calcaire, abondant dans la région de Montréal et utilisé fréquemment dans la construction.

Les pierres du hall d'entrée des salles de réception actuelles proviendraient du premier bâtiment en pierre; ces grandes dalles de deux pieds sur trois en moyenne et de six à huit pouces d'épaisseur seraient venues d'Angle-

La brasserie Molson en 1986.

terre à bord des bateaux qui les utilisaient pour le lestage.

Les cloisons actuelles de l'intérieur des bâtiments n'ont aucune valeur historique, les édifices ayant subi cinq à six transformations au cours du seul dernier siècle.

La portion la plus vieille de l'ensemble est facile à repérer : c'est la section avec arcade* parallèle à la rue Notre-Dame. Elle traduit trois époques différentes, la plus ancienne se trouvant tout juste à l'est de la porte* cochère. On sait avec certitude que l'expansion s'est d'abord réalisée vers l'est car, au lieu d'être autoportant, le mur de pierre servait de parement puisqu'on a retrouvé de l'acier dans la construction.

L'architecte C. F. Hettinger incorpora ces éléments aux nouvelles constructions de 1913. Par ailleurs, le mur situé tout juste à l'ouest de la porte cochère a été refait à partir des pierres d'époque, sauf que le fenêtrage a été complètement transformé.

Les acquisitions ultérieures

En 1788 et 1789, Molson acquit deux lots qui lui permirent de porter à 175 pieds la façade de son terrain sur le chemin du Roy, et de l'étendre jusqu'à la rive du Saint-Laurent. Il confia à Pierre Barsalou la construction d'une écurie, d'une grange et d'une glacière, puis, en 1795, celle d'un bâtiment en pierre de 60 pieds sur 36 pieds qui abrita le nouvel équipement arrivé d'Angleterre.

En 1801, après avoir obtenu d'excellents résultats l'année précédente alors qu'il utilisa des bouteilles pour la première fois (avant, tout était en barriques), Molson acquit un lot de 40 pieds en bordure de la rue Sainte-Marie pour y construire sa maison. Dix ans plus tard, il acheta la dernière parcelle de terrain qui lui permit de posséder tout le quadrilatère délimité par le fleuve et les rues des Voltigeurs, Sainte-Marie et Monarque (aujourd'hui Papineau).

L'expansion suivante survint en 1880 après que la société eut abandonné ses activités de distillerie et de raffinerie. Elle construisit une nouvelle malterie à Longue-Pointe où elle avait déménagé la tonnellerie et les écuries. De nouveaux bureaux furent aménagés dans les bâtiments à façade de style néo-classique.

La partie ouest des bâtiments modernes occupe un emplacement sur lequel se trouvait jadis l'église Saint-Thomas, construite par Thomas Molson en 1840 à l'angle des rues des Voltigeurs et Sainte-Marie, sur un terrain utilisé tour à tour comme cour à bois, verger et jardin; cet emplacement reçut aussi le collège Molson (un édifice de cinq étages) et la terrasse Molson (un groupe de résidences qui servirent éventuellement de logements aux employés de l'entreprise).

L'église et la terrasse furent démolies en 1921. Quant au collège, il résista huit ans de plus au pic du démolisseur, après avoir servi de garnison militaire (pendant la guerre de Sécession américaine), d'entrepôt et de petite manufacture.

Les expansions du XXᵉ siècle

L'architecte Hettinger conçut plusieurs immeubles : un entrepôt, rue Papineau, une brasserie, un édifice à bureaux et une salle d'embouteillage, entre 1909 et 1913; des chambres de fermentation et deux entrepôts, généralement des édifices à quatre étages en pierre et en brique, en 1922; un garage et des écuries sur l'emplacement de la résidence de Sir John Johnson, à l'angle des rues Craig (aujourd'hui Saint-Antoine) et Dorion, en 1929. Hettinger collabora une dernière fois en 1943 en dessinant une chambre de fermentation.

En 1913, les ingénieurs McDougall et Friedman ajoutèrent une chambre de fermentation. Et en 1922, les architectes McDougall, Smith et Flemming dessinèrent une chaufferie et des séchoirs à grains. À la fin de cette expansion, les bâtiments occupaient tout le territoire remembré par John Molson père.

L'expansion suivante eut lieu en 1929 avec la construction de salles de fermentation et d'entrepôts sur l'emplacement du collège. L'ancienne salle de réception inspirée par les anciennes caves voûtées* de Molson et les pubs anglais fut complétée en 1933; elle fut démolie en 1985 pour faire place à la nouvelle salle de brassage.

En 1944, la brasserie s'étendit vers l'ouest par l'acquisition d'un terrain jadis occupé par une usine gazière appartenant à Thomas, la maison de William et une partie du parc Sohmer.

De 1947, année où la brasserie utilisa un cheval pour la dernière fois pour livrer la bière, jusqu'à 1953, on ajouta de nouveaux édifices : des salles de fermentation, centrale électrique, bu-

La brasserie au début du xxᵉ siècle. À noter, à l'arrière-plan, l'église Saint-Thomas et des appartements de la terrasse Molson.

reaux, usine d'embouteillage, etc., des investissements de l'ordre de 10,5 millions de dollars.

Depuis le début des années 60, la brasserie a continué son expansion : édifice de huit étages pour la fermentation en 1963, centre d'expédition en 1970, garage en 1974, entrepôt en 1975, centre de bureaux en 1982, salle de brassage de 140 pieds de hauteur aménagée dans de vieux bâtiments, au coût de 22 millions de dollars en 1985, et, pour compléter le tout, un nouveau complexe de salles de réception sur l'emplacement de la brasserie originale.

L'électricité (en remplacement de la vapeur) et la réfrigération ont fait leur apparition en 1900, 13 ans avant l'automatisation des chaînes d'embouteillage dans une usine modernisée. L'entreprise se dota de son premier véhicule motorisé en 1910; jusque-là, la bière était livrée par des haquets* à quatre roues tirés par deux chevaux alezans.

La diversification et les Molson

Tout au long de son histoire, la brasserie Molson fut une entreprise très diversifiée, dont l'empire comprit notamment une cour à bois, une

distillerie, une fonderie, une malterie, une raffinerie de sucre et plusieurs autres propriétés.

En 1797, un signe précurseur de l'éventuelle «diversification» de l'empire Molson, John père ouvrit une cour à bois sur un terrain de 250 pieds sur 257 situé à l'ouest des bâtiments. Il exploita cette scierie jusqu'en 1805, année où David Munn ouvrit un tel commerce du côté est de la rue Monarque, en bordure du fleuve. La même année, Munn ouvrit un chantier maritime à l'embouchure du canal de Lachine.

Sur le plan commercial, les Molson entreprirent en 1820 l'exploitation d'une distillerie, qu'ils conservèrent jusqu'en 1866. À sa fermeture, elle était la plus vaste au Canada.

La famille Molson fut propriétaire pendant quelques années d'une fonderie qui se trouvait en aval de la brasserie, rue Sainte-Marie. Louée à la société Bennett & Henderson, en 1831, puis reprise en pleine propriété en 1835, la fonderie porta différents noms avant d'être acquise par la Crane Co., en 1926.

Il y avait déjà 18 ans que Thomas et William émettaient des billets de banque au nom de la Banque Molson, soit depuis la crise économique de 1837,

La brasserie avant 1921.

lorsque l'institution financière reçut sa charte, en 1855. On peut encore admirer le merveilleux siège social de l'ex-banque fusionnée à la Banque de Montréal à l'angle sud-est de l'intersection des rues Saint-Pierre et Saint-Jacques.

La raffinerie de sucre fut fondée en 1867 et installée sur le terrain de Molson à Longue-Pointe. Elle fut vendue en 1871 à Redpath & Son après quatre années de déficits.

Mais de 1866 à 1967, la société concentra ses activités dans le brassage de la bière. Puis, au fil des ans, tout en s'implantant aux États-Unis, la brasserie Molson étendit ses tentacules partout au Canada par des acquisitions et des constructions: inauguration de la brasserie de Toronto en 1955, acquisition des sociétés Sicks' Breweries en 1958, Fort Garry Brewery, de Winnipeg, en 1959, Newfoundland Brewery en 1962, et Formosa Spring Brewery, de Barrie, en Ontario, en 1974.

Le «holding» a également fait des acquisitions dans d'autres secteurs: les meubles Vilas et Moyer Vico, en 1967, Anthes Imperial Ltd en 1968, Martlet Importing Co. Inc., en 1971, le Castor Bricoleur en 1972 (et récemment revendu), et Diversey Corp. en 1978.

Mais le plus beau fleuron (quoique pas nécessairement le plus rentable de l'entreprise), c'est évidemment le Canadien de Montréal. L'organisation en fit l'acquisition de la Carena-Bancorp en 1978. La plus célèbre équipe de hockey au monde avait déjà appartenu à la famille Molson, puisque Hartland de M. et Thomas A.P., de 1957 à 1968, puis David et Peter Molson, de 1968 à 1971, en furent les propriétaires. À cette époque-là, la famille Molson était également propriétaire du Forum, alors qu'aujourd'hui, la société doit se contenter de le louer.

La brasserie vers 1945.

Implication sociale

Sur le plan social, John Molson et ses descendants vécurent plusieurs grands moments de la jeune histoire canadienne.

En novembre 1809, dix mois après sa mise en chantier par John Molson, le constructeur maritime John Bruce et l'ingénieur John Jackson, l'*Accommodation*, un navire dont certaines pièces

John Molson

26

furent coulées par les vieilles Forges du Saint-Maurice, quittait le port de Montréal le 1er novembre pour sa randonnée inaugurale. Il arriva à Québec trois jours plus tard.

Mais dès le voyage de retour, on constata que le vapeur manquait de puissance puisqu'il éprouva toutes sortes de difficultés à remonter le courant Sainte-Marie jusqu'au quai. Il fut donc remplacé trois ans plus tard par le *Swiftsure*, qu'on dota d'un puissant moteur Bolton & Watt acheté en Angleterre à l'automne de 1810. Les Molson firent construire plusieurs autres bateaux avant de quitter cette industrie.

La construction de l'*Accommodation* est aujourd'hui commémorée par un petit parc aménagé à l'angle nord-ouest des rues Notre-Dame et Papineau. Une plaque commémorative offerte par Parcs Canada rappelle l'événement.

Sur le plan social, Molson s'impliqua dans la fondation (en 1821) de l'Hôpital général de Montréal, premier hôpital public de la ville, et la construction (en 1825), rue Saint-Paul, à un emplacement aujourd'hui occupé par le marché Bonsecours, du théâtre Royal par une société dont les Molson étaient les principaux actionnaires. Le théâtre côtoyait l'hôtel Mansion House, ensuite connu sous le nom d'hôtel British American, et construit pour remplacer la résidence de Sir John Johnson située à proximité de l'église Bonsecours.

En 1825, John Molson père alla habiter Belmont Hall, construite par Thomas Torrance en 1818 à l'angle nord-ouest du boulevard Saint-Laurent et de la rue Sherbrooke. La maison fut détruite par le feu en 1935. Son installation à cet endroit huppé amena Molson à s'impliquer encore plus dans l'activité sociale. En 1826, il devint président de la Banque de Montréal et un an plus tard il fut élu à l'Assemblée législative du Bas-Canada. En 1832, il fut nommé membre du Conseil législatif du Bas-Canada. Il mourut le 7 janvier 1836, neuf jours après avoir célébré son 72e anniversaire de naissance et quelques mois avant que la brasserie ne célèbre le 50e anniversaire de sa fondation. John père n'aura pas eu la chance non plus d'assister à l'inauguration, le 21 juillet 1836, du premier chemin de fer canadien, le chemin de fer Champlain et Saint-Laurent qui reliait La Prairie à Saint-Jean-sur-Richelieu. John avait été le principal investisseur de ce projet dont son fils fut le premier président.

Une petite anecdote intéressante : c'est un Molson, John H.R., fils de Thomas, qui vendit en 1882, pour la modique somme de 25 000$, une propriété sise à l'angle des rues Bonaventure (Saint-Jacques), et du cimetière (de la Cathédrale) à la société Dawes & Son, dont la brasserie était alors installée à Lachine. La guerre des brasseries n'avait pas encore été déclenchée...

REPÈRES

Nom : brasserie Molson.
Adresse : 1555, rue Notre-Dame est (pour le siège social); 1590, rue Notre-Dame est (pour les bâtiments historiques).
Métro : station Papineau (se diriger vers la rue Papineau, puis vers le fleuve).

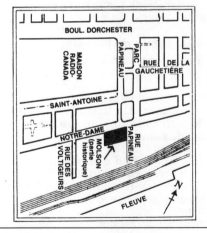

SOURCES :

Brasserie Molson: documents divers — Denison, Merrill: *Au pied du courant, l'histoire Molson* (Éditions Beauchemin) — Documentation de *La Presse*: documents divers — Archives de la Ville de Montréal: documents divers

4

La maison Peter Lust

Construction : 1765
Architecte : inconnu
Monument historique reconnu

Photo Paul-Henri Talbot, *La Presse*
Façade de la maison Peter Lust prise au printemps, avant que les arbres ne la masquent aux yeux des passants.

En entreprenant d'écrire l'historique de Montréal à partir de son inventaire architectural, il était évident qu'on ne pourrait pas se limiter au seul territoire montréalais, certains bâtiments hors du territoire étant intrinsèquement liés à l'histoire de Montréal.

La maison Peter Lust, de Beaconsfield en est un exemple significatif : ses premiers propriétaires furent des Montréalais, le territoire leur fut cédé par les messieurs de Saint-Sulpice (et plus particulièrement par François Dollier de Casson), grands seigneurs de Montréal, et ces terres « lointaines » servaient à nourrir la population de Ville-Marie.

Historique de l'emplacement

Également connue sous le nom de manoir Beaurepaire, la maison Lust a été construite en 1765 par le marchand Amable Curot à la seigneurie de Beaurepaire. La seigneurie occupait une pointe aujourd'hui connue sous le nom de pointe Thompson.

La pointe offrait des avantages évidents à l'érection d'un fort. Et un fort aurait certes eu son utilité, car à partir de 1686, les Iroquois se faisaient de plus en plus menaçants. Leurs attaques attinrent leur paroxysme le 5 août 1689, par le massacre de Lachine. Si bien qu'entre 1687 et 1698, les colonisateurs désertèrent la rive du lac Saint-Louis et se réfugièrent dans des lieux fortifiés de l'île.

Jean Guenet obtint des sulpiciens la première concession de quatre arpents sur 20, le 18 mai 1678. Le 28 novembre

Photo Paul-Henri Talbot, *La Presse*
Entrée de la pointe Thompson, le long du chemin Lakeshore.

1694, il recevait une deuxième concession de huit arpents sur 40.

La pointe Anaouy

L'endroit était alors connu sous le nom de « pointe Anaouy, dite de Beaurepaire ». Guenet donna le nom de Beaurepaire à la première concession acquise, laissant le nom d'Anaouy à la deuxième. Plus tard, certains documents identifièrent le lieu sous le nom de « pointe à Quenet » ou de « pointe à Gannet ».

D'ailleurs, Guenet lui-même n'a guère contribué à éclaircir l'énigme soulevée par l'orthographe de son nom puisqu'il signa son contrat de mariage du nom de « Quenet ». Mais tous les documents l'identifient sous le nom de Guenet!

Marchand et importateur, ravitailleur de Ville-Marie, propriétaire terrien important à Beaurepaire, à Sainte-Anne-de-Bellevue et même à Lachine (il fut propriétaire du terrain où se trouvait jadis le premier moulin à eau des seigneurs, aux rapides de Lachine), Guenet épousa Étiennette Heurtebise à Montréal en 1675.

Comme propriétaire foncier, Guenet était avantagé de par ses titres de « contrôleur des domaines du roi » et de « percepteur des redevances des seigneurs de l'Île de Montréal », qui lui assuraient des informations privilégiées au sujet des terres de la seigneurie.

Rentré à Ville-Marie le 16 février 1689 devant la menace iroquoise, Guenet retourna à Sainte-Anne-de-Bellevue le 10 octobre 1701 afin de reprendre son commerce. Certains documents, dont la carte de Bellin tracée en 1744, indiquent ce lieu sous le nom de « fort Quenet ». Le terme de « fort » risque de fausser un peu la réalité; tout au plus pouvait-il s'agir d'un poste de traite.

En 1712, Guenet vint s'installer à Ville-Marie pour y finir ses jours. Sa première femme étant morte en septembre 1717, Jean Guenet épousa en janvier 1718 Françoise Cuillerier, fille de Cuillerier le Brave, éminent citoyen de Ville-Marie et de Lachine. Guenet mourut en 1724.

Photo ministère des Affaires culturelles
Photo de l'arrière de la maison Peter Lust.

Dessins ministère
des Affaires culturelles

Photo Paul-Henri Talbot, *La Presse*
Pignon ouest de la maison, avec ses fenêtres minuscules.

La famille Guenet resta propriétaire du terrain jusqu'en 1765, alors qu'un marchand de Montréal, Amable Curot, se porta acquéreur de l'ensemble des propriétés des Guenet sur la pointe. Après avoir fait construire la maison de pierre, Curot perdit la propriété 15 ans plus tard quand le shérif la vendit à Pierre Vallée.

De 1870 à 1891, la seigneurie de Beaurepaire devint la propriété de James Thompson, et elle prit le nom de pointe Thompson en l'honneur de son nouveau propriétaire.

Peter Lust, le propriétaire actuel de

la propriété, l'a acquise en 1946 de la famille de Paul Craig, sans lien de parenté avec son prédécesseur, le Dr R. H. Craig.

La situation géographique

La pointe Thompson débouche sur le chemin Lakeshore dans Beaconsfield, un peu à l'est de l'avenue Woodland. Cette route longeant la rive du lac Saint-Louis fut ouverte en 1706, sur l'ordre de l'intendant Raudot.

La responsabilité de l'entretien de la route, construction de ponts comprise, incombait aux riverains, sous peine d'une amende de 10 livres. Et qui était chargé de l'exécution de l'ordonnance de 1707 ? Eh oui ! Jean Guenet !

Plus tard, naîtra la Compagnie des chemins et barrières, formée pour assumer les frais d'entretien des routes. Les revenus provenaient du droit de passage perçu aux barrières, définitivement abolies vers 1911.

Photo ministère des Affaires culturelles
Foyer dont le parement de pierre des champs a été ajouté par James Thompson à la fin du XIXe siècle.

La maison de Peter Lust est située sur un magnifique terrain fortement boisé de quelque quatre acres, à l'est de la pointe Thompson. Elle est entourée de magnifiques maisons relativement récentes, originalement utilisées comme « chalets d'été ».

Une maison attachante

La maison est attachante, et même si elle a subi d'innombrables transformations en 220 ans, elle a conservé un caractère unique, du moins dans la région.

Exception faite d'une rallonge carrée à revêtement de déclins* de bois,

la maison occupe une surface au sol de 64 pieds et 9 pouces sur 38 pieds et 7 pouces, et sa hauteur maximale se situe à 33 pieds et 3 pouces. Les murs de la maison sont en pierre des champs, et varient en épaisseur de 27 à 36 pouces. Les cloisons du sous-sol sont également en pierre des champs et elles divisent la surface en quatre pièces, dont une seule, le garage au coin nord-ouest, sert à autre chose qu'à l'entreposage.

Au rez-de-chaussée comme à l'étage, les cloisons sont de construction récente. Selon la famille Lust, la maison ne possédait jadis aucune partition, exception faite du garage qui servait autrefois d'écurie (dans sa configuration actuelle, la maison comporte sept pièces au rez-de-chaussée, garage compris, et neuf à l'étage). L'hypothèse du bâtiment militaire à l'origine semble se vérifier dans les fenêtres en forme de meurtrières des murs est et ouest.

La toiture

La toiture est symétrique, à deux versants* à faible pente*, et comporte une cheminée en brique centrée sur le faîte* de la toiture à chaque extrémité. La toiture est percée de cinq petites lucarnes* sur le versant nord, et de trois beaucoup plus vastes sur le versant sud.

La toiture est supportée par une charpente en pièces de bois équarries à la hache de 5 pouces sur 4 pouces et demi qui forment un ensemble de 13 fermes*, équidistantes de 4 pieds les unes des autres.

Le plancher du rez-de-chaussée repose sur une poutraison* formée de pièces équarries, juxtaposées et posées sur les cloisons longitudinales de la maison. Le niveau du plancher du garage se situe à mi-hauteur du sous-sol et du rez-de-chaussée.

Les portes et les fenêtres paraissent avoir été refaites, et rien ne permet de croire que les ouvertures existantes étaient, à l'origine, aux mêmes endroits et de mêmes dimensions.

La maison possède deux foyers, mais seul le foyer central est d'origine,

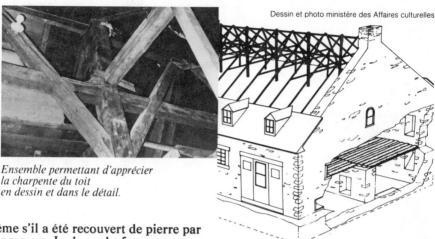

Dessin et photo ministère des Affaires culturelles

Ensemble permettant d'apprécier la charpente du toit en dessin et dans le détail.

même s'il a été recouvert de pierre par Thompson. La base du foyer au sous-sol est en pierre des champs, et il est vraisemblable que le carré de pierres qui la jouxte au sous-sol ait jadis supporté un four à pain au rez-de-chaussée. Si le deuxième foyer actuel est récent, il en a existé un deuxième à l'origine, au niveau de l'écurie.

Architecture d'une valeur indéniable

En résumé, la valeur architecturale et historique de la maison Lust repose sur les observations suivantes : charpente* de la toiture d'origine et formée de fermes équidistantes ; épaisseur des murs en pierre des champs ; foyer en position centrale ; écurie à l'intérieur de la maison ; absence de cloisons au rez-de-chaussée et à l'étage, laissant supposer qu'il s'agissait d'un bâtiment militaire ; poutraison du plafond du sous-sol formée de poutres juxtaposées ; ouvertures qui ressemblent à des meurtrières*. Pour la région, pour l'époque et pour le contexte historique, cette maison est remarquable et enrichit le patrimoine architectural de la région montréalaise.

Selon la légende, que nous a communiquée le propriétaire des lieux, la maison serait hantée par de vieux soldats français qui, périodiquement, seraient censés apparaître au sous-sol et dans la cuisine. Il voudrait croire à la légende, sauf qu'il n'a jamais eu le plaisir de rencontrer ces fantômes !

REPÈRES

Nom : maison Peter Lust ou manoir Beaurepaire.

Adresse : 13, pointe Thompson, à Beaconsfield.

Direction : en provenance de Montréal, route 2-20 jusqu'à la rue Woodland (vis-à-vis la gare Beaurepaire), à gauche à Woodland jusqu'au chemin Lakeshore, puis à droite à la pointe Thompson, jusqu'au 13.

Mise en garde : il s'agit d'un terrain privé.

Transport en commun : le train de banlieue Montréal-Dorion de la STCUM arrête à la gare Beaurepaire. Pour éviter de faire à pied la distance entre la gare et le chemin Lakeshore, on peut descendre du train à la gare Beaconsfield et prendre ensuite l'autobus 200 de la STCUM, en direction ouest.

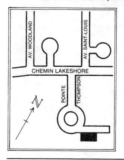

SOURCE :

Ministère des Affaires culturelles du Québec : documents divers.

5

Les appartements Bishop Court

Photo Robert Nadon, *La Presse*

Photo de la façade de l'édifice, rue Bishop.

Construction: 1904
Architectes: Saxe et Archibald
Monument historique classé

Les appartements Bishop Court témoignent d'une époque, au début du XXe siècle, où la classe moyenne, sans pouvoir s'offrir les luxueuses résidences qui abondaient dans Westmount, Outremont ou les rues du «Mille carré doré», parvenaient néanmoins à vivre avec le maximum de confort.

D'ailleurs, l'environnement des appartements Bishop Court comprend, rue Bishop, plusieurs résidences grandioses construites dans le style victorien telle la maison Peter Lyall et les appartements Royal George situés juste en face, et qui ont été l'objet de longs palabres entre la direction de l'Université Concordia et les défenseurs du patrimoine architectural.

Or, c'est justement à l'un d'eux que l'on doit en bonne partie l'existence à ce jour des appartements Bishop Court, car n'eût été la détermination de Michael Fish et d'organismes comme Sauvons Montréal, en janvier 1975, il est probable que cet ensemble immobilier et les résidences victoriennes qui l'entourent auraient croulé sous le pic du démolisseur pour faire place à un monument de verre et de béton érigé pour l'Université Concordia (à l'époque connue sous le nom d'Université Sir George Williams).

Photo archives de la Ville de Montréal

Croquis du bâtiment publié par le Montreal Star *en 1905.*

32

Situé au coin sud-est de l'intersection du boulevard de Maisonneuve et de la rue Bishop, l'ensemble fut construit en 1904 comme en témoigne un médaillon de pierre au sommet de la façade de l'aile centrale.

Les recherches du ministère des Affaires culturelles n'ont pas permis de découvrir le nom du tout premier propriétaire. De la même façon, dans les documents, on ne retrace aucun personnage célèbre y ayant habité.

En revanche, on sait que les plans ont été signés par les architectes Saxe et Archibald, et plus particulièrement le premier, Charles Jewett Saxe (1870-1943), auquel on doit également l'annexe du vieux palais de justice, rue Notre-Dame, l'École technique, rue Sherbrooke, et l'église Emmanuel United.

Pendant les deux premières décennies de son existence, l'édifice a subi plusieurs mutations. Mais après 1922, il est resté intouché jusqu'à ce que l'Université Concordia l'adapte à ses besoins immédiats, puisque l'ensemble est aujourd'hui utilisé comme siège de l'administration de l'université depuis 1976.

L'immeuble des appartements Bishop Court est composé de trois ailes, reliées en forme de « U » autour d'une petite cour intérieure. L'édifice regroupait jadis six appartements de six pièces par aile, soit un total de 18.

Un édifice néo-gothique

La façade néo-gothique incorpore deux matériaux principaux : la pierre rouge d'Écosse équarrie et la pierre calcaire blanche taillée. Il est vraisemblable de penser que la pierre rouge est arrivée d'Écosse à bord de vaisseaux qui l'utilisaient en guise de ballast.

Quant à la pierre blanche, importée des États-Unis, on la retrouve dans l'encadrement des portes et des fenêtres, la chaîne*, les fondations, les plaques* et les médaillons* décoratifs de la façade. Les trois autres côtés de l'édifice sont en brique.

Le toit est plat depuis le tout début de l'existence de ce bâtiment, et il est percé de deux cheminées.

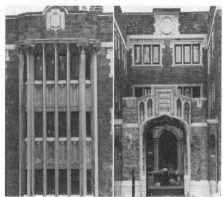

Photos Robert Nadon, *La Presse*
Détail d'un des oriels de la façade et arcade donnant accès à la cour intérieure.

Photo Robert Nadon, *La Presse* Photo Pierre McCann, *La Presse*
La cour intérieure des appartements Bishop Court.   *Le détail d'un pilastre en bois sculpté.*

Deux oriels* disposés de part et d'autre de l'arcade* agrémentent la façade. Les meneaux* des oriels sont finement ciselés dans la pierre calcaire blanche de l'Indiana. Le sommet de chaque oriel est remarquable, et il est surmonté d'armoiries dont on a malheureusement effacé l'inscription. Les fenêtres qui encadrent les oriels comportent trois châssis séparés par des meneaux en pierre. À noter que les fenêtres donnant sur la cour intérieure sont de même style que les fenêtres qui encadrent les oriels.

L'arcade en accolade* est surmontée d'une plaque en pierre blanche dans laquelle on a gravé le nom de l'édifice.

33

Les boiseries du salon d'un appartement-type.

La plaque est encadrée de petites ouvertures décoratives à arc en ogive*. À noter que ces ouvertures ne se retrouvent que du côté « rue » de l'arcade.

La cour intérieure est recouverte de pavés rectangulaires et ne comporte pas d'aménagements particuliers.

L'intérieur de style néo-Tudor

Selon les documents soumis par Michael Fish au ministère des Affaires culturelles, au milieu des années 70, l'aménagement intérieur des appartements était tellement remarquable qu'il fallait les préserver.

La disposition des pièces était sensiblement la même pour chacun des 18 appartements. L'entrée se prolongeait par un salon pourvu d'un foyer à gaz. À droite se trouvaient deux chambres reliées par une salle de bain. À gauche prenaient place la cuisine, une petite pièce et une salle à manger ouverte sur le salon.

Les ouvertures et les armoires du vestibule et de la salle à manger étaient lambrissées de panneaux de bois de couleur très foncée. L'utilisation de ces panneaux et des pièces de bois ciselées était d'ailleurs typique de la décoration néo-Tudor qui prévalait au début du siècle. Des poutres du même bois, mais sans la moindre fonction structurale, conféraient aux plafonds le caractère qu'on retrouvait dans certains châteaux. Toujours selon Michael Fish, si un locataire s'aventurait à peindre ces panneaux, celui qui lui succédait décapait le bois pour lui redonner sa splendeur originelle.

Quant aux halls d'entrée, ils transpiraient de simplicité malgré la présence du marbre gris et blanc du Vermont. On retrouvait au pied de chaque escalier conduisant aux étages une petite salle de toilette semi-publique jadis à la disposition de la servante.

Ces appartements méritaient d'être protégés du pic du démolisseur. Mais comme l'édifice abrite aujourd'hui l'administration de l'Université Concordia, ce n'est évidemment pas un bâtiment qu'on peut visiter inopinément. Cependant, l'extérieur et plus particulièrement la façade valent le déplacement.

Les boiseries abondaient même dans la chambre à coucher.

REPÈRES

Nom: appartements Bishop Court.
Adresse: 1463, rue Bishop.
Métro: la rue Bishop est la deuxième à l'est de la station Guy.

SOURCES:

Friedberg, Barbara Salomon de: *Le Bishop Court Apartments* — Ministère des Affaires culturelles du Québec: documents divers — Archives de la Ville de Montréal: documents divers.

6

La maison Peter Lyall

Construction : c. 1890
Architecte : J. J. Browne

En réunissant des hommes de talent comme l'architecte J. J. Browne, le sculpteur sur pierre Henry Beaumont et le constructeur Peter Lyall, et en leur proposant comme matière première la meilleure des pierres de grès rouge d'Écosse, il était certain que le résultat allait être brillant. D'ailleurs, dans le dossier soumis au ministère des Affaires culturelles du Québec en 1976, l'architecte Michael Fish, un ardent défenseur du patrimoine architectural montréalais, dit de la maison de Peter Lyall alors menacée de démolition, que la vaste résidence de la rue Bishop était le plus remarquable de tous les édifices de son genre à Montréal. Quiconque a eu l'occasion de voir ce manoir peut confirmer la justesse de l'appréciation de Fish !

Au moment de construire sa propre résidence vers 1890, Peter Lyall jouissait depuis 20 ans d'une excellente réputation dans le domaine de la construction. Il fallait donc s'attendre à ce que son manoir soit exceptionnel.

Une façade remarquable

Plusieurs éléments dignes d'un château permettent de classer ce manoir parmi les édifices de style Renaissance française : sa tour* cornière ronde surmontée d'une tourelle* à pignons* jumelés (au sud); sa tour à trois faces (au nord); son toit* mansardé percé de lucarnes* à fronton* et recouvert de bardeaux en «écailles de poisson»; son fenêtrage multiforme; et son porche à arc* en plein cintre à imposte*, encadré par des colonnes en marbre poli.

Photo Michel Gravel, *La Presse*

Cette vue d'ensemble de la maison Peter Lyall, au 1445, rue Bishop, permet de juger de la beauté architecturale de la façade.

Choisi pour sculpter la façade de la résidence de Peter Lyall, l'artiste de la pierre Henry Beaumont est le même qui eut l'occasion d'exprimer son incroyable talent dans une trentaine de projets, dont plusieurs prestigieux comme le Vieux Sun Life, l'édifice New York Life Insurance, une succursale de la Banque de Montréal, trois édifices de l'Université McGill, et les résidences de personnalités comme G. A. Drummond, J. O'Brien, J. Murphy et W. P. Scott.

Sa réputation était donc déjà bien assise, et il ne l'a pas trahie, en réalisant la façade de la maison Peter Lyall : les jambages* de fenêtres et les panneaux entre les fenêtres proposent des visages médiévaux et des motifs antiques dont les détails restent toujours aussi impressionnants près d'un siècle plus tard.

La qualité de la pierre

L'exceptionnel état de conservation des sculptures de la façade, malgré les ans et la rigueur des hivers canadiens, la pollution, la suie et les pluies acides, s'explique par le soin apporté par Lyall dans le choix de la pierre de grès.

Photos Michel Gravel, *La Presse*

La tourelle du nord incorpore une colonnade haute de deux étages, servant d'appui à une fenêtre cintrée surmontée d'un fronton. À noter également la toiture à pans multiples.

À droite, magnifique chapiteau en pierre ciselé au sommet de la colonnade de la tourelle du sud.

Photos Michel Gravel, *La Presse*

Ces deux photos permettent de juger de la variété et de la richesse sculpturale du fenêtrage. À noter, dans la photo de gauche, le style dépouillé de l'encadrement surmonté d'un bas-relief, et dans la photo de droite, la qualité exceptionnelle de la sculpture de l'encadrement et la colonne en marbre à chapiteau sculpté séparant les deux grandes fenêtres surmontées de petits carreaux.

Lyall faisait venir sa pierre des carrières de grès rouge Corncockle, en Écosse, son pays natal. Très dure à cause de sa haute teneur en silice, cette pierre résista à la corrosion et aux variations de température. Sa teinte tournant à l'orangé plutôt qu'au rouge per-

met d'ailleurs de la différencier de la pierre rouge locale, plus absorbante et plus poreuse, et qui a tendance à prendre une teinte rose foncée avec le temps.

L'intérieur ne manque pas d'intérêt. Le hall d'entrée, les cheminées sculptées, les plafonds pourvus de poutres* et de corniches*, la quincaillerie des portes, l'originale étant encore en place dans bien des cas, assurent beaucoup de charme et de panache à cet édifice. On trouve même à l'intérieur une section de la belle clôture en fer forgé qui ceinturait jadis la propriété.

De nombreux projets prestigieux

Né à Castletown, en Écosse, en 1841, Peter Lyall avait 29 ans lorsqu'il immigra au Canada en 1870 afin de se joindre à la compagnie de construction d'un cousin, Peter Nicholson. Six ans plus tard, il décida de former la Peter Lyall and Sons Construction Co. Ltd., en compagnie de ses fils Peter, William et Traill. Notons que sa femme Christina (née Oman), également de Castletown, lui a aussi laissé une fille, Mme Loenicke, de Montréal.

Entre le début de son entreprise de construction et sa mort en 1912, dans sa 72e année, Peter Lyall a connu une vie mouvementée qui s'est déroulée à l'enseigne du succès.

Dans sa carrière de pierre, installée d'abord rue Bishop, puis ensuite rue King, les employés de Lyall choisissaient et taillaient les pierres utilisées sur les différents chantiers. Quoique fasciné par les qualités exceptionnelles de la pierre rouge d'Écosse, Lyall utili-

Photo Michel Gravel, *La Presse*

Le magnifique porche est encadré de petites colonnes en marbre supportant un arc en plein cintre en pierre de grès rouge ciselée et reposant sur une imposte.

sa également la pierre calcaire taillée et la brique de la Laprairie Brick Co.

La contribution de Lyall au patrimoine architectural montréalais est énorme : l'édifice New York Life Insurance, le Vieux Sun Life, l'édifice Canada Life, le Grand Tronc, l'édifice du Board of Trade, l'édifice de la Bourse (l'actuel théâtre Centaur), certains édifices de l'hôpital Royal Victoria, l'édifice Macdonald de l'Université McGill, et l'église Zion Congressional, pour ne nommer que ceux-là.

Lyall n'a pas oeuvré qu'au Québec; il a notamment construit les filatures de la Montreal Cotton Co. à Valleyfield, l'hôtel Royal Alexandra et la gare du Canadien Pacifique à Winnipeg, la gare du Grand Tronc, à Ottawa, et l'hôtel du gouvernement à Regina.

Un constructeur innovateur

Lyall ne manquait ni de cran ni d'imagination. Il a surpris par ses innovations.

Ainsi, lorsqu'il construisit l'édifice New York Life riverain de la place d'Armes, à la fin des années 1880, l'édifice de huit étages était le plus haut de Montréal, si bien que Lyall sentit le besoin d'ajouter un observatoire sur le sommet. Cet édifice fut également le premier de Montréal à posséder un ascenseur électrique.

Le Vieux Sun Life, rue Notre-Dame, fut la première structure en acier construite à l'épreuve du feu.

Enfin, l'ex-édifice de la Bourse de Montréal, rue Saint-François-Xavier, fut doté d'un système de ventilation forcée, véritable précurseur des systèmes modernes d'air climatisé.

Promoteur et généreux bienfaiteur

En plus d'être actif dans le domaine de la construction, Peter Lyall s'imposa également comme promoteur. Il fut l'instigateur d'entreprises comme la Lachine Rapids Hydraulic and Land Co. (1896), la Banque d'épargne Mont-Royal (1903) et la Laprairie Brick Co. (1904).

Il fit aussi de la politique. Après avoir subi une défaite aux élections fédérales de 1904, aux mains du conservateur Herbert Ames, dans Saint-Antoine, Lyall fut élu au conseil municipal. Pendant son mandat de deux ans, il fut l'un des membres les plus actifs de l'Association des citoyens; d'ailleurs, James Morgan et lui furent les grands responsables de la formation du Bureau de contrôle créé pour assainir les finances publiques.

Homme d'affaires important et millionnaire, Peter Lyall s'engagea dans certaines sociétés vouées au mieux-être de ses concitoyens. Il fut président de l'hôpital Western et de l'Hôpital protestant pour déficients mentaux, à Verdun. Il fut également président de la Société calédonienne de Montréal et du Club de réforme en 1907. Il va sans dire qu'il était un libéral convaincu.

De tous les hommages posthumes qui lui furent rendus, on peut retenir celui du maire Lavallée : «Monsieur Lyall fut un homme progressif, un homme d'affaires fructueux et un bon citoyen. Il avait à coeur les intérêts de la ville. Je suis très peiné d'apprendre qu'il est décédé.»

Il aurait été malheureux que son principal monument, sa propre demeure, eût disparu du panorama montréalais.

REPÈRES

Nom: maison Peter Lyall.
Adresse: 1445, rue Bishop.
Métro: la rue Bishop est à deux rues à l'est de la station Guy.

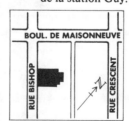

SOURCES:

Friedberg, Barbara Salomon de: *Le Bishop Court Apartments* — Ministère des Affaires culturelles du Québec: documents divers — Archives de la ville de Montréal: documents divers.

7

Le Vieux Sun Life

Construction: 1885 et 1891
Architectes: J. W. et E. C. Hopkins,
Robert Findlay

La compagnie d'assurances Sun Life a fait couler beaucoup d'encre en 1976, le jour où ses dirigeants décidèrent sans avertissement de déménager le siège social de l'entreprise à Toronto. Plusieurs firent un lien entre cette décision et l'élection d'un gouvernement souverainiste à l'Assemblée nationale du Québec.

D'abord sévèrement blâmée et pénalisée par une importante perte de souscripteurs, la compagnie a depuis réussi à retrouver la confiance de sa clientèle.

De toute manière, avec une présence aussi solidement enracinée au Québec, il aurait été impossible de rayer tout simplement de l'histoire montréalaise le nom de la Sun Life, première compagnie d'assurances fondée à Montréal. En effet, la Sun Life a marqué l'histoire montréalaise dans deux immeubles : le Vieux Sun Life, rue Notre-Dame, sujet du présent texte, et le majestueux édifice qui fait face à la cathédrale et dont il sera question au chapitre suivant.

La fondation de la compagnie

La Sun Life fut fondée le 14 avril 1871 lorsque le Parlement canadien adopta la *Loi créant la Sun Life Mutual Insurance Company of Montreal*. La loi précisait que son action devait se limiter à l'assurance contre les accidents et à l'assurance sur la vie.

Mais c'est un peu par accident que cette compagnie fut fondée, à une époque où l'assurance-vie était largement boudée en Amérique du Nord. En effet, au début de 1870, le gouvernement canadien décréta, dans le but de protéger les souscripteurs des compagnies d'assurances sur la vie, que toute compagnie active au Canada devrait déposer une somme de 50 000$ auprès du gouvernement.

Dans une mesure de représailles économiques, la Mutual Life of New York, la plus importante société d'assurance-vie au Canada, décida de se retirer du marché canadien, et son agent

Photo Sun Life

Mathew Hamilton Gault, fondateur de la Sun Life.

Photo Sun Life

Hôtel St. Lawrence Hall (à gauche), rue Saint-Jacques, à l'hiver de 1870. Cet édifice n'existe plus. À l'arrière-plan, l'édifice de la Banque de Montréal sans sa coupole.

local, Mathew Hamilton Gault, se retrouva sans emploi du jour au lendemain.

Aux yeux de Gault, c'était un mal pour un bien puisque l'incident lui permettait de réaliser un rêve qu'il caressait depuis 1864, avec des personnalités comme George Stephen (futur lord Mount Stephen, du CP), Alexander Walker Ogilvie et James Ferrier fils.

D'ailleurs, dès le 18 mars 1865, le gouvernement des Canadas avait adopté la loi autorisant la constitution en société de la Sun Insurance Company of Canada. Mais la charte demeura dans le tiroir de Gault durant plus de cinq ans, surtout à cause de l'instabilité et de l'agitation qui accompagnèrent l'établissement de la Confédération canadienne, le 1er juillet 1867.

Gault n'a pas eu la vie facile

Gault était alors âgé de 48 ans. Né en Irlande du Nord, il était arrivé au pays

L'édifice tel qu'il apparaissait vers 1930.

Édifice Barron, rue Saint-Jacques, bâtiment démoli qui se trouvait tout juste à l'est du siège social de la Banque d'Épargne.

en 1842 avec son père, marchand et armateur qui avait connu la fortune mais fut plus tard ruiné par une série de désastres maritimes. Le père mourut dès l'année suivante, et Gault se retrouva, à 22 ans, soutien d'une famille de sept enfants dirigée par une mère invalide.

Au surplus, la vie ne l'avait pas gâté. Il souffrait depuis l'âge de 15 ans d'une blessure au dos, conséquence d'une chute de cheval. Sa première tentative en affaires s'était soldée par la faillite d'une banque.

En 1851, première lueur d'espoir : il obtint l'agence de la British America Assurance Co., de Toronto, compagnie d'assurances générales qui représentait la Mutual Life Insurance Company of New York, très forte aux États-Unis depuis huit ans. Tel était l'homme qui fonda la Sun Life.

Au moment de sa mise à pied, Gault quitta le bureau qu'il occupait au 77, rue Saint-Jacques, et s'installa au 131 de la même rue, dans l'hôtel St. Lawrence Hall, premier édifice officiellement occupé par la Sun Life et situé à

La partie est de l'édifice Vieux Sun Life aujourd'hui.

À noter la grande différence dans l'architecture des entrées de la partie est (à gauche) et de la partie ouest.

l'angle sud-est des rues Saint-Jacques et Saint-Jean. Il comportait quatre étages, séparés par un bandeau* ciselé. Il était muni de grandes fenêtres à arc* en plein cintre, avec toit* mansardé percé de lucarnes* arquées* et couronné d'une balustrade* en fer forgé. Gault s'installa au rez-de-chaussée, où se trouvait également la salle dans laquelle les administrateurs se réunissaient chaque jeudi. C'est également là qu'eut lieu la première assemblée annuelle des actionnaires, le 7 mars 1872.

L'emplacement de la rue Notre-Dame

De nouveau trop à l'étroit rue Saint-Jacques, la Sun Life chercha un emplacement où elle pourrait ériger son propre bâtiment, Gault ayant conclu qu'il lui serait plus avantageux d'être propriétaire que locataire. Elle le trouva en 1889 à l'intérieur du quadrilatère formé par les rues Notre-Dame, Saint-Alexis, de l'Hôpital et Saint-Jean.

Avant d'aller plus loin, il importe de faire le point sur cet emplacement. Au moment où le dénommé Samuel Waddell acheta le lot 116 (le plus à l'est des deux, donc à l'angle des rues Notre-

La partie ouest de l'édifice Vieux Sun Life aujourd'hui.

l'angle nord-ouest des rues Saint-Jacques et Saint-François-Xavier.

Mais les locaux devinrent rapidement trop exigus, et Gault déménagea dans le magnifique édifice Barron, au 164. Cet immeuble de style victorien et de construction récente était situé à

Dame et Saint-Pierre) de la Metropolitan Bank, le 31 janvier 1879, deux bâtiments en pierre (dont un de trois étages) et leurs dépendances occupaient les lieux au moins depuis février 1873 puisqu'on en retrouvait l'emprise au sol sur un plan de l'architecte et arpenteur H. Maurice Perrault.

Deux ans plus tard, le 30 janvier 1881, Waddell fit l'acquisition du lot adjacent du côté ouest, le 115, à l'angle des rues Notre-Dame et Saint-Alexis. Waddell était donc devenu propriétaire de l'ensemble du quadrilatère; il ne lui restait plus qu'à décider ce qu'il allait en faire.

Un dénommé William Walker occupait alors la maison de pierre de trois étages. Le 19 avril 1883, Waddell, le nouveau propriétaire, obtint la résiliation du bail et décida de démolir les vieilles maisons du quadrilatère afin de pouvoir y faire construire un nouvel édifice pour son commerce.

La tâche de concevoir et de construire sur le lot 116 un édifice de quatre étages qui répondrait à ses besoins fut confié aux architectes J. W. & E. C. Hopkins.

Waddell se spécialisait dans la vente de rails de chemin de fer (fort lucrative à cette époque de la construction

La cariatide du rez-de-chaussée.

Détail des remarquables ouvrages ciselés.

de la voie transcontinentale par le Canadien Pacifique) et de pièces en métal pour les ponts.

Il n'occupa cependant son nouvel édifice que pendant les années 1885 et 1886, avant de le louer à une entreprise semblable à la sienne, la J. Holden Steel and Iron Rail Supplies, de 1887 à 1890.

Le quadrilatère fut marqué par une importante mutation en 1890. L'édifice Waddell fut d'abord occupé par de nouveaux locataires, les marchands généraux Law, Young & Co.; puis la compagnie Sun Life, qui avait acquis le lot 115 adjacent à l'édifice Waddell l'année précédente, confia à l'architecte Robert Findlay le mandat de construire un édifice de cinq étages.

Le portique de «l'annexe», rue Saint-Pierre.

La Sun Life prit possession de son premier véritable siège social le 1er mai 1891, à l'angle des rues Notre-Dame et Saint-Alexis. L'édifice de cinq étages coûta 175 000$. C'était le premier bâtiment à structure métallique et à l'épreuve du feu. Il était pourvu d'un ascenseur électrique et de 18 chambres fortes en brique et en fer de 200 tonnes.

De nouveau à court d'espace, la Sun Life acquit en 1897 l'édifice Waddell, alors propriété de la veuve de son constructeur, Mme Caroline (Mackay) Waddell.

Law, Young & Co. continuèrent cependant d'occuper une partie de l'édifice jusqu'en 1908, date à laquelle l'inscription « Sun Life Building Annex » fit son apparition dans l'arc surmonté d'un fronton, au-dessus de l'entrée de la rue Saint-Pierre.

Puis, en 1899, la Sun Life acquit l'édifice Trafalgar Chambers sur le versant sud de la rue de l'Hôpital, et construisit une passerelle pour le relier à l'édifice principal. Tous ces édifices existent encore, mais la passerelle a été démolie.

La composition architecturale

Quoique construits par des architectes différents et à six ans d'intervalle, les deux édifices unifiés ont joui d'une unité architecturale de style « haut-victorien » qui ne manque pas d'intérêt.

Rehaussé par une façade magistrale sculptée par Henry Beaumont, l'édifice le plus à l'ouest possède même certaines caractéristiques de style « château ». On peut mentionner la tour d'angle très fantaisiste aux fines ciselures à motifs végétaux, mais malheureusement privée de son horloge, les loggias* du sommet, surmontées d'un fronton, les oriels* accrochés à la façade, et la balustrade au sommet.

On se doit de mentionner également les bandeaux décoratifs à denticules*, les appuis massifs des fenêtres en encorbellement* de la rue Saint-Alexis, la cariatide* supportant un chapiteau* ciselé, les pilastres* du portique de l'entrée principale et les têtes sculptées que l'on peut apercevoir dans plusieurs chapiteaux.

Trois matériaux ont été utilisés dans la construction des édifices, soit le grès chamois d'Angleterre, le granit rouge des Mille-Îles et la brique rouge. Et comme les édifices jumelés occupent la totalité du quadrilatère, l'ensemble vaut la peine d'être vu sur ses quatre côtés.

Même si elle déménagea dans son gratte-ciel de la rue Metcalfe en mars 1918, la Sun Life resta propriétaire de son vieil édifice jusqu'en 1946; elle le vendit alors à Abraham Fleming. Par la suite, le bâtiment a changé plusieurs fois de propriétaire et de vocation, avant d'être gravement endommagé par un incendie le 28 juillet 1978. En 1980, les architectes Papineau et O'Keefe en firent l'acquisition et le restaurèrent.

REPÈRES

Nom: Vieux Sun Life.
Adresse: 260-266, rue Notre-Dame ouest.
Métro: station Place-d'Armes; se diriger vers la rue Notre-Dame, tourner à droite jusqu'à la rue Saint-Jean.

SOURCES:

Schull, Joseph: *Un astre centenaire* — Compagnie d'assurance-vie Sun Life: documents divers — Ministère des Affaires culturelles: *Édifice Sun Life* et documents divers — Communauté urbaine de Montréal, Service de la planification du territoire: documents divers — Papineau/O'Keefe, architectes: *Immeuble Vieux Sun Life*.

8

L'édifice Sun Life

Construction: 1913-18; 1923-26;
1927-33
Architectes: Darling,
Pearson & Cleveland;
Ross & MacDonald

Avant l'aménagement du boulevard Dorchester au milieu des années 50, dans l'axe de la toute petite rue du même nom, l'édifice Sun Life était le plus imposant de Montréal.

La construction de ce boulevard a grandement modifié le visage architectural de Montréal, avec l'érection de nombreux gratte-ciel, presque tous en bordure ou à proximité de cette nouvelle artère, tant et si bien que l'édifice Sun Life a été éclipsé par des tours, telle la place Ville-Marie. L'édifice Sun Life n'en demeure pas moins un immeuble majestueux, qui n'a rien perdu de sa splendeur.

À l'époque où la compagnie d'assurances Sun Life décida de construire sur le côté est du square Dominion,

elle avait pignon sur rue dans le Vieux-Montréal, à l'angle sud-ouest des rues Notre-Dame et Saint-Jean.

Une entreprise en plein essor

Depuis sa fondation en 1871, l'entreprise avait franchi les principales étapes sans trop d'anicroches. Son fondateur, Mathew Hamilton Gault, avait quitté ses fonctions d'administrateur délégué le 29 janvier 1879 (mais il demeura au sein du conseil d'administration pendant cinq ans encore), à cause de ses nombreuses affaires personnelles. Mais la stabilité de l'administration n'en souffrit pas. À preuve, à la fin des travaux de construction de l'édifice Sun Life, en 1933, l'entreprise n'avait connu que trois présidents, Thomas Workman (1871-1889), Robertson Macauley (1889-1915) et Thomas Bennett Macauley (1915-1935).

La compagnie était alors en plein essor, même si l'assurance-vie qu'elle vendait imposait aux assurés des contraintes qu'on qualifierait aujourd'hui d'extrêmement sévères.

Qu'on en juge. L'assuré devait, par contrat, respecter les conditions suivantes: pas de suicide; pas de duel; interdiction de s'attirer les foudres de la justice; ordre de ne traverser la mer qu'à bord d'un paquebot ou d'un navire de première catégorie d'une liaison régulière; interdiction de s'enrôler

Le square Dominion au début du XXe siècle, à l'époque où l'élégant édifice du Y.M.C.A. s'élevait face à l'actuelle cathédrale Marie-Reine-du-Monde.

Photo archives Notman, musée McCord

43

Photo Sun Life

Photo de 1920 montrant le premier élément de l'édifice actuel. On peut reconnaître, à l'extrême gauche, la tourelle de l'hôtel Windsor, et l'église presbytérienne Knox, tout juste à l'est de l'édifice de la Sun Life, rue Dorchester.

dans l'armée ou dans la marine; interdiction de séjourner dans le «midi» des États-Unis en période de canicule (plus précisément, interdiction de résider, entre mai et octobre, au sud du 36e degré, 33 minutes de latitude nord, ce qui correspondait à la ligne fixée par le compromis du Missouri en 1820 afin d'arrêter la progression de l'esclavage).

Au surplus, beaucoup de jalons avaient été posés: nomination d'un premier agent à l'extérieur, William Hedley, d'Halifax (18 mai 1872); premier prêt hypothécaire, de 5 000$ (7 septembre 1872); versement de la première indemnité de 6 000$ à la suc-

Photo Sun Life

L'édifice actuel de la Sun Life, sans sa tour centrale.

Photothèque *La Presse*

Photo montrant le passage du dirigeable R-100 au-dessus de l'édifice Sun Life en construction, en 1930.

cession d'un assuré décédé (avril 1873); changement du nom de la compagnie qui devint alors Sun Life Assurance Company of Canada, éliminant le mot «mutuelle» qu'on voulait voir disparaître depuis la faillite de nombreuses compagnies d'assurances générales (17 mai 1882); entrée dans la réassurance par l'acquisition de la Citizens Insurance Company of Canada (1890); engagement de Kate Andrews, première femme employée par la Sun Life (1894); apparition du premier journal d'entreprise, le *Sunshine*, et premier pique-nique annuel des agents (1896).

Parallèlement, la compagnie se donnait une dimension internationale en s'implantant sur quatre continents, en 1879 et 1899. Le temps était venu pour elle de se doter d'un édifice digne de ses ambitions.

Un cimetière désaffecté

L'emplacement choisi par la Sun Life pour la construction de son nouveau siège social se trouvait en bordure est du square Dominion.

Jadis propriété de Pierre Guy, l'immense terrain de quatre arpents (il débordait sensiblement des limites de la place du Canada et du square Dominion d'aujourd'hui) fut acquis par la paroisse Notre-Dame qui désirait y enterrer ses morts, en remplacement du cimetière situé à proximité de la place d'Armes.

Le terrain servit donc de lieu de sépulture de 1799 à 1855, alors que fut inauguré le cimetière Notre-Dame-des-Neiges, sur un terrain à flanc de montagne ayant jadis appartenu au Dr Pierre Beaubien.

La décision de prolonger la rue Dorchester à travers le cimetière (elle s'y arrêtait, vis-à-vis la rue Metcalfe) fut prise en décembre 1856. Dix-sept ans plus tard, le terrain fut transformé en place publique.

Ironie du sort, avant même de songer à s'installer loin du centre-ville d'alors, la Sun Life y avait érigé la «fontaine du jubilé», une masse de granit surmontée d'un lion couché, dévoilée le 24 mai 1898. Ce monument

Photo Paul-Henri Talbot, *La Presse*

L'édifice de la Sun Life tel qu'il apparaît aujourd'hui.

fut offert à la ville pour souligner le 60e anniversaire du couronnement de la reine Victoria, un an plus tôt. Évidemment, on ne se doutait pas que le siège social serait installé de l'autre côté de la rue moins de 20 ans plus tard...

La première construction

En 1909, la Sun Life acheta l'édifice du YMCA, à l'angle nord-est des rues

Photo Paul-Henri Talbot, *La Presse*

Le hall d'entrée sud, avec son comptoir et ses colonnes en marbre.

45

Metcalfe et Dorchester, pour une somme de 250 000$. Construit entre 1890 et 1892 sur un emplacement jadis occupé par le palais de Cristal, cet édifice de style «Queen Anne» en brique et en pierre rouge d'Écosse était remarquable par son entrée arquée, ses tourelles et son toit à pente abrupte. Il est malheureux qu'on ait dû le démolir. La Sun Life avait également acheté le terrain adjacent à l'est, où se trouvait l'église presbytérienne Knox, démolie en 1918.

Après la démolition du YMCA, la Sun Life entreprit, en mars 1913, la construction de son nouveau siège social. Les plans des architectes torontois Darling, Pearson et Cleveland prévoyaient un édifice de six étages coiffé d'une toiture mansardée* à quatre brisis* (ou versants), avec façade de 115 pieds sur la rue Metcalfe et de 131 pieds sur la rue Dorchester, façade remarquable par sa gracieuse colonnade* de type ionique de quatre étages de hauteur, sa corniche* à denticules* et son imposante balustrade* en pierre ciselée. Une fraction, donc, de l'édifice définitif qui fit plus tard l'orgueil des Montréalais.

Comme matériau de construction, on choisit le granit gris de Standstead.

Photo Paul-Henri Talbot, La Presse
Les portes d'ascenseur en bronze.

Le contrat fut confié à l'entrepreneur Peter Lyall & Sons. La pierre angulaire fut posée le 13 mai 1914 par Robertson Macauley. L'édifice fut inauguré en mars 1918 par T. B. Macauley, qui avait succédé à son père Robertson, décédé le 27 septembre 1915.

Pour mieux se faire une idée du volume de ce premier édifice par rapport à celui d'aujourd'hui, précisons que, rue Metcalfe, la façade de 115 pieds représentait moins du tiers de la façade actuelle (426 pieds et demi), tandis que rue Dorchester, la face de 131 pieds représentait les deux tiers de l'actuelle face de 205 pieds reliant les rues Metcalfe et Mansfield. En hauteur, l'édifice se limitait à six étages (il s'arrêtait donc au deuxième étage au-dessus de la première balustrade de l'édifice actuel).

Les deux expansions

En 1923, on commença la construction d'une aile qui prolongea le bâtiment jusqu'à la rue Mansfield. Mais déjà, devant l'évidence que cette nouvelle aile serait elle aussi insuffisante, on envisagea de construire un agran-

Photo Paul-Henri Talbot, La Presse
L'élégance en marbre et en cristal...

dissement vers la rue Sainte-Catherine, au nord, et d'ajouter une tour de 26 étages qui ferait de l'immeuble le gratte-ciel le plus élevé de l'Empire britannique. Pour ces travaux, on retint les mêmes architectes qu'au début, mais on en confia la réalisation à l'entrepreneur Cook & Leitch.

Entrepris en 1923 à partir de plans de Darling & Pearson, les premiers travaux durèrent jusqu'en février 1926; on ajouta 147 pieds et demi à la façade de la rue Metcalfe et 74 pieds, rue Dorchester. Pour réaliser cet agrandissement, la Sun Life avait démoli l'église Knox qui, à l'angle des rues Dorchester et Mansfield, jouxtait l'édifice initial.

De 1929 à 1933, l'entrepreneur exécuta les travaux suivants: construction de la partie nord de l'édifice (d'une hauteur de 10 étages); addition de quatre étages à la partie sud de l'édifice; et construction de la tour centrale, en portant la hauteur à 26 étages. Avec ses 400 pieds de hauteur, l'édifice Sun Life pouvait revendiquer le titre de *plus grand édifice de l'Empire britannique*. Les plans de ce dernier ajout furent réalisés par le bureau d'architectes Ross & MacDonald.

La construction en escalier de la tour respectait l'apparence initiale de l'édifice et en reprenait même certains éléments dans sa partie supérieure; on peut mentionner la colonnade en miniature de la tour et la balustrade* en pierre ciselée au-dessus du 18e étage de la tour, ainsi qu'au sommet des parties nord et sud.

La façade de la rue Mansfield est as-

Photo Sun Life

Le déménagement de 1918.

Photo Sun Life

Des chevaux de J.-B. Baillargeon tirent sur la neige le cadre de porte de 45 tonnes de la chambre forte.

Photo Sun Life

L'édifice Sun Life, en 1918.

Photo Paul-Henri Talbot, *La Presse*
Du marbre partout, même dans les salles de toilette.

sez semblable à celle de la rue Metcalfe, exception faite de la partie centrale où des pilastres* remplacent les colonnes.

Les architectes avaient d'abord prévu de coiffer la tour centrale d'un toit mansardé semblable à celui de l'édifice original, mais ils ont finalement opté pour un toit plat et une balustrade délicate.

Les trois étapes ont nécessité l'utilisation de 18 600 tonnes d'acier, 14

Montréal, le 22 août 1931.

Photo Sun Life

millions de briques et 43 000 tonnes (ou 18 520 v³) de granit provenant de Beebe, à la frontière Québec-États-Unis. Le poids brut de l'édifice a été établi à 250 000 tonnes.

La décoration intérieure

La décoration intérieure offre autant de raffinement que l'architecture extérieure. On a fait grand usage du marbre pour le grand hall sud (donc le hall du tout premier bâtiment), pour les corridors (jusqu'au 9e étage) et pour les escaliers.

Les colonnes de type corinthien sont en marbre syénite avec base en marbre noir de Belgique. Les chapiteaux sont en terre cuite au fini or mat. Les murs et les escaliers sont en marbre Tavernelle rose d'Italie, et les planchers en marbre rose du Tennessee. Quant aux comptoirs, ils sont en marbre levantin. Les ascenseurs sont pourvus de portes en laiton ornées des emblèmes des 10 provinces, et l'intérieur est orné de bois de teck et d'ébène. De nombreux cadres et de nombreuses fenêtres comportent des ornements en bronze exécutés par la fonderie montréalaise Robert Mitchell.

Au moment de célébrer son centenaire, en 1971, l'actif de la Sun Life s'établissait à 3,5 milliards de dollars; 100 ans plus tôt, les premiers actionnaires y avaient investi 50 000$. Le capital assuré s'établissait à 20 milliards de dollars, et la compagnie avait versé 6,5 milliards de dollars aux successions de ses souscripteurs décédés.

Outre son gratte-ciel et le Vieux Sun Life, la compagnie d'assurances a laissé un autre monument aux Montréalais. Lors de l'Expo 67, en plus de contribuer avec d'autres compagnies d'assurances à la réalisation du pavillon «L'Homme et la santé», la Sun Life avait offert le carillon Sun Life du centenaire, le plus gros carillon électromécanique du monde, capable de reproduire le son de 671 cloches coulées. Le ton le plus grave équivaut à celui d'une cloche de 22 tonnes, ce qui est unique au monde.

Ce carillon a depuis été déménagé dans l'édifice Sun Life où il rappelle quotidiennement, par un concert présenté à 13 h, le souvenir de Terre des Hommes, l'un des événements qui ont le plus marqué l'histoire récente de Montréal.

REPÈRES

Nom: édifice Sun Life.
Adresse: 1155, rue Metcalfe.
Métro: station Bonaventure, sortie rue de La Gauchetière, vers la rue Mansfield, puis vers le nord jusqu'au boulevard Dorchester.

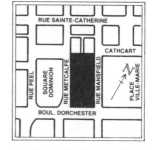

SOURCES:

Compagnie Sun Life: documents divers — Schull, Joseph: *Un astre centenaire* (Les Presses de l'Université Laval) — Collard, Edgar Andrew: *The Story of Dominion Square and Place du Canada* — Ministère des Affaires culturelles du Québec: documents divers — Documentation de *La Presse*: documents divers — Communauté urbaine de Montréal, Service de la planification du territoire: documents divers.

9

L'École britannique et canadienne et l'église Free Presbyterian

Construction: 1826 (école)
Architecte: John O'Donnell
Construction: 1848 (église)
Architecte: inconnu

Le présent chapitre et le suivant traitent de quatre bâtiments situés dans un environnement architectural charcuté depuis deux décennies par l'érection d'édifices tels le palais des congrès, la place Guy-Favreau et le complexe Desjardins, et amputé de toute sa partie sud par la construction de l'autoroute Ville-Marie.

L'École britannique et canadienne et l'église Free Presbyterian ont évidem-

Dessin de l'école originale, tiré de Hochelaga Depicta, de Newton Bosworth.

ment perdu depuis longtemps leur vocation initiale; l'ex-école sert de fabrique de nouilles chinoises et l'église a été transformée en entrepôt. Ces transformations furent aussi nombreuses que malheureuses dans les deux cas. Il en va de même de l'église et du presbytère de la mission chinoise qui feront l'objet du prochain chapitre.

Le faubourg « Près-de-ville »

Ces quatre édifices furent construits dans le secteur jadis connu sous le nom de «Près-de-ville», ainsi désigné parce qu'il était situé tout juste à l'extérieur des fortifications, un peu à l'ouest de la porte Saint-Laurent. Il englobait l'actuel Quartier chinois.

Le premier propriétaire du terrain

L'école vue de la rue de La Gauchetière. À noter, en comparant avec le dessin original, le chaînage horizontal qui est interrompu par une rangée de fenêtres, et le chaînage vertical (à gauche) qui indique la longueur du bâtiment original.

Photo ministère des Affaires culturelles

49

fut Jean Desroches, qui l'obtint du sieur Paul Chomedey de Maisonneuve en avril 1655. S'étendant sur deux arpents de largeur et 15 de longueur, entre la petite rivière Saint-Martin (elle coule sous l'actuelle rue Saint-Antoine) et l'axe de l'actuelle rue Ontario, le terrain voisinera éventuellement le fief La Gauchetière, propriété de Jean-Baptiste Migeon de Branssat.

La terre prit le nom de «Près-de-ville» sous Paul LeMoyne, sieur de Maricourt, qui l'acquit de Nicholas Desroches (fils de Jean) en 1693. Le nouveau propriétaire y érigea, la même année, une maison encore connue sous le nom de «château de Maricourt» au moment de sa démolition en 1913.

Après la mort de LeMoyne en 1704, à l'âge de 39 ans, et l'occupation par un locataire (Jean-Baptiste Maray dit L'Espine) pendant trois ans, la terre fut vendue en 1707 au prix de 6 000 francs à Constant Le Marchand, sieur de Ligneris. Ce dernier avait deux fils, Pierre-Claude, citoyen de la Martinique, et François-Marie, marié à Thérèse Mijeon de La Gauchetière. C'est de cette dernière que le négociant Pierre Courand de la Coste en fit l'acquisition en 1764.

Le morcellement commença sous ce dernier: il vendit une première partie aux sieurs Raza et Croseler en 1770, et l'autre partie cinq ans plus tard à Christophe Sanguinet, mari de Catherine Baby-Chenneville. En 1784, Sanguinet se départit de parcelles de terrain au profit de Samuel Judah et de Gabriel Cotté, la parcelle de Cotté comprenant la maison du sieur de Maricourt et le domaine «Près-de-ville».

L'héritage de Gabriel Cotté

Les terrains sur lesquels se trouvent les quatre bâtiments précités font partie de l'héritage de Gabriel Cotté. On aura dès lors compris l'origine des rues de La Gauchetière, Sanguinet, Chenneville et Côté (Cotté), toutes situées dans le secteur.

Après l'aménagement, en 1799, du cimetière protestant sur un emplacement aujourd'hui occupé par la place Guy-Favreau (angle sud-est du boulevard Dorchester et du prolongement imaginaire de la rue Chenneville), on traça les rues de La Gauchetière (vers 1800) et Côté (vers 1819).

Construite en 1826, l'École britannique et canadienne (mieux connue sous son nom anglophone de British and Canadian School) existe toujours, quoique grandement modifiée.

En 1829, les sieurs Larocque, Quesnel et Laframboise, gendres de Cotté, résidants de la rue du même nom et administrateurs de la succession Cotté, transformèrent en marché public, baptisé «marché Près-de-ville», un lopin de terre de 251 pieds sur 112 délimité

Face de la rue de La Gauchetière. À noter, à la gauche, le chaînage vertical qui permet de retracer la rallonge.

L'arrière de l'ancienne école.

par les rues Chenneville, Côté et Vitré (ainsi nommée en l'honneur de Denys de Vitré et aujourd'hui connue sous le nom de Viger), et par l'arrière des maisons riveraines du versant sud de la rue de La Gauchetière (soit à peu de choses près l'emplacement de l'esplanade du palais des congrès). La concurrence des marchés Saint-Laurent et Jacques-Cartier à proximité causa la fermeture du marché Près-de-Ville dix ans plus tard.

En 1834, au sud-ouest du cimetière protestant s'élevaient l'église sécessionniste d'Écosse et son presbytère, les deux bâtiments aujourd'hui connus sous le vocable de mission catholique chinoise du Saint-Esprit. La construction de cette église s'expliquait par la présence, dans ce secteur densément peuplé, d'un grand nombre de Sécessionnistes presbytériens d'obédience calviniste.

En octobre 1839, les sulpiciens de la paroisse Notre-Dame achetèrent de la succession de Gabriel Cotté le terrain du marché et le château de Maricourt.

Les frères des Écoles chrétiennes

Deux mois plus tard, les frères des Écoles chrétiennes s'installèrent dans l'école Saint-Laurent nouvellement construite par l'entrepreneur Louis-Auguste Comte, rue Vitré, entre les rues Côté et Chenneville. Ils prirent également possession du château de Maricourt pour y loger leur noviciat.

Ces religieux enseignaient à Montréal depuis novembre 1837, d'abord au séminaire de Montréal, puis de juin 1838 à décembre 1839 dans une maison située à l'angle nord-est de l'intersection des rues Notre-Dame et Saint-François-Xavier, propriété des sulpiciens. L'école Saint-Laurent fut démolie en 1934, alors qu'elle servait de refuge aux démunis, et les frères s'installèrent dans une école située rue Saint-Urbain, au sud du boulevard Dorchester. Puis, neuf ans plus tard, un incendie détruisit l'imprimerie des frères. Mais l'imprimerie demeura au 949 rue Côté jusqu'à la fin des années 1950. Situé derrière le terminus Craig (lui aussi disparu pour faire place au palais des congrès, tout comme l'école Saint-Laurent) le terrain de l'école servit longtemps de garage pour les tramways.

L'église Free Presbyterian fut construite en 1848, et la superstructure de l'édifice existe toujours comme on pourra le voir plus loin. Outre ce temple et l'église sécessionniste précitée, le secteur comprenait une synagogue juive dont on sait peu de choses, rue Chenneville.

En 1852, on construisit le théâtre Royal, deuxième de ce nom puisque le premier fut érigé rue Saint-Paul, là où se trouve aujourd'hui le marché Bonsecours. Le théâtre Royal de la rue Côté fut démoli en 1925. En 1871, un parc remplaça le cimetière protestant, rue Dorchester. Déjà, on commençait à dire faubourg Saint-Laurent plutôt que faubourg Près-de-ville.

Voilà pour l'histoire de l'environnement dans lesquels baignent les deux bâtiments. Depuis une trentaine d'années, le quartier abrite la communauté chinoise de Montréal, malheureusement déracinée par la construction des immeubles déjà mentionnés.

L'École britannique et canadienne

L'École britannique et canadienne fut construite au coût de 1 510 £ en 1826 par le maître-maçon John Redpath, selon des plans dessinés et offerts gratuitement par l'architecte John O'Donnell. La pierre angulaire fut posée le 17 octobre 1826, et la construction fut complétée un an plus tard, alors qu'on avait déjà commencé à l'occuper.

L'entrepreneur montréalais John Redpath avait à peine 30 ans (il naquit à Earlston, dans le Berwickshire, en Écosse, en 1796) lorsqu'il obtint le contrat. Arrivé d'Écosse en 1816, il épousa deux ans plus tard Janet Macphie. Son premier contrat d'importance fut la construction du canal de Lachine à partir de 1825. Après l'École britannique et canadienne, il construisit (avec Thomas McKay) les écuries d'Youville vers 1827 avant de s'attaquer à la construction du canal Rideau à partir de Bytown (Ottawa).

Directeur de la Banque de Montréal pendant 35 ans, il acquit des mines dans les Cantons de l'Est et fonda la raffinerie de sucre Redpath, puis la Richelieu and Ontario Navigation Co. Mentionnons qu'il fut membre du Conseil municipal de Montréal de 1840 à 1843.

Quant à l'architecte irlandais James O'Donnell, il avait 50 ans et résidait à New York lorsqu'il accepta de faire les plans de l'église Notre-Dame en 1823. Par la suite, il accepta de dessiner l'École britannique et canadienne, puis l'église American Presbyterian, à l'angle nord-est des rues Saint-Jacques et McGill. C'est d'ailleurs à Montréal que O'Donnell mourut, le 28 janvier 1930, quelques mois à peine après la fin des travaux de l'église Notre-Dame.

La construction de l'école

Pour revenir à l'École britannique et canadienne, c'est le 7 décembre 1826 que fut adjugé le contrat pour la construction d'un bâtiment scolaire sur un terrain acquis de la succession de Gabriel Cotté par les fiduciaires François Antoine LaRocque, John Frotingham, William Lunn et John Torrance, de la British and Canadian School Society.

Cette société avait été fondée quatre ans plus tôt par Lunn, Kenneth Dowie et Daniel Fisher afin d'assurer une éducation non confessionnelle aux enfants de la classe ouvrière. Elle recevait à cette fin l'appui de notables comme Peter McGill, Louis-Joseph Papineau et Horatio Gates.

En 1866, l'école devint la propriété de la Commission scolaire protestante, qui la vendit à Andrew S. Ewing en février 1894. D'octobre 1919 à aujourd'hui, le bâtiment fut la propriété d'Edward Carter (il l'acquit de la succession Ewing), Jonathan Albert McLean, les héritiers Ewing de nouveau, Harry Rudy, Max S. Bailey, et Ross-Ellis Development Corp., avant de passer à son propriétaire actuel, la Fashing Realty Corp., le 29 mars 1963. Cette entreprise le loue à la société Wing Noodles Ltd. depuis 1971.

À l'origine, le bâtiment en pierre de taille mesurait 82 pieds de longueur sur 42 de largeur. Il comportait un toit* en pavillon surmonté d'une lanterne* octogonale. Des chaînes* de pierre démarquaient les étages et accentuaient les coins de l'édifice.

L'école fut agrandie en 1874 alors qu'on la rallongea de quatre pieds à son extrémité est; cette rallonge est d'ailleurs facile à retracer grâce à la chaîne d'angle du bâtiment original qu'on a peinte pour mieux la faire ressortir. On profita de la circonstance aussi pour hausser l'immeuble, et on construisit un toit à fausse mansarde qui permit d'ajouter un troisième étage.

À noter également qu'on en profita pour faire trois rangées de fenêtres avec les deux qui existaient à l'époque; cela est facilement visible à l'oeil nu puisque la chaîne de pierre horizontale accentuée par la couleur était équidistante des deux rangées de fenêtres originales, alors que maintenant elle est interrompue par une rangée de fenêtres. Le fenêtrage* est très varié (lucarnes*, fenêtres à guillotine*, châssis français à petits carreaux) et c'est par son biais que le bâtiment s'est donné un petit air oriental.

L'intérieur offre quelques éléments intéressants: murs en pierre épais sans revêtement; éléments structuraux en bois; mur en saillie qui permet de penser qu'il s'y trouvait autrefois une cheminée.

L'église Free Presbyterian

Aujourd'hui utilisé à des fins d'entreposage, cet édifice fut ouvert au culte le 16 mai 1848 pour loger l'église Free Presbyterian qui, derrière John Redpath, venait de quitter la Free Church of Scotland. L'église fut construite sur un terrain vague que Redpath avait acheté en mai 1845 de Daniel O'Connor. Moins d'un mois après l'ouverture, Redpath cédait le tout au conseil d'administration.

En 1884, la communauté déménagea rue Crescent, et le temple de la rue Côté fut vendu au fabricant de cigares Samuel Davis, qui y installa l'American Tobacco Co. of Canada Ltd.

Les héritiers de Davis vendirent l'édifice à Sam Lichtenhein en 1910. Les autres propriétaires qui se succédè-

L'ensemble de l'ancienne école et de l'ancienne église, reliées par une aile de jonction qui n'a rien de commun avec l'un ou l'autre des édifices sur le plan architectural. Cette photo est antérieure à la construction du palais des congrès.

rent furent la Montreal Cotton & Wool Waste Co. (décembre 1914), Huldah Lewin, veuve de Lichtenhein (janvier 1937), Aaron Cohen et Louis Light (1939), Max Schwartz et Mendel Schrekinger (juin 1970), enfin, la Fashing Realty Corp., le 29 septembre 1970. Cette dernière l'utilise comme entrepôt après l'avoir relié à l'ex-École britannique et canadienne par un bâtiment de liaison.

Le bâtiment d'aujourd'hui

Par suite des transformations réalisées au fil des ans, nous nous retrouvons aujourd'hui devant un bâtiment de six étages à toit plat, de forme rectangulaire, construit en pierre et en brique, et incorporant une tourelle* carrée à chaque extrémité de la façade. De l'édifice original, on ne peut déceler que le porche central en saillie, les quatre fenêtres cintrées* de la partie en pierre (facile à identifier) des murs latéraux, les murs de pierre et les jambages* des ouvertures en pierre taillée.

Le bâtiment d'origine était évidemment très différent: édifice rectangulaire de 85 pieds de longueur sur 65 de largeur (un peu plus petit que le rectangle d'aujourd'hui), avec trois portes en façade, y compris le massif porche* central en saillie et en pierre, et quatre croisées* de chaque côté. Le toit à deux versants* supportait un clocher à deux ouvertures latérales. L'in-

L'ex-église Free Presbyterian, telle qu'elle apparaît aujourd'hui. À noter que la tour de droite est plus haute que celle de gauche, ayant été haussée en 1971, lors de l'installation d'un ascenseur.

Le mur latéral sud de l'édifice, avant la construction du Centre communautaire chinois plus au sud, rue Côté. Les différences des matériaux et du fenêtrage permettent d'identifier clairement la partie du mur qui est d'origine.

Photo ministère des Affaires culturelles

térieur présentait deux rangées de colonnes.

L'édifice subit ses plus importantes transformations en 1884 alors qu'on en fit une manufacture, notamment par l'addition (facile à reconnaître) de trois étages en brique et la construction des deux tours en façade. L'addition du dernier étage et la construction d'un toit plat furent réalisées en 1945, cinq ans après que les architectes Kalman et Fish eurent modifié la toiture.

Qui fut l'architecte du bâtiment original? Nul ne peut le dire avec certitude, mais certains faits portent à croire que le bâtiment fut dessiné par John Ostell, à qui on doit notamment la façade de l'église de la Visitation, l'église Notre-Dame-de-Grâce, une aile du séminaire des Sulpiciens ainsi que la cathédrale Saint-Jacques incendiée en 1859.

D'abord, le nom d'Ostell apparaît sur le plan d'arpentage de l'église et sur l'acte de vente signé par Redpath. En deuxième lieu, Ostell et Redpath était de vieux amis. Enfin, en plus d'être arpenteur et marchand de bois, Ostell était architecte. De là à croire qu'il a pu dessiner les plans de l'église, il n'y a qu'un pas que d'aucuns franchissent allègrement.

REPÈRES

Nom : École britannique et canadienne.
Adresse : 120, rue de La Gauchetière ouest.
Nom : église Free Presbyterian.
Adresse : 985-991, rue Côté.
Métro : station Place-d'Armes, vers l'ouest avenue Viger, puis vers le nord, rue Côté.

SOURCES :

Ministère des Affaires culturelles du Québec: documents divers — Archives de la Ville de Montréal: documents divers — DeVolpi, Charles P., et Winkworth, P.S.: *Montréal, Recueil iconographique* — Bosworth, Newton: *Hochelaga Depicta.*

10

La mission chinoise

Construction: 1835 (église)
Architecte: Yuile
Construction: c. 1845 (presbytère)
Architecte: inconnu
Monuments historiques classés

Dessin de la toute première chapelle en 1834, par Newton Bosworth.

Dans l'introduction de son rapport d'évaluation de l'ancienne mission catholique chinoise du Saint-Esprit, le Bureau d'examen des édifices fédéraux à valeur patrimoniale dit que «sous certains aspects, l'ancienne mission peut se comparer à un casse-tête chinois». Il s'empresse bien sûr d'ajouter que le calembour, c'est-à-dire l'allusion au casse-tête chinois, est «détestable», mais en précisant, non sans raison, que «l'image est tout à fait exacte».

L'ensemble comprend en effet une église-chapelle utilisée par quatre communautés en quelque 150 ans d'histoire, un presbytère agrandi et transformé en école technique, puis en école de quartier avant de retrouver sa vocation de presbytère pour quelques années, et un bâtiment de liaison dont la façade s'harmonise bien avec celles de l'église et de son presbytère.

La communauté des Sécessionnistes

D'abord, un brin d'histoire sur la communauté qui fit construire le temple et l'utilisa la première: l'Église sécessionniste d'Écosse.

Cette congrégation fut fondée en Écosse en 1733 par des membres de «l'Église établie d'Écosse» expulsés parce qu'ils refusaient de se soumettre à diverses règles de régie interne et reprochaient aux dirigeants d'accepter trop facilement le contrôle de l'État. Ces ministres furent dès lors désignés comme «sécessionnistes». Leur leader,

Ebenezer Erskine, devait donner son nom à l'actuelle communauté, la Erskine Church.

En s'installant à Montréal au début de 1820, les membres de cette société religieuse constatèrent que l'Église presbytérienne séparée n'y avait pas de temple à elle. Une seule alternative s'offrait donc à eux: joindre l'Église presbytérienne américaine ou réinté-

L'église Notre-Dame-des-Saints-Anges à la fin du XIXᵉ siècle. À noter le magnifique clocher dont l'avait dotée Victor Bourgeau.

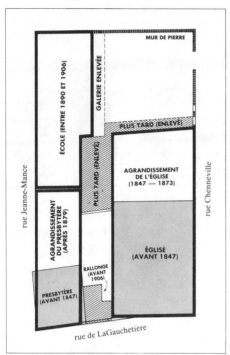

MUR DE PIERRE

ÉCOLE (ENTRE 1890 ET 1906)

GALERIE ENLEVÉE

PLUS TARD (ENLEVÉ)

rue Jeanne-Mance

AGRANDISSEMENT DU PRESBYTÈRE (APRÈS 1879)

PLUS TARD (ENLEVÉ)

AGRANDISSEMENT DE L'ÉGLISE (1847 — 1873)

rue Chenneville

ÉGLISE (AVANT 1847)

RALLONGE (AVANT 1906)

PRESBYTÈRE (AVANT 1847)

rue de LaGauchetière

Dessin montrant l'évolution des bâtiments au fil des ans.

grer les rangs de l'Église établie d'Écosse. Aucune des deux options ne leur plaisait.

Il leur fallut attendre jusqu'en 1831 pour s'organiser. Le premier local choisi comme lieu de culte fut l'acadé-

La mission et l'église (à l'arrière-plan) telles qu'elles appparaissent actuellement. À noter le dépouillement du clocher, à comparer avec celui de Victor Bourgeau.

mie de M. Bruce, rue McGill. Le pasteur David Shanks céda sa place à William Robertson, ordonné ministre par la haute direction de l'Église sécessionniste d'Écosse.

Très populaire auprès de la communauté, Robertson occupa son poste pendant peu de temps; il disparut, victime du choléra, le 22 septembre 1832. Shanks réintégra ses anciennes fonctions mais, encore une fois, il fut remplacé par un autre émigrant écossais récemment arrivé, William Taylor.

La popularité de Taylor et le nombre grandissant des membres de la congrégation incitèrent celle-ci à chercher un local permanent.

En attendant, on opta pour l'utilisation du sanctuaire de l'Église presbytérienne américaine, ouvert six ans plus tôt à l'angle nord-est des rues Saint-Jacques et McGill. Ironie du sort, en 1934, les deux Églises seront fusionnées et cohabiteront à l'angle nord-est des rues Sherbrooke et du Musée.

La première église de la communauté

Avant de songer à construire une église, il fallait évidemment trouver un emplacement. En février 1834, le United Associate Synod of the Secession Church of Scotland obtint finalement, des héritiers de Gabriel Cotté, un terrain vague situé à l'angle nord-ouest des rues La Gauchetière et Chenneville.

Les plans de la première partie de l'église auraient été dessinés par un architecte du nom de Yuile. Ils furent présentés à la communauté le 24 mars 1834 par un groupe de commissaires comprenant notamment James Poet. L'église fut inaugurée le 25 juin 1835.

Puis, après une trentaine d'années à cet endroit, les Sécessionnistes décidèrent d'emménager dans un nouveau temple (aujourd'hui disparu), ouvert au culte le 29 avril 1866 à l'angle sud-est des rues Sainte-Catherine et Peel. Le terrain avait coûté 6 500$ et l'église 45 000$.

Encore une fois, ce temple s'avéra insuffisant et la décision fut prise en

Les magnifiques boiseries de l'intérieur conçu par Victor Bourgeau, enlevées en 1944, lorsque l'édifice perdit momentanément son caractère religieux.

1891 d'en construire un troisième. Ce fut l'actuelle église Erskine and American, située à l'angle des rues Sherbrooke et du Musée.

Les sulpiciens achètent le temple

Mais, revenons à l'église de la rue de La Gauchetière. En 1864, elle fut vendue au curé de la paroisse Notre-Dame, le sulpicien Victor Rousselot, par les Trustees & Managers of the Presbyterian Church of Canada. En janvier 1868, Rousselot vendit la propriété (y compris un terrain vague allant jusqu'à la rue Dorchester et ré-

Photo de l'intérieur en 1975. À noter son dépouillement qui contraste avec l'intérieur de Victor Bourgeau.

cemment acquis des Soeurs Grises) aux prêtres du séminaire de Saint-Sulpice.

Dès l'acquisition de l'église, les sulpiciens la transformèrent et lui donnèrent le nom d'église Notre-Dame-des-Anges. Elle servit pendant ces années de chapelle pour la «très catholique Congrégation des hommes de Ville-Marie».

En 1936, les sulpiciens vendirent la propriété à l'institut des Frères de Saint-Gabriel. Après quelques mois de flottement au cours desquels on envisagea même de démolir l'église, cette dernière, sous le vocable d'église Saint-Cyrille et Saint-Méthode, desservit la communauté slovaque catholique.

L'église vouée à des fins profanes

En 1944, le bâtiment fut voué à des fins profanes; il perdit son clocher et fut dépouillé de sa riche décoration intérieure. En 1952, les édifices devinrent la propriété de la Commission des écoles catholiques de Montréal. Cinq ans plus tard, reconsacrée et pourvue d'un nouveau clocher, l'église et ses dépendances devinrent la mission catholique chinoise du Saint-Esprit.

Acquis par le service immobilier de l'archevêché de Montréal en 1971, l'église et le presbytère-école furent expropriés par le gouvernement fédéral aux fins de la construction du complexe Guy-Favreau. Mais, heureusement, l'ensemble a pu échapper au pic du démolisseur jusqu'à ce jour, grâce à la protection du ministère des Affaires culturelles du Québec.

Actuellement, la restauration est au point mort à cause des restrictions budgétaires du gouvernement fédéral. Mais, on sait d'ores et déjà que l'église, notamment, retrouvera ses fonctions de temple religieux de foi catholique.

Un étage plutôt que deux

Ce n'est d'ailleurs pas la première fois que l'édifice est victime de compressions budgétaires. En effet, les plans originaux de construction prévoyaient un bâtiment de deux étages d'une capacité de 850 personnes, dont 350 au jubé. Mais on dut les modifier dès juillet 1834, faute de fonds. La décision fut alors prise de ne construire qu'un étage.

Le bâtiment initial était d'une simplicité désarmante : structure en pierre à un étage, avec toit* en croupe. L'intérieur était tout aussi modeste, au point qu'on ironisait sur le fait que les murs et les plafonds comportaient une seule couche de plâtre.

Le bâtiment fut modifié en 1847 de façon à lui donner son apparence initialement prévue. On haussa les murs de façon à pouvoir ajouter un jubé, on les perça d'une deuxième rangée de fenêtres, on remplaça le toit en croupe par un toit à deux versants continus et on refit la décoration de la façade en

ajoutant notamment des pilastres* de style dorique d'inspiration classique.

L'implication de Victor Bourgeau

En 1866, les sulpiciens confièrent à Victor Bourgeau le mandat d'agrandir le bâtiment et de réaménager l'église. Le bâtiment fut allongé de 30 pieds par le nord; on utilisa les pierres provenant de l'église des Récollets en voie de démolition (en 1867) alors située rue Sainte-Hélène entre les rues Notre-Dame et des Récollets.

La façade subit encore une fois des modifications par l'addition d'un fronton* triangulaire et le percement d'une niche dans le tympan* pour y loger une statue de la Vierge, nouvelle patronne de l'église.

Malgré toutes ces transformations, le bâtiment a conservé son homogénéité et son harmonie architecturales quoique, aujourd'hui, il ressemble peu au bâtiment initial. Assimilée à une chapelle à cause de ses dimensions, la petite église de style néo-classique a conservé un cachet antique dont il reste très peu d'exemples au Québec. On ne peut oublier qu'elle est la plus ancienne église de confession protestante au Québec et que de toutes les églises érigées dans le faubourg Près-de-ville, c'est la seule qui soit encore debout.

L'édifice actuel

L'édifice actuel est un bâtiment de

Le presbytère tel qu'il apparaît aujourd'hui.

Le presbytère d'antan avec son fenêtrage carré et ses bandeaux de pierre. À noter la fenêtre cintrée dans le tympan triangulaire du fronton.

Les lucarnes fantaisistes à fronton circulaires qui percent le toit mansardé.

rente ou de parties en saillie lui confère un cachet antique. L'intérieur est très dépouillé, ayant perdu les éléments qui s'y trouvaient jadis, provenant soit de l'église des Récollets, soit de Bourgeau.

Les seules notes discordantes sont l'actuel clocher d'inspiration classique, qui n'a rien à voir avec l'élégant clocher de style baroque dont l'avait pourvue Bourgeau, ainsi que la porte principale d'inspiration « Art déco ».

Le presbytère

Si les transformations n'ont pas brisé l'homogénéité de l'église, on ne peut en dire autant du presbytère-école, bâtiment utilisé à différentes fins au fil des décennies.

La première partie du bâtiment servit de presbytère au ministre de l'église et fut construite entre 1840 et 1845; on en retrouve une mention en 1850 dans les documents de l'Église sécessionniste d'Écosse. Il s'agissait alors d'une structure en pierre s'élevant à l'angle nord-est des rues de La Gauchetière et Saint-Georges (aujourd'hui Jeanne-Mance), donc à l'ouest de l'église. Le bâtiment avait deux étages en sus du rez-de-chaussée, et le deuxième était doté de lucarnes* en façade.

Lorsque les sulpiciens firent l'acquisition de l'ensemble, ils cédèrent le presbytère aux frères de Saint-Gabriel. Ces derniers y installèrent le patrona-

forme rectangulaire en pierre calcaire taillée sur deux faces et en moellons* de pierre calcaire sur les deux autres. Les murs sont portants* et reposent sur une fondation en maçonnerie. L'église comporte un jubé à l'arrière de la nef et un sous-sol. Le toit comprend des fermes* en bois auxquelles s'accroche une voûte* cintrée façonnée en plâtre sur des lattes en bois.

Sa façade d'ordre classique comporte des ouvertures symétriques entre les pilastres doriques. Les rangées de fenêtres des murs latéraux sont symétriques avec arc* cintré (rangée du haut), ou arc* surbaissé (rangée du bas). L'absence d'une abside* appa-

L'arrière de l'église en 1976, alors que la rue Chenneville se prolongeait jusqu'au boulevard Dorchester. Toutes les structures à l'arrière de l'église ont été démolies lors de la construction du complexe Guy-Favreau.

L'environnement de la mission chinoise avant la construction du complexe Guy-Favreau.

Photo ministère des Affaires culturelles

ge Saint-Vincent-de-Paul, organisme qui offrait un refuge à de jeunes apprentis tout en leur assurant une formation technique spécialisée et un enseignement religieux approprié.

Entre 1879 et 1906, le bâtiment fut agrandi et transformé jusqu'à atteindre son emprise actuelle au sol. On ajouta un troisième étage, on rallongea le presbytère le long de la rue Jeanne-Mance et on coiffa le tout d'une pseudo-mansarde* percée de lucarnes fantaisistes au goût de l'époque, ou, à défaut, d'un toit plat. En outre, le presbytère-école fut relié à l'église par un édifice de deux étages à façade en pierre de taille. Ainsi, les élèves purent se rendre à l'église sans sortir. Il est à noter que la rallonge et l'arrière du bâtiment furent construits en brique.

Architecture anonyme

Selon les experts, l'édifice est un exemple d'architecture anonyme de l'époque victorienne, qui s'identifie beaucoup plus aux maisons en rangées du secteur qu'aux édifices conventuels de Montréal, à l'exception peut-être du toit pseudo-mansardé dont étaient coiffés plusieurs collèges et couvents. Quant à l'emprise au sol allongée et rectangulaire, elle avait pour but d'assurer le maximum d'éclairage naturel aux élèves. L'édifice retrouva sa vocation de presbytère en 1957 quand fut formée la mission catholique chinoise du Saint-Esprit.

La construction du complexe Guy-Favreau a grandement modifié l'environnement, mais les bâtiments ont conservé leur intégrité, exception faite des galeries et des dépendances à l'ar-

rière de l'ensemble qui ont été démolies. Le terrain de jeu érigé sur l'ancien cimetière protestant, la section de la rue Chenneville allant du boulevard Dorchester à la rue de La Gauchetière et la cour de la mission ont tous cédé leur place au complexe.

REPÈRES

Nom : mission catholique chinoise du Saint-Esprit.
Adresse : 205, rue de La Gauchetière ouest.
Métro : station Place-d'Armes, à gauche avenue Viger, à droite rue Chenneville.

SOURCES :

Friedberg, Barbara Salomon de: *La mission catholique chinoise du Saint-Esprit* — Ministère des Affaires culturelles du Québec: documents divers — Archives de la Ville de Montréal: documents divers — Larose, Laliberté, Petrucci/Webb, Zerafa, Menkès, Housden: *Chapelle Notre-Dame-des-Anges* — Bureau d'examen des édifices fédéraux à valeur patrimoniale: *L'ancienne mission catholique chinoise du Saint-Esprit* — Communauté urbaine de Montréal, Service de planification du territoire: documents divers — Bosworth, Newton: *Hochelaga Depicta*.

11

L'église Erskine et américaine unie

Construction: 1894
Architecte: Arthur C. Hutchison

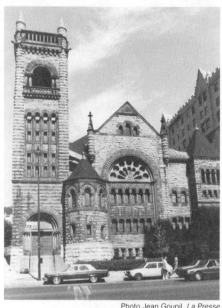

L'église Erskine et américaine unie, telle qu'elle apparaît aujourd'hui.

L'église Erskine et américaine unie jouit d'un emplacement de choix, à l'angle des rues Sherbrooke et du Musée, au coeur même d'un quartier riche en patrimoine architectural. Et pourtant, c'est un temple peu connu des Montréalais, même s'il abrite deux groupes religieux dont les origines montréalaises remontent au début du XIXe siècle.

Ces deux groupes sont l'Église Erskine (ex-Église sécessionniste d'Écosse) et l'Église presbytérienne américaine, fusionnées et réunies sous un même toit depuis 1937.

Seule communauté à occuper le temple au moment de sa construction en 1894, l'Église Erskine nous est déjà familière grâce au chapitre précédent, consacré à la mission catholique chinoise du Saint-Esprit. Faisons ici un bref rappel.

Après quatre ans de pratique religieuse à l'académie Bruce puis à l'église presbytérienne américaine (deux bâtiments de la rue McGill aujourd'hui disparus), les Sécessionnistes aménagèrent en février 1835 dans leur première église, un temple très modeste construit en pierre de taille, rue de La Gauchetière, celui qui logea ensuite l'église Notre-Dame-des-Anges puis la mission chinoise.

Après avoir vendu leur église aux sulpiciens en 1864, les Sécessionnistes s'installèrent dans un nouveau temple (aujourd'hui disparu) construit à l'angle sud-est des rues Sainte-Catherine et Peel, et ouvert au culte le 29 avril

La tour ouest de l'église est intéressante sur le plan architectural. À noter les fenêtres très étroites à arc en plein cintre, encadrées de colonnettes et formant une arcade, la loggia à arc en plein cintre avec balustrade en pierre, et la balustrade du sommet encadrée de poteaux surmontés d'un cône.

Cette photo permet de constater la courbure dans les bancs de l'église.

1866. Ce deuxième édifice était beaucoup plus imposant, même s'il n'avait coûté que 51 500$, terrain compris. Et la flèche* du clocher permettait de repérer l'église dans la lointaine campagne (la rue Sainte-Catherine n'était autre chose qu'un chemin de terre à l'époque).

On s'installe rue Sherbrooke

En 1891, la communauté envisagea un nouveau déménagement, le temple

La chaire en marbre surmontée d'un abat-voix ornementé.

de la rue Sainte-Catherine étant devenu trop exigu pour la communauté.

Deux emplacements furent considérés. On acheta d'abord un premier terrain à l'angle des rues Guy et de Maisonneuve, pour constater finalement que la majorité des membres n'appréciaient guère cet endroit. On dut le revendre avec une perte de 2 000$.

Le deuxième terrain convoité se trouvait au bout de la rue Crescent, à l'angle nord-est de la rue Sherbrooke et de l'avenue Ontario (aujourd'hui du Musée). Ce terrain appartenait à un Sécessionniste qui le céda pour une somme de 55 000$.

Une fois l'emplacement choisi, on confia le contrat d'architecture à Arthur C. Hutchison et celui de la décoration intérieure à la société Castle & Son.

L'édifice de 165 pieds de longueur sur 100 pieds de largeur fut complété en 1894. Cette église est aujourd'hui connue sous le nom d'église Erskine et américaine unie (on verra pourquoi plus loin).

D'architecture romane, le temple comporte une façade rue Sherbrooke et une face secondaire avenue du Musée. Il est éclairé sur quatre côtés. On y pénètre par trois portes principales, deux dans les tours de la rue Sherbrooke et une autre, avenue du Musée.

Il a été construit en pierre* calcaire bossée, rehaussée par la pierre grise et vert olive du Nouveau-Brunswick.

La façade comporte trois tours. La plus imposante, du côté ouest, est de forme carrée et se termine par une loggia*. La deuxième est de même forme, mais moins spectaculaire et moins élevée. Elle est coiffée d'un pignon* à quatre pans* à pente forte. Enfin, la troisième est jouxtée à la tour ouest et épouse la forme d'un hexagone tronqué ; elle est coiffée d'un pignon hexagonal. À noter également la grande variété du fenêtrage* et la toiture à pignons croisés.

Un intérieur intéressant

L'autel est placé au fond du choeur et les bancs des membres de la communauté sont courbés, disposition largement favorisée par le style roman du temple. La chaire est placée à angle droit avec la nef. L'orgue est installé à la droite du choeur, dissimulé par une grille en fer forgé. Un jubé en forme de fer à cheval complète l'aménagement intérieur, mais l'architecte a veillé à ce que le jubé n'obscurcisse pas l'intérieur de l'église.

Le plafond comprend un dôme* encadré de quatre panneaux semi-circulaires peints, et le dôme est entouré d'une moulure et de motifs ornementaux.

Les voûtes* entre les arches* et les murs principaux sont peintes dans des tons or. La base du dôme repose sur une corniche* généreusement ciselée qui démarque le dôme des murs.

Le choeur, l'autel, la chaire et les fonds baptismaux sont en marbre. Au pied de la chaire, une inscription dans le marbre rappelle un incident insolite dans l'histoire de l'église Erskine, survenu le 19 février 1911. Ce jour-là, alors qu'il se préparait à prononcer un sermon sur la mort, le pasteur Andrew J. Mowatt s'affaissa dans la chaire. Il était âgé de 73 ans.

Fusion de deux communautés

Et d'où ce temple tient-il son nom ? De la fusion en 1934 de l'Église Erskine unie (nom adopté par les Sécessionnistes en l'honneur de leur leader de 1733, Ebenezer Erskine) avec l'Église presbytérienne américaine. Arrêtons-nous un moment sur l'historique de cette communauté.

En 1822, un groupe de presbytériens américains arrivés au pays après la guerre de 1812 décida de quitter la communauté de l'Église presbytérienne de la rue Saint-Pierre (aujourd'hui rue Saint-André, à l'est de la rue Saint-Hubert) afin de former une nouvelle secte.

L'Église presbytérienne américaine fut formée en mars 1823 et obtint rapidement sa reconnaissance de l'Église presbytérienne de New York.

En 1824, les membres de la congrégation achetèrent un terrain vague sis à l'angle nord-est des rues Saint-Jacques et McGill pour la somme de 1 000£. La construction commença dans les plus brefs délais selon les plans de l'architecte Moses Marshall. William Riley était responsable de la maçonnerie.

Marshall dessina une église de style gothique géorgien, qui se démarquait du style alors à la mode à Montréal dans la construction d'églises.

L'édifice coûta 4 030£ et fut ouvert au culte en 1827. Est-il nécessaire de

Un des merveilleux vitraux Tiffany de l'église.

rappeler que les membres de l'Église sécessionniste d'Écosse y pratiquèrent leurs dévotions avant d'aménager dans leur première église de la rue de La Gauchetière, plus de 100 ans avant la fusion entre les deux communautés. Ce temple a été démoli.

Tout comme les autres congrégations, les presbytériens américains se trouvèrent bientôt à l'étroit. En 1866, ils aménagèrent dans une église construite rue Dorchester, sur le versant sud, entre les rues Drummond et Stanley. Les plans furent dessinés par M. J. Morrill, au salaire de 60$ (l'architecte Arthur C. Hutchison reçut 100$ pour surveiller l'exécution des travaux!), sur le modèle de l'église presbytérienne de l'avenue LaFayette, à Brooklyn, dans l'État de New York.

Érigé en pierre bossée, le temple était pourvu d'une tour surmontée d'un clocher en bois recouvert de tôle galvanisée et de tuiles.

Entre 1897 et 1910, on dota l'église d'extraordinaires vitraux Tiffany illustrant des thèmes bibliques.

En 1936, l'église fut démolie pour faire place au terminus de la Colonial Coach Line (aujourd'hui les autobus Voyageur). Ce terminus subit le même sort quelque 40 ans plus tard, et le terminus des autobus Voyageur est aujourd'hui situé à l'angle des rues de Maisonneuve et Berri.

Mais lors de la démolition de l'église de la rue Dorchester, on prit soin de conserver précieusement les vitraux, les mêmes qu'on peut admirer encore aujourd'hui dans l'église Erskine et américaine unie, remodelée avec soin par l'architecte Percy Nobbs et George T. Hyde en 1937, au moment de la fusion des deux communautés.

REPÈRES

Nom : église Erskine et américaine unie.
Adresse : 1339, rue Sherbrooke ouest.
Métro : station Guy, vers le nord jusqu'à la rue Sherbrooke, puis vers l'est jusqu'à l'avenue du Musée.

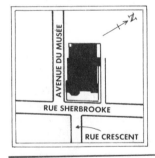

SOURCES:

Larose, Laliberté, Petrucci/Webb, Zerafa, Menkès, Housden: *Chapelle Notre-Dame-des-Anges* — Archives de la Ville de Montréal: documents divers — Ministère des Affaires culturelles du Québec: documents divers — Communauté urbaine de Montréal, Service de planification du territoire: documents divers — Centre d'études en enseignement du Canada Inc.: *Horizon Canada*.

12

Le château Ramezay

sous le régime français

Construction : 1705
Architecte : Pierre Couturier

De tous les édifices dont il sera question d'ici au 350e centenaire de fondation de Montréal, le château Ramezay compte sûrement parmi les plus importants à cause du rôle de premier plan qu'il a joué dans l'histoire montréalaise depuis près de trois siècles.

Son histoire est d'une richesse quasi inégalée, au point qu'il faudra, exceptionnellement, lui consacrer deux chapitres plutôt qu'un.

Ses propriétaires et locataires, aussi nombreux que variés au fil des ans, ont évidemment modifié tant son apparence que son emprise au sol. Malgré toutes ces transformations, malgré les bâtiments construits puis démolis, l'actuel château Ramezay a retrouvé sensiblement la taille qu'il avait lors de sa reconstruction en 1756, exception faite de la tour ajoutée à la fin du XIXe siècle.

Qui était Ramezay ?

Mais qui est ce Ramezay qui a laissé son nom au «château» de la rue Notre-Dame?

Le lieutenant Claude de Ramezay, écuyer, seigneur de la Gesse, de Boisfleurent et de Monnoir, avait 26 ans lorsqu'il débarqua au Canada, en pleine tourmente, en 1685, quatre ans avant le massacre de Lachine. Avec 800 hommes des troupes de la Marine envoyées en Nouvelle-France par Louis XIV, il accompagnait le nouveau gouverneur Jacques-René de Brisay, marquis de Denonville, avec l'espoir que ces troupes fraîches pourraient mater les Iroquois des Cinq-Nations et permettre la relance du commerce de la fourrure.

Sauf pour un court voyage de recrutement en France, ce fils de famille noble passa les 39 dernières années de sa vie en Nouvelle-France et y mourut en 1724 à l'âge de 65 ans.

Les années 1689 et 1690 faillirent être catastrophiques pour la jeune colonie. Les Iroquois à Lachine, puis l'amiral William Phipps devant Québec, testèrent la volonté de vivre des résidants de la Nouvelle-France. Louis de Buade, comte de Frontenac, revenu au pays comme gouverneur en 1689, tint tête à la flotte anglaise de Phipps. Le capitaine de Ramezay fut de la partie, à la tête d'un régiment venu de Montréal.

Ce succès permit à Ramezay de grimper dans la hiérarchie; en l'espace de quelques semaines, il fut nommé gouverneur du poste de traite de Trois-Rivières. Puis il maria, en novembre 1690, Marie-Charlotte Denys de la Ronde. Pendant son séjour à Trois-Rivières, Ramezay se fit construire deux maisons, sur l'emplacement aujourd'hui occupé par les ursulines.

Neuf ans plus tard, Ramezay devint le commandant des troupes de la Nouvelle-France, et on lui décerna la croix de Saint-Louis, la plus importante décoration de l'époque.

Ramezay, gouverneur de Montréal

En 1704, trois ans après la conclusion de la paix, Ramezay devint le 11e gouverneur de Montréal, un village de quelque 200 maisons habitées par 1 800 habitants.

Sa famille nombreuse (il eut 16 enfants) et ses nouvelles responsabilités l'amenèrent à se faire construire une vaste maison digne de sa situation, entourée de jardins et de vergers, face au domaine des Jésuites (l'emplacement de ce domaine est aujourd'hui occupé par le vieux palais de justice, la place Vauquelin, l'hôtel de ville et le champ de Mars). Ramezay, qui devait subvenir aux coûts exorbitants propres à sa fonction comme le voulait la coutume, se livra à la traite des fourrures et exploita des moulins à scie à Baie-Saint-Paul et à Montréal.

Ramezay monta d'un cran dans l'échelle sociale lorsqu'il fut appelé à remplacer Philippe de Rigaud, marquis de Vaudreuil, au poste de gouverneur général de la Nouvelle-France, de 1714 à 1716.

Claude de Ramezay mourut le 31 juillet 1724. Il était né en 1659 à La Gesse, en Bourgogne. Le sort n'a guère gâté ses enfants. Claude, en 1711, et Louis, en 1716, périrent au combat à l'âge de 20 et 22 ans respectivement. Charles-Hector mourut dans le naufrage du *Chameau* en 1725. Et un quatrième fils, Jean-Baptiste Nicholas Roch, lieutenant du roi, eut le pénible devoir de consigner par écrit la capitulation de Québec en 1759.

Au moment de la capitulation, Marie-Charlotte, l'une des deux filles qui prirent le voile (l'autre fut Catherine qui mourut à 30 ans, un an après son père), était supérieure de l'Hôpital général de Québec. France-Louise, qui dirigea les affaires de la famille, mourut célibataire tout comme Angélique. Geneviève et Élisabeth épousèrent des militaires. Quant aux autres enfants, ils n'atteignirent pas l'âge adulte.

Un édifice reconstruit

L'édifice actuel a été reconstruit en 1756 sur l'emplacement du bâtiment original de 1705, dont il ne reste vraisemblablement que les matériaux originaux.

Acheté le 15 septembre 1705 de M. de Manthet (dit Mentayt, au greffe du notaire Antoine Adhémar), l'emplacement choisi par Ramezay était le plus haut de la jeune ville, à 89 pieds au-dessus du niveau de la mer. Sis à l'extrémité orientale des fortifications, le terrain avait l'avantage de se trouver à proximité des installations militaires. Le terrain s'étendait de la rue Notre-Dame aux jardins de François Blot, et de la coursive orientale des fortifications au terrain de l'écuyer Nicholas Daneau, sieur de Muy, capitaine de marine installé à l'angle nord-est des rues Notre-Dame et Saint-Charles (l'actuel versant est de la place Jacques-Cartier).

Les minutes du notaire Antoine Adhémar compliquent le travail des historiens puisque les principaux contrats de construction du bâtiment furent, selon ces minutes, signés en 1704, donc avant l'acquisition du terrain. On découvre ainsi, au 28 septembre 1704, la signature d'un marché, pour l'acquisition de la pierre, avec «Charles et Urbain Gervaise et Teysier», et le 27 avril 1705, le contrat conclu avec le maître-maçon et architecte Pierre Couturier pour la construction. Peut-on conclure que l'acte d'achat du terrain n'était que la confirmation légale d'une situation de fait convenue longtemps d'avance? C'est possible.

Le tout premier manoir de Ramezay mesurait 66 pieds de longueur sur 36 de largeur. Il comportait un rez-de-chaussée, un étage, un sous-sol voûté* et un grenier sous les combles* d'un toit à double pente très inclinée. Les murs en pierre calcaire avaient trois pieds et demi d'épaisseur jusqu'au rez-de-chaussée, puis deux pieds et demi au-dessus du rez-de-chaussée. La pierre de taille fut utilisée pour les encoignures*, les jambages* et les linteaux* des fenêtres et des soupiraux*. Le contrat stipulait encore que la maison serait dotée de quatre cheminées, avec deux tuyaux de cheminée à chaque étage. Deux murs* de refend dont l'épaisseur variait de 18 à 16 pouces de bas en haut furent construits à l'intérieur. Tous les travaux de construction furent terminés le 19 juin 1706, tel que le précise la quittance signée par Pierre Couturier.

La maison comprenait deux dépendances, vraisemblablement une écurie et une latrine, au nord-est du bâtiment actuel.

Un « manoir » plutôt qu'un « château »

Il serait plus exact de parler d'un manoir plutôt que d'un château, car le bâtiment original n'incorporait aucun des éléments (tourelles, donjons*, créneaux*, meurtrières*) de l'architecture habituelle des châteaux. Et des jar-

La cuisine avant et après la restauration.

dins occupaient l'espace des fossés traditionnels des places fortifiées.

Le premier locataire qui n'était pas un de Ramezay fut l'intendant Dupuy qui, en 1727, loua la maison pour trois ans à raison de 800£ par an. Dans une lettre au roi de France, Dupuy évalua la propriété que Mme de Ramezay cherchait à vendre à la Couronne française à 28 245£, y compris la «remise de carosse» ou écurie.

De 1730 à 1745, la maison fut sans interruption la propriété de la famille de Ramezay, mais il est difficile de savoir qui au juste l'habita. On sait cependant que Mme de Ramezay fit don, en 1740, d'une parcelle de terrain riveraine de la rue Saint-Claude à son fils Jean-Baptiste Roch, et que ce dernier y fit construire une maison terminée en 1742, année de la mort de sa mère.

Vente du château à la Compagnie des Indes

En 1745, les héritiers de Claude de Ramezay se défirent de cet édifice devenu encombrant. Le 10 avril, dans l'étude du notaire Danré de Blanzy, ils signèrent le contrat de vente à la Compagnie des Indes, fondée en 1717 par John Law, un Écossais mandaté par Louis XIV pour relever l'économie française. La Compagnie des Indes

La salle à dîner.

avait pleine autorité sur le commerce des biens et des personnes dans les territoires d'outre-mer.

Dans les semaines qui suivirent cette acquisition, François Chalet, fondé de pouvoir de la compagnie, signa deux marchés majeurs devant le notaire Adhémar, un premier avec Pierre Delalande Champigny pour la réparation de l'édifice, et un deuxième avec Dominique Janson Lapalme pour la construction d'un «hangar» en pierre de 60 pieds de longueur sur 24 pieds de largeur.

Construit à angle droit, à l'extrémité ouest du château, cet édifice à sous-sol voûté est sans doute celui qu'on retrouve sur un plan de Thomas Jeffery en 1758, dans *Montréal, Recueil iconographique*, de Charles P. DeVolpi et P.S. Winkworth, ainsi que sur une photo de Notman en 1904. C'est dans cet édifice que William Blumhart fonda *La Presse* le 20 octobre 1884.

L'édifice principal est agrandi

Insatisfaite des bâtiments, la Compagnie des Indes fit reconstruire et agrandir le château en 1756. Le 24, un marché fut signé par Joseph Fleury-Deschambault, agent général de la compagnie, avec le maçon Paul Texier dit Lavigne, pour la construction d'un bâtiment de 92 pieds de longueur sur 48 de largeur.

Le contrat précisait que la maison serait en pierre des champs, avec embrasures* des ouvertures en pierre de taille. Les cloisons intérieures seraient en pierre des champs, et tous les plafonds seraient en pin et en cèdre permettant l'installation d'esses*.

Le même contrat précisait tous les détails nécessaires pour la toiture entièrement refaite, les portes, les fenêtres, les lucarnes et les volets. Même le fini en crépi* y était précisé.

Tel était le château au moment de la conquête de 1760 par les troupes anglaises. C'est d'ailleurs sous le régime anglais que le château est devenu un centre de l'activité montréalaise, comme on le verra au prochain chapitre.

REPÈRES

Nom: château Ramezay.
Adresse: 280, rue Notre-Dame est.
Téléphone: 861-3708.
Métro: station Champ-de-Mars, direction rue Notre-Dame.
Droit d'entrée: adultes, 2$; âge d'or, 1$; étudiants et enfants, 50 cents.
Heures d'ouverture: de 10 h à 16 h 30 tous les jours du 15 juin au 15 septembre; du mardi au dimanche en dehors de ces dates.
Services: toilettes et visites guidées (sur réservation).
Handicapés: accueil complet et gratuit.

SOURCES:

Société d'archéologie et de numismatique de Montréal: *Château Ramezay* et documents divers — Histart Inc.: *Château de Ramezay* — Ministère des Affaires culturelles du Québec: documents divers — Archives de la Ville de Montréal: documents divers — Communauté urbaine de Montréal, Service de la planification du territoire: documents divers — Association canadienne des automobilistes: *Héritage du Canada* — Centre d'études en enseignement du Canada Inc.: *Horizon Canada* — DeVolpi, Charles P. et Winkworth, P. S.: *Montréal, Recueil iconographique*.

Il n'existe malheureusement aucun dessin du château sous le régime français.

13

Le château Ramezay

sous le régime anglais

Construction: 1705
Architecte: Pierre Couturier

Après la conquête de la Nouvelle-France par les Anglais, en 1760, l'histoire du château Ramezay prit une tout autre direction, et le bâtiment connut des vocations aussi variées que nombreuses.

Au moment de la conquête, le château était depuis peu la propriété de la Compagnie des Indes; la vente du château devint donc nécessaire et imminente, la Compagnie des Indes ayant perdu tous les privilèges qu'elle tenait du roi de France.

C'est ainsi que le 9 juillet 1763, Thomas-Marie Cugnet, au nom du propriétaire, vendit le château à William Grant. Devenu négociant et marchand de fourrure à Montréal, cet ancien officier écossais épousa plus tard (le 11 septembre 1770) Marie Deschambault, veuve de Charles Le Moyne, baron de Longueuil, et soeur de Joseph Fleury Deschambault.

La « maison » du gouverneur

Rien ne permet de dire avec certitude que Grant habita le château. On sait par contre que le 24 décembre 1773, il signa un bail de neuf ans avec le gouvernement britannique, prévoyant un loyer mensuel de 6£, afin que la maison serve de résidence au gouverneur du Bas-Canada.

Tel fut le rôle du château jusqu'en 1840, exception faite d'une période de quelques semaines entre novembre 1775 et avril 1776, pendant la brève occupation du général américain Richard Montgomery, qui causa des dommages de 854£. Grant vendit l'édifice au gouvernement britannique le 25 novembre 1778 pour une somme de 2 250£.

En plus de servir de logement au gouverneur, le château et ses dépendances commencèrent à abriter des fonctionnaires gouvernementaux dès 1840. En 1844, le besoin de bureaux

Dessin de Walker en 1850 illustrant le château (à gauche) et l'aile de brique de la rue Saint-Claude (au fond), à l'époque où le château abritait l'école normale Jacques-Cartier, avec sa cour intérieure et son préau (à l'avant-plan).

Photo château Ramezay

Le château en 1856, tel que vu par Walker.

allant grandissant à cause de l'installation à Montréal du Parlement canadien (celui-ci siégeait au marché Sainte-Anne, dans l'actuelle place d'Youville), le gouverneur général en vint même à déménager dans la résidence Monklands, sur le flanc ouest du mont Royal.

La décision d'installer le Parlement à Montréal avait été prise en octobre 1843 et s'était matérialisée en mai 1844. Depuis l'union des deux colonies, le 10 février 1841, trois ans jour pour jour après la suspension de la constitution du Bas-Canada à cause de l'insurrection, le gouvernement siégeait à Kingston.

(Depuis la conquête de 1760, les gouverneurs généraux de l'Amérique du Nord avaient toujours résidé à Québec, mais Charles Poulett Thomson, lord Sydenham, gouverneur général en poste au moment de l'Union, avait opté pour Kingston.)

Le 25 avril 1849, un projet de loi défendu par le gouverneur général, Lord James Elgin, visant à indemniser les francophones qui avaient subi des pertes pendant les événements de 1837, provoqua une émeute chez les conservateurs anglophones, qui mirent le feu à l'édifice du Parlement.

Ce dernier brûla de fond en comble et c'en fut fait du séjour du gouvernement canadien à Montréal. Il fut décidé de chercher un siège permanent. Après avoir alterné entre Québec et Toronto pendant huit ans et ne pouvant s'entendre sur le siège permanent, les parlementaires décidèrent de s'en remettre à la reine Victoria. Cette dernière choisit Ottawa. Sa décision fut entérinée en 1859.

Entre-temps, en 1848, le gouvernement avait accordé un contrat de construction à Hector Munroe et cie, pour la construction d'une aile en brique de quatre étages, à l'est du château, parallèle à l'actuelle rue Saint-Claude, pour occupation le 1er mai 1849. L'édifice de

Le château, selon un dessin de 1869.

70

136 pieds de longueur sur 30 pieds de largeur coûta 3 942£.

Après avoir abrité le gouvernement, l'édifice servit brièvement de palais de justice en 1856 en attendant la construction d'un nouvel immeuble pour remplacer celui qu'un incendie venait de détruire.

Vocation éducationnelle de l'ensemble

En 1857 commença la période «éducationnelle» de l'ensemble, qui dura jusqu'en 1889.

De 1857 à 1867, le ministère de l'Instruction publique et l'école normale Jacques-Cartier se partagèrent les bâtiments. L'école normale s'installa dans l'aile en brique. En 1864, son mur mitoyen avec l'hôtel Rasco, rue Saint-Paul, s'effondra, endommageant considérablement l'étable de l'hôtel. On érigea en 1865 une passerelle en bois entre l'aile ouest et le château.

Tout en conservant sa vocation d'école normale, le château changea momentanément de propriétaire en 1867, au moment de la Confédération; il devint propriété du gouvernement canadien. Cinq ans plus tard, le fédéral le cédait au gouvernement du Québec.

L'Université Laval, puis la Cour des magistrats

En 1878, ce fut au tour de la faculté de médecine de l'Université Laval

d'occuper les lieux. Sa naissance suivait de quelques mois celle de la faculté de théologie, fondée au séminaire de Saint-Sulpice.

En 1884, *La Presse* et *La Minerve* s'installèrent dans l'aile nord-ouest, avec entrée rue Notre-Dame, face à l'hôtel de ville. Cette aile rejoignait une autre aile, parallèle et en contrebas au château, sur le versant nord de la rue Le Royer. Démolis au printemps de 1895, ces locaux avaient abrité la Cour du recorder et la salle de dissection de l'école de médecine pendant un certain temps.

La faculté de droit succéda vraisemblablement à *La Presse* dans l'aile nord-ouest en 1888, date à laquelle le journal déménagea au 69 de la rue

Le château en 1875.

Photo château Ramezay

Saint-Jacques (sur un emplacement sis à l'ouest de l'édifice actuel).

De 1889 à 1895, la Cour des magistrats s'installa au château. Puis ce dernier fut finalement mis à l'encan. C'est à peu près à cette époque qu'il aurait été endommagé par un incendie; le toit fut ravagé, mais l'épaisseur des poutres du plancher joua efficacement, semble-t-il, à titre de coupe-feu.

L'incendie entraîna une diminution du volume des combles*; la pente du toit à pignon fut sensiblement réduite (de 47 à 35 degrés). On y parvint en coupant tout simplement la partie brûlée des fermes* (certaines de ces fermes brûlées sont encore visibles dans les combles).

Le château en 1881, après l'apparition du «hangar» à la droite de l'édifice principal.

La Ville acquit l'édifice pour 98 890,35$ le 5 mars 1895, mais non sans s'être fait forcer la main par les tribunaux; elle disait le prix trop élevé. Un mois plus tard, elle louait l'immeuble à la Société des numismates et antiquaires de Montréal pour 2$ comptant puis... 1$ par année.

Le château change de visage

L'aile en contrebas du château fut la première à disparaître sous le pic du démolisseur. Puis, en 1903, d'autres démolitions eurent lieu: l'aile en brique de la rue Saint-Claude, la petite dépendance (la maison du premier concierge) à l'arrière du château, et l'aile nord-ouest (le hangar d'antan).

Au même moment, on démolit aussi la maison Le Moyne-McGill, sise à l'angle sud-est de la rue Notre-Dame et

de la place Jacques-Cartier, maison qui jouxtait le «hangar» jadis occupé par *La Presse*.

Par contre, on construisit une courte rallonge et une tour à l'est. Certains émettent l'opinion qu'on voulait ainsi justifier le nom de «château». La tour fut surmontée de la girouette provenant de l'église des Récollets récemment démolie.

Le «hangar» alors qu'il abritait les bureaux de La Presse en 1884.

Le modernisme s'installa dans le château vers 1905: électricité, conduites de gaz et toilettes.

Deux événements majeurs survinrent en 1929. D'abord, le château Ramezay eut l'honneur d'être le premier bâtiment à être classé monument historique par la Commission des monuments historiques du Québec. En second lieu, il devint la propriété de la

Le château en 1887, alors qu'il abritait l'Université Laval.

Société d'archéologie et de numismatique de Montréal, son propriétaire actuel.

Les travaux de restauration

Depuis 1954, le château Ramezay a subi d'importantes réparations à l'extérieur, qui lui redonnèrent son apparence originelle.

Parmi les principaux travaux :

— enlèvement des quatre revêtements de la toiture (asphalte posée en 1935, fer galvanisé, papier et goudron, et étain le plus ancien), et pose d'un revêtement de cuivre. En cours de travaux, on a trouvé trois types de clous sur le toit : clous modernes, clous carrés fabriqués mécaniquement et clous carrés fabriqués manuellement ;

— enlèvement du crépi* sur les murs extérieurs pour faire ressortir la pierre ;

— jointoiement* des pierres en relief ;

— remplacement de la brique par la pierre dans la partie centrale de la façade ;

— restauration des lucarnes (un toit* en croupe remplace le toit* à pignon des lucarnes) ;

— remplacement des fenêtres ;

— remplacement de la porte est par une fenêtre ;

— condamnation de la porte de la tour.

Quant à la porte d'entrée principale, elle a subi de nombreuses transforma-

Photo château Ramezay

Dessin peu fiable du château vers 1890. Si le porche est plausible, on s'interroge sur le nombre de cheminées qui percent le toit.

Photothèque *La Presse*

Le château vers 1900.

tions au fil des ans. Après avoir eu au début sensiblement la même apparence qu'aujourd'hui, cette porte fut transformée plusieurs fois. Ainsi, à l'époque de l'école normale Jacques-

Le château en 1900.

Photo château Ramezay

73

Photothèque *La Presse*

Le château en 1920, après l'addition de la tour.

Photo château Ramezay

Le château vers 1930.

Cartier, on construisit un porche de 33 pieds sur 10 de profondeur. Un dessin réalisé en 1885 nous apprend que le porche* avait cédé sa place à un portique* à quatre pilastres surmontés d'un fronton* à tympan* ouvert, et encadrant une porte à un vantail*, vitrée, encadrée de deux baies* vitrées, et surmontée d'une imposte* également vitrée. Depuis 1954, on retrouve une porte à deux vantaux surmontés d'une imposte vitrée.

L'enlèvement du crépi a permis de redonner leur splendeur d'antan aux murs extérieurs, rehaussés par les esses* des murs nord et sud, fixées aux solives* équarries des planchers supérieurs. Comme tous les bâtiments de l'époque, le château se termine par un mur coupe-feu en ses deux extrémités.

Épais planchers avec dalles de pierre

Ceux qui ont l'occasion de visiter l'étage peuvent admirer, en grimpant le petit escalier, l'épaisseur du plancher en poutres* de cèdre jouxtées, avec dallage* en pierre épaisse. Une section de ce dallage a d'ailleurs été conservée à l'étage, en cours de restauration.

Certaines illustrations nous révèlent la présence d'une galerie aujourd'hui disparue et d'un toit jadis surmonté

Le château avant les dernières restaurations.

Photo Ville de Montréal

74

Le château en 1987.

Photo Jean-Yves Létourneau, *La Presse*

d'une plate-forme * ceinturée d'une balustrade * en fer forgé et portant un mât de pavillon.

Quant à l'environnement, il a évidemment subi d'importantes transformations, puisque le château a perdu ses jardins luxuriants. Il ne reste qu'un petit jardin à l'avant, délimité par un mur à base de pierre supportant une clôture et une grille en fer forgé.

Malgré toutes les transformations subies en 280 ans d'histoire, le château Ramezay demeure un des plus beaux exemples de l'architecture domestique urbaine du début du XVIIIe siècle. Espérons qu'il le restera longtemps.

Un musée intéressant

Quelques mots maintenant du musée aménagé dans le château.

Le but du musée est de reproduire la vie d'un gentilhomme en Nouvelle-France, au XVIIIe siècle, et d'évoquer les différents résidants du château.

Le rez-de-chaussée comprend 12 pièces, dont quatre meublées dans le style du XVIIIe siècle. Les boiseries rares de deux des pièces sont en acajou sculpté à la main, datant de 1725. Elles proviennent d'un édifice de Nantes, en France, qui aurait appartenu à un dirigeant de la Compagnie des Indes. On a pu les voir à Montréal lors d'Expo 67.

Les autres pièces proposent des arté-facts, des meubles, des tableaux et des costumes rattachés à la vie sociale, économique et militaire des XVIIIe et XIXe siècles.

Au sous-sol voûté *, on cherche à reproduire la vie d'un colon du XVIIIe siècle. Dans la cuisine, on peut apercevoir une reproduction d'une « roue à chien », le « tournebroche » d'autrefois. En se déplaçant dans la roue, le chien faisait tourner le tournebroche. À remarquer également le four à pain inté-

Photo Réal Saint-Jean, *La Presse*

Les jeunes démontrent toujours beaucoup d'intérêt pour le rouet.

rieur et la pierre-évier* utilisée pour le nettoyage des légumes.

La salle commune, la salle amérindienne, la salle consacrée aux métiers et coutumes traditionnels et la salle d'audio-visuel complètent le sous-sol.

La grande portée des arcs de type roman répond aux exigences du temps; il fallait des caves profondes pour protéger de la pourriture les éléments en bois (poutres et planchers).

La visite du musée dure de 60 à 90 minutes selon l'intérêt des visiteurs. La direction offre des visites guidées pour groupes de 50 à 60 personnes, mais il faut réserver. Le musée est entièrement accessible (et gratuit) aux handicapés.

Photo Michel Gravel, *La Presse*

La salle indienne.

Photo Réal Saint-Jean, *La Presse*

Une pompe à incendie en montre au château Ramezay.

REPÈRES

Nom: château Ramezay.
Adresse: 280, rue Notre-Dame est.
Téléphone: 861-3708.
Métro: station Champ-de-Mars, direction rue Notre-Dame.
Droit d'entrée: adultes, 2$; âge d'or, 1$; étudiants et enfants, 50 cents.
Heures d'ouverture: de 10 h à 16 h 30 tous les jours du 15 juin au 15 septembre; du mardi au dimanche en dehors de ces dates.
Services: toilettes et visites guidées (sur réservation).
Handicapés: accueil complet et gratuit.

SOURCES:

Société d'archéologie et de numismatique de Montréal: *Château Ramezay* et documents divers — Histart Inc.: *Château de Ramezay* — Ministère des Affaires culturelles du Québec: documents divers — Archives de la Ville de Montréal: documents divers — Communauté urbaine de Montréal, Service de la planification du territoire de la CUM: documents divers — Association canadienne des automobilistes: *Héritage du Canada* — Centre d'études en enseignement du Canada Inc.: *Horizon Canada* — DeVolpi, Charles P. et Winkworth, P.S.: *Montréal, Recueil iconographique*.

14

La pointe du Moulin

Construction: c. 1705
Architecte : Léonard Paillé dit Paillard
Mouvement historique classé

À la mémoire de l'architecte Patrick Blouin

La restauration du patrimoine architectural se fait au prix de sacrifices personnels, et les professionnels la font avec l'amour qu'un artisan réserve à ses oeuvres.

Le parc historique Pointe-du-Moulin, à l'île Perrot, dans l'ouest de l'archipel de Montréal, en est un exemple.

Lorsque l'architecte Paul Faucher, du bureau Blouin et Associés, décrit les problèmes engendrés par l'exécution des travaux, on comprend que ce genre de contrat ne s'évalue pas seulement en terme de profits. La restauration du moulin Perrot et de son mécanisme permet à ce bureau d'architectes de se présenter comme un des rares au Canada — sinon le seul — à avoir une expertise complète en matière de restauration de moulins. Elle lui a d'ailleurs valu trois honneurs: le Prix national d'honneur d'Héritage-Canada, une mention de l'Ordre des architectes en 1979, et le Mérite architectural du Conseil canadien du bois en 1984.

Deux «artisans» partagent avec M. Faucher la qualité de la restauration du parc Pointe-du-Moulin: Robert Leclerc, responsable de la restauration du bâtiment, et Louis Slezak, auteur de la reconstruction du mécanisme.

Le moulin à travers les âges

Le parc historique Pointe-du-Moulin propose deux pièces de résistance, le moulin et la maison du meunier. Jadis,

Photo ministère des Affaires culturelles
Photo du moulin avant la restauration. Il est flanqué d'une remise, démolie depuis parce que non pertinente.

Photo Jean Goupil, *La Presse*
Le moulin avant la restauration.

la pointe comprenait en outre la maison de Joseph Hurteau, gardien du domaine — elle tombait déjà en ruines en 1798 —; la première chapelle de l'île Perrot; la maison seigneuriale (qui aurait ensuite servi d'auberge et dont on a retracé quelques ruines et quelques photos) et une petite remise en pierre, adjacente au puits qui desservit la maison seigneuriale; et une maison en pierre tout près du moulin. Tous ces bâtiments sont aujourd'hui disparus.

Le moulin fut construit en moellons* de pierre calcaire, entre 1705 et 1708, par le maître charpentier Léonard Paillé dit Paillard, très réputé en matière de moulins puisqu'il a aussi construit le moulin à vent de Rivière-des-Prairies en 1689, et le moulin à eau de Terrebonne en 1714.

Les encadrements des portes et des fenêtres sont en bois. La structure principale en pierre liaisonnée par du mortier est d'époque, tout comme certaines poutres de la toiture, les autres ayant été fabriquées dans des pièces de bois d'époque récupérées principalement à Chambly et à l'île Perrot.

Le moulin fut érigé sur la concession de François-Marie Perrot, dont il sera question plus loin. Le moulin d'une seigneurie était au centre de l'écono-mie et de l'activité des résidants. À cause du prestige rattaché à sa fonction, le meunier suscitait souvent la convoitise des voisins même s'il ne vivait guère mieux que les autres, puisqu'il devait se consacrer presque exclusivement à son moulin.

L'importance de l'entretien

Pour fonctionner adéquatement, le moulin exigeait un entretien constant. Par tradition, le bail de location précisait que le meunier assumait les coûts d'entretien du moulin. Or, il appert que les seigneurs de l'île et certains meuniers locataires ne se sont pas acquittés de leurs devoirs à cet égard.

L'ineptie des résidants, surtout à l'époque des seigneurs Françoise Cuillerier et Jean-Baptiste Leduc, explique le fait qu'en 1774 le moulin fut décrit comme étant «hors d'oeuvres», malgré d'imposants travaux commandés à Joseph Douaire en juin 1740. Le moulin fut ensuite inactif jusqu'en 1786, après

L'enlèvement du vieux toit.

Photos ministère des Affaires culturelles

La pose du nouveau toit.

Le moulin après la restauration.

que Jean-Baptiste Relle eut effectué les réparations convenues par bail avec Thomas Dennis père.

Les réparations majeures subséquentes furent effectuées au rouet* et à l'arbre* de couche entre 1816 et 1818. La dernière convention dont font état les documents fut celle de décembre 1828, alors que Théodore Cytoleux dit Langevin accepta de Henry Ahern (tuteur des héritiers de feu Maurice Régis Mongrain) le mandat de construire un «bluteau» (on dirait aujourd'hui «blutoir*») pour le moulin de l'île.

Les caractéristiques du moulin

La hauteur du moulin de l'île Perrot atteint 39 pieds, dont 25 pieds en maçonnerie. Le diamètre intérieur atteint 14 pieds.

L'envergure des ailes recouvertes de toile de lin, comme cela se faisait à l'époque, atteint 48 pieds. Lorsque le vent souffle à la vitesse minimale requise pour les faire tourner (35 m/h), les ailes font cinq tours à la minute, dans le sens contraire des aiguilles d'une montre.

Chacune des deux meules pèsent environ 1 500 livres. Ces meules sont d'époque, mais pas originales.

L'édifice comporte sept meurtrières*, justifiées par l'emplacement du moulin au confluent du Saint-Laurent et de la rivière des Outaouais; il fallait donc pouvoir le défendre contre les attaques des Amérindiens. Il ne faut pas confondre avec les meurtrières l'ouverture carrée, située au sommet de la tour de pierre, qui servait de trou de cheminée.

Le moulin comporte deux portes d'entrée. La porte du côté du fleuve avait été murée, et M. Faucher ne peut réprimer un sourire moqueur quand il rappelle qu'à la restauration, certains l'accusèrent de défigurer le moulin en y perçant une deuxième porte, alors qu'il se contentait de rétablir le moulin dans son état original.

Ces deux portes étaient nécessaires pour la raison suivante: lorsque les ailes tournaient, il pouvait arriver qu'elles bloquent la sortie; on utilisait alors l'autre porte. Toujours au rez-de-chaussée, on remarquera le foyer qu'on utilisait pour chauffer l'intérieur du moulin.

Le mécanisme

Il existe trois types de moulin à vent: le «moulin-pivot» dont le corps tout entier pivote sur une croix ou sur une réserve à grains en pierre; le «moulin-tour», dont seul le toit pivote avec les ailes; et le «moulin-cavier», dont la partie supérieure pivote selon le vent et dont la base, la cave contenant la mouture, est fixe.

Le moulin de l'île Perrot est du deuxième type, le plus populaire en Nouvelle-France; par conséquent seul son toit pivote, sur des lames* d'acier graissées au suif.

Pour bien orienter les ailes par rapport au vent, on utilise la queue*, déplacée grâce au cabestan*. La queue sert aussi de contrepoids aux ailes. Tout près de la queue se trouve la perche* reliée au frein.

Le mécanisme est simple: en tournant, les ailes entraînent l'arbre de couche, qui à son tour entraîne le rouet* muni de 72 alluchons* de bois.

Le rouet transmet son mouvement à

L'avant de la maison, avant... et après la restauration.

La maison du meunier

Moins spectaculaire que le moulin, la maison du meunier fut construite entre 1785 et 1791. Il s'agit d'une maison en moellons de pierre calcaire, de 30 pieds sur 25 comportant le rez-de-chaussée et un grenier très vaste formé par la pente abrupte du toit à pignon. Ses combles* servaient à la conservation des aliments.

Les murs enduits de chaux (symbole de fierté pour l'époque) et dont l'épaisseur varie de 24 à 30 pouces sont d'origine, tout comme la charpente * de la toiture. Le toit est formé de deux épaisseurs de madriers *, placés dans le sens de la longueur à l'intérieur, et dans le sens de la hauteur à l'extérieur.

À l'extérieur, on peut apercevoir les volets des ouvertures et le perron qui n'existait plus au début de la restauration. Sous l'escalier conduisant au balcon qui donne accès au grenier se trou-

la lanterne* fixée au gros fer*, lequel actionne la meule tournante. Cette dernière est striée, tout comme la meule fixe, et les deux sont dissimulées par l'archure*. Les grains sont broyés entre les stries des deux meules.

Le frein est perceptible au troisième étage; il s'agit d'une pièce de bois recourbée qui ceinture le rouet, et qui est insérée dans une poutre sortant de la toiture et fixée à la perche.

On pourrait décrire d'autres mécanismes comme le monte-sac*, le vérin* et le cliquet*, qui servent à l'acheminement des grains jusqu'aux meules et à leur mouture, mais le texte en serait inutilement alourdi.

Quant aux matériaux utilisés, ils vont du pin (poutres du plafond, archure, trémie *, chute et huche) à l'épinette noire (queue), en passant par l'orme (frein) et le chêne blanc (pour toutes les parties du mécanisme). Le chêne blanc utilisé pour la restauration a dû être importé des États-Unis, selon M. Faucher.

L'arrière de la maison, avant... et après la restauration.

ve la structure extérieure du four à pain.

L'intérieur est typique des maisons avec ses deux pièces séparées par une cloison en bois dotée d'une ouverture basse également typique. Le plancher a été restauré, les murs ont été recouverts de crépi* puis blanchis à la chaux.

Les poutres du plafond munies d'encoches pour y faire sécher les légumes et les grains sont d'époque. Enfin, on remarquera le four à pain au fond du foyer.

Photo ministère des Affaires culturelles

Une remise qu'il a fallu faire disparaître avait, au fil des ans, remplacé le four à pain surmonté d'une galerie.

Notes biographiques de François-Marie Perrot

La traite de la fourrure était l'activité économique prédominante de la Nouvelle-France au début de la colonie, et elle le fut jusqu'au début du XIXe siècle. C'est dans ce contexte que débuta l'histoire de la seigneurie de l'île Perrot, située au confluent de la rivière des Outaouais et du Saint-Laurent, en un lieu jadis connu sous le nom de *Teionnhinskwaronte*.

François-Marie Perrot avait 26 ans lorsqu'il débarqua en Nouvelle-France, le 18 août 1670, à titre de capitaine du régiment d'Auvergne. Il arrivait avec le désir avoué d'y faire

fortune. Et le destin le comblait dans son ambition car il avait épousé (vers 1668) Magdeleine de Laguide-Meynier, nièce de l'intendant Jean Talon.

Perrot avait été nommé deuxième gouverneur de Montréal sur mandat des sulpiciens le 13 juin 1669. Peu après son arrivée au pays, il demanda à Talon de transformer ce mandat en «Commission royale», faveur que lui concéda Colbert le 14 mars 1671.

Le 29 octobre 1672, Perrot obtint sa seigneurie dans l'île qui portait officieusement son nom depuis au moins un an. La seigneurie englobait les îles aux Pins, de la Paix, Saint-Gilles et Sainte-Geneviève (dans les documents officiels, il arrive d'ailleurs souvent que Perrot soit désigné sous le vocable de sieur de Sainte-Geneviève). De forme triangulaire, la seigneurie échappait au mode habituel d'attribution des concessions, lesquelles constituaient généralement d'étroits rectangles, le côté le plus étroit étant parallèle au fleuve.

Perrot désirait donc profiter de cette manne qu'était le commerce des fourrures, même si ses fonctions le retenaient à Montréal. Des subalternes, comme le sergent Antoine de la Fresnaye, sieur de Brucy, démontraient un zèle incroyable, tant envers les autochtones (qu'ils comblaient d'eau-de-vie en échange de leurs fourrures) qu'envers les coureurs des bois, grâce à la position stratégique de la seigneurie. Cette façon d'agir irrita au plus haut point Daniel de Rémy de Courcelles, gouverneur de Montréal (1665-1672) et M. de Bretonvilliers, supérieur des sulpiciens.

À l'adjudication d'une seigneurie, le seigneur s'engageait à la peupler et à y faire construire un moulin. Perrot négligea de le faire jusqu'en 1684, à l'exception du territoire de l'actuelle pointe du Domaine, défriché sous bail par Robert Henry et Jean de Lalonde dit L'Espérance, à l'époque où Perrot fut emprisonné sans cérémonie à Québec par Louis de Buade, comte de Frontenac, qui l'y avait convoqué pernicieusement en tant que gouverneur de la Nouvelle-France. Ce dernier voulait avantager son protégé, Robert Cavelier de La Salle, installé en aval, à Lachine. Frontenac avait auparavant mécontenté Perrot en faisant construire le fort Cataraqui, à la décharge du lac Ontario (donc en amont de l'île Perrot), afin de s'assurer le contrôle de la traite des fourrures.

Après neuf mois de prison, Perrot prit le chemin de la France où, avec l'aide de Talon, il obtint de Louis XIV la restitution de son poste. Il rentra à Montréal au printemps de 1675.

Le séjour de Perrot dans l'île qui porte son nom prit fin en 1684, lorsqu'il fut «exilé» en Acadie à titre de gouverneur.

Le 2 mars 1684, devant le notaire Bénigne Basset, Perrot céda alors la seigneurie et toutes les terres adjacentes à un protégé de Frontenac, Charles Le Moyne, sieur de Châteauguay et de Longueuil, pour la somme de 1 200 livres. Le Moyne mourut le 27 mars 1685. À sa mort, l'île portait le nom de fief Maricourt, en hommage à son fils Paul Le Moyne, sieur de Maricourt, qui vivait, on l'a vu précédemment, hors des fortifications de Montréal.

La chaîne des propriétaires de la seigneurie comprend ensuite les héritiers Le Moyne (1685-1703), Joseph Trottier, sieur Desruisseaux (1703-1714), sous l'égide duquel fut construit le moulin; sa veuve, dame Françoise Cuillerier, remariée à Jean Guenet, dont nous avons déjà parlé (1714-1745); Jean-Baptiste Leduc, époux de sa fille, Marie-Françoise Desruisseaux (1745-1774); Jean-Baptiste Leduc fils (1774-1785); Thomas Dennis père (1785-1792), qui acquit les biens de Leduc offerts en vente après saisie; et Thomas Dennis fils (1792-1817). C'est en 1817 qu'on assista au partage définitif de la seigneurie.

On dénombre aussi six meuniers locataires: Charles Cytoleux (1785); Jean-Baptiste Relle (1786); Charles Cytoleux dit Langevin (1791); Michel Cytoleux dit Langevin (1807); Théodore Cytoleux dit Langevin (1828) et Joseph Cytoleux (1829).

La seigneurie Pointe-du-Moulin elle-même a changé souvent de propriétaire depuis son démembrement. Le dernier, avant les gouvernements fédéral et provincial, fut Lucien Thériault, qui en fit l'acquisition de Fernande Létourneau le 6 novembre 1964.

Restauré au coût de 1,8 million de dollars à la fin de la dernière décennie, le parc était la propriété de Parcs Canada avant d'être échangé au ministère des Affaires culturelles du Québec en retour du parc historique Les Forges du Saint-Maurice. Le parc est aujourd'hui administré par Cogitour, qui assure l'animation des lieux.

REPÈRES

Nom: parc historique Pointe-du-Moulin.
Adresse: 2500, boulevard Don-Quichotte, île Perrot.
Direction: route 20 en direction de Toronto, tourner à gauche au boulevard Don-Quichotte, puis suivre ce boulevard jusqu'à son extrémité (environ 50 km du centre-ville de Montréal).
Téléphone: (514) 453-5936.
Droit d'entrée: aucun.
Heures de visite: de juin à la fête du Travail, le parc est ouvert de 12 h 30 à 18 h le lundi; 10 h à 18 h du mardi au vendredi; 10 h à 20 h les samedis et dimanches. Entre la fête du Travail et la fête de l'Action de Grâce, le parc n'est ouvert que les samedis et dimanches, de 12 h à 18 h.

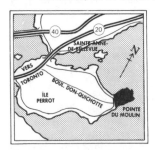

SOURCES:

Minotto, Claude: *La seigneurie de l'île Perrot et la Pointe-du-Moulin* — Lefebvre, Jean-Claude: *Rapport de recherche historique concernant le domaine de l'île Perrot* — Ministère des Affaires culturelles du Québec: documents divers — Cogitour: *Cahier de formation, parc historique Pointe-du-Moulin* et documents divers.

15

Le pont Victoria

Construction: 1859 et 1898
Ingénierie: Robert Stephenson et
Alexander Mackenzie Ross

Au milieu du siècle dernier, les Montréalais disposaient de deux moyens d'atteindre la rive sud du Saint-Laurent: l'embarcation l'été et, une fois le fleuve gelé, le chemin de fer et la voiture sur patins l'hiver. Et la barrière naturelle du «majestueux cours» avait alors une longueur de 1 600 km, entre le lac Ontario et le golfe Saint-Laurent.

Pour des visionnaires comme John Young, qui venait alors d'être nommé commissaire du port de Montréal, il devenait urgent de jeter un pont entre l'île de Montréal et l'autre rive du fleuve. Young lança l'idée dès 1846, suscitant ainsi l'intérêt de nombreux ingénieurs séduits par le défi que cela posait.

Alexander Mackenzie Ross était ingénieur en chef de la compagnie ferroviaire Grand Tronc (une des éventuelles composantes du futur Canadien National), la société la plus impatiente de relier l'île à la rive sud, et du même coup, Portland à l'île de Montréal. Le Grand Tronc fut constitué en société en 1852 pour desservir principalement Montréal, Toronto et Hamilton.

Après de nombreuses consultations sur la forme que devait avoir le futur pont, Ross suggéra un couloir presque carré formé de plaques d'acier rivetées. Pourquoi un couloir de métal? Parce que c'était le seul type de pont connu en Amérique du Nord, capable de supporter des travées* atteignant jusqu'à 330 pieds, comme dans le cas de la travée centrale.

Un ingénieur-conseil de réputation

Malgré toute la confiance que le conseil d'administration du Grand Tronc avait à l'égard de Ross, il n'en décida pas moins de retenir les services d'un ingénieur-conseil réputé, l'Anglais Robert Stephenson, fils de George, inventeur de la locomotive à vapeur.

Le chemin de fer sur glace.

Photo archives du CN
Dessin de la construction du premier pilier.

83

Après avoir décidé du type de pont, il fallait choisir l'endroit où le construire, de préférence là où la distance entre les deux rives était la plus courte.

On opta pour un emplacement en amont des limites ouest des anciennes fortifications, entre Victoriatown, au sud-est du village Saint-Gabriel (l'actuel quartier de Pointe-Saint-Charles) et un lieu, sur la rive sud, qui se trouve aujourd'hui dans Saint-Lambert, ville qui ne fut fondée qu'en 1857. Mais un problème de taille surgit: sans être aussi turbulent que le courant Sainte-Marie en aval, celui de l'emplacement choisi avait une force qui inquiétait les ingénieurs à cause de sa rapidité de huit à neuf milles à l'heure.

La «province du Canada» donna finalement son aval au projet en autorisant The Grand Trunk Railway Company of Canada Limited à «construire un pont ferroviaire à proximité de Montréal, lequel sera connu sous le nom de *pont Victoria*, et de percevoir

Photo de l'énorme machinerie utilisée pour l'assemblage des plaques qui formaient le couloir. À l'arrière-plan, les cheminées des usines de «Victoriatown» (aujourd'hui Pointe-Saint-Charles).

Dessin montrant la machinerie à l'oeuvre.

un droit de passage sur les véhicules ordinaires, les animaux et les passagers qui emprunteront le pont» (chapitre 75 de la loi 16).

Un coût initial de 6,8 millions de dollars

Le contrat pour la construction du pont fut accordé en 1853 à la société Peto, Brassey et Betts, pour une somme de 1,4 million de livres (ou 6 813 333$). James Hodges était chef de chantier de la société.

Pour les piliers et les culées, on choisit la pierre calcaire. Cette pierre très dure provenait de deux carrières, la principale à Pointe-Claire, et l'autre à l'île LaMotte, au lac Champlain.

La fabrication des plaques d'acier fut confiée à l'usine de l'adjudicataire du contrat, à Birkenhead, en Angleterre, qui se spécialisait dans la fabrication de plaques pour chaudière. Les plaques quittaient ce pays, prêtes pour l'assemblage sur le chantier.

Le premier pilier fut commencé le 22 juillet 1853, mais la pose de la pierre angulaire n'eut lieu que le 20 juillet 1854. Les piliers et les culées nécessitèrent 100 000 verges cubes de pierre, d'un poids de 223 000 tonnes.

Les travées étaient assemblées séparément; une fois assemblées, elles

étaient jumelées sur chaque pilier auxquelles elles étaient fixées. Les joints de dilatation installés sur rouleaux se trouvaient à la jonction de deux travées, donc entre les piliers.

La construction ne se fit pas sans difficultés. En plus de la drave qui descendait le fleuve vers les moulins de Québec et menaçait les piliers, la glace causait aussi certaines inquiétudes. Les

Photo d'une locomotive sortant du couloir, sur la rive sud.

Descente d'une pierre au niveau de l'eau pour l'élargissement d'un pilier, le 30 mars 1898.

ingénieurs adoptèrent la forme idéale (une forme pointue, un peu comme l'étrave d'un navire) pour les piliers, du côté amont du pont; ils en eurent la preuve en 1858, car les 14 piliers déjà construits supportèrent avec succès la terrible pression exercée par la glace qui atteignait jusqu'à sept pieds d'épaisseur.

Inauguration du pont

Le pont fut ouvert à la circulation le 12 décembre 1859, quelque temps à peine après la mort de Robert Stephen-son à Londres. Le premier train de passagers le franchit cinq jours plus tard. Toutefois, l'ouverture officielle n'eut lieu que le 25 août 1860 par le prince de Galles, qui accéda au trône d'Angleterre sous le nom d'Edward VII.

Le pont mesurait 6 592 pieds de longueur, ou 9 144 pieds en incluant les approches. De façon générale, les piliers de 18 pieds d'épaisseur étaient distancés de 242 à 247 pieds. Les deux piliers du centre d'une épaisseur de 28 pieds laissaient un espace libre de 60 pieds au-dessus de l'eau (d'une profondeur maximale de 22 pieds) et étaient distancés de 330 pieds. De chaque côté de la travée centrale, les ingénieurs avaient prévu une faible pente de un pied pour 130 pieds. Le pont comportait un total de 24 piliers. Les 25 travées du couloir de 16 pieds de largeur et de 18 à 22 pieds de hauteur pesaient au total 9 044 tonnes. La superficie à peindre s'établissait à 32 acres!

Des problèmes imprévus

Ce que d'aucuns considéraient à l'époque comme étant «la huitième merveille du monde» suffit au trafic ferroviaire jusqu'à la fin du siècle ou presque, d'autant plus que le couloir de Ross et de Stephenson s'avérait d'une robustesse à toute épreuve.

Les premiers problèmes surgirent après 1870, quand le charbon remplaça graduellement le bois comme carburant dans les chaudières des loco-

Photo montrant l'érection des fermes (poutres d'acier), à l'extérieur du couloir du pont existant.

86

Photo archives du CN

Le vieux pont et le nouveau, en juin 1898.

motives. Les dommages causés aux plaques d'acier par la fumée et les gaz des locomotives, ainsi que les inconvénients imposés aux voyageurs forcèrent les autorités à adopter une mesure temporaire: pour faciliter l'évacuation de la fumée et assurer une ventilation adéquate, on pratiqua une ouverture de 20 pouces de largeur dans les plaques du dessus du couloir. Les notes du Canadien National précisent que cette décision fut prise avant que ne soit breveté le système Bush de ventilation

Photo archives du CN

Photo du 5 juillet 1898, alors qu'on se prépare à démonter le couloir de plaques de métal.

des hangars de trains, lequel repose essentiellement sur le même principe d'une ouverture dans la partie supérieure de l'édifice.

La solution « permanente »

Mais cette solution ne pouvait être que temporaire. Il fallait ou trouver le moyen d'ajourer le pont existant, ou construire un nouveau pont, d'autant plus que la capacité de 100 trains par jour de la voie unique du couloir était devenue insuffisante.

Étant donné la robustesse des assises du pont, la décision fut prise de les conserver et de remplacer le pont à couloir par un pont à fermes*. Mais parmi les problèmes que devait affronter le maître du chantier, Joseph Hob-

Photo archives du CN

La chaussée débarrassée du «tube» d'acier, le 21 novembre 1898.

son, ingénieur en chef du Grand Tronc, il y avait celui de transformer le pont sans paralyser le trafic ferroviaire.

Le contrat fut confié à deux entreprises principales: la société Detroit Bridge and Iron Works, de Detroit, au Michigan, reçut le contrat de fabrication de 19 travées, y compris la travée centrale, ainsi que le contrat de l'érection de l'ensemble des travées; la Dominion Bridge, de Lachine, reçut le contrat de fabrication de six travées.

Les travaux de reconstruction débutèrent le 4 mai 1897. Les travaux consistaient à porter la largeur du tablier du pont de 16 pieds à 66 pieds et huit pouces (après avoir renforcé les piliers

Une locomotive sortant du nouveau pont.

en amont du pont), d'ériger les fermes, de construire une voie ferrée, et enfin d'enlever les parois du couloir, avant d'ajouter la deuxième voie.

Les principaux changements dans les statistiques du pont désormais connu sous le vocable de *pont Victoria*

Jubilee furent, outre le tablier plus large, l'addition d'un poids de 2 200 tonnes en fermes d'acier. Les travaux coûtèrent 1 883 678,87$.

Le premier train d'une liaison régulière à franchir le pont passa le 13 décembre 1898. Le premier véhicule à emprunter la voie réservée aux voitures passa le 1er décembre 1899. Le pont fut officiellement rouvert le 16 octobre 1901 par le duc et la duchesse de Cornwall et York, qui devinrent le roi George V et la reine Mary d'Angleterre.

Outre les deux voies de chemin de fer, le tablier portait une voie pour voitures, un trottoir pour piétons (disparu en 1909) et, côté aval, une voie pour les tramways électriques construite en 1908 par la Montreal and Southern Counties, avec l'autorisation du Grand Tronc. Les tramways cessèrent d'y circuler le 13 octobre 1956; la voie ferrée fut alors enlevée et remplacée par deux voies de circulation automobile, au coût de 2,5 millions de dollars.

En 1927, la voie en amont fut portée à 16 pieds afin de favoriser le trafic grandissant d'automobiles.

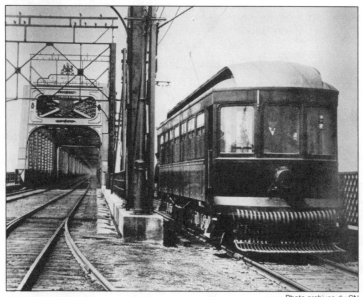

Un des tramways de la Montreal and Southern Counties Co. qui empruntait jadis le pont Victoria.

Les années de guerre

Au fil des ans, le pont a fait la preuve de son utilité en maintes occasions, mais jamais autant que pendant la Deuxième Guerre mondiale, alors qu'il servit au transport de 70 p. cent de la production d'armement jusqu'aux ports de l'Atlantique.

Malgré le fait que le pont doive supporter un poids sept fois plus élevé que le poids prévu (une tonne par longueur d'un pied) par Ross et Stephenson, malgré les dommages causés par les ans, le pont est maintenu en bon état grâce à un programme d'entretien très vigilant.

Il y a 11 232 traverses * sur le pont et on en change 600 par année. Il faut 25 000 gallons de peinture pour le recouvrir, tâche qui fournit du travail à 60 hommes. Les piliers sont inspectés tous les cinq ans, et les fermes en acier tous les deux ans.

Le pont voit passer quotidiennement 38 trains de marchandises, 18 trains de passagers et 44 000 véhicules automobiles.

La construction de la Voie maritime du Saint-Laurent entraîna les dernières transformations majeures au pont, du côté de la rive sud, afin d'assurer un flot continu des circulations ferroviaire et routière même lors du passage des navires dans l'écluse, grâce à la voie de détournement. Ces travaux entraînèrent des dépenses de 17,5 millions de dollars, dont 15 millions par l'administration de la Voie maritime du Saint-Laurent. En guise de comparaison, on peut souligner que de 1853 à 1955, le Grand Tronc et le CN ont dépensé 8,4 millions de dollars pour le pont Victoria.

Quant au droit de péage, il résista aux protestations de plus en plus violentes jusqu'en 1962, alors qu'il fut aboli définitivement le 1er juin, à 15 h.

Enfin, contrairement à la croyance populaire, la stèle commémorative installée à l'entrée nord du pont n'a aucun lien avec le pont lui-même, mais plutôt avec le constructeur de la première version, la société Peto, Brassey et Betts. Cette stèle honore les 6 000 immigrants irlandais victimes d'une épidémie de typhus qui sévit en 1847-48. Ces ouvriers étaient venus au Canada pour travailler à la construction de la voie ferrée du Grand Tronc.

REPÈRES

Nom: pont Victoria (Jubilee).

Utilité: il est utilisé par les trains du CN, de Via Rail Canada et d'Amtrak, ainsi que par les véhicules automobiles.

Accessibilité: par la rue Bridge, à Montréal, et par le boulevard Sir-Wilfrid-Laurier, à Saint-Lambert.

Photo archives du CN

Le monument aux morts érigé en 1859, à l'entrée nord du pont.

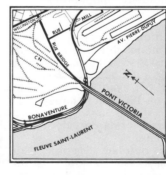

SOURCES:

Archives du Canadien National: documents divers — Clegg, Anthony et Lavallée, Omer: *Catenary through the Counties, The story of Montreal & Southern Counties Railway* — Documentation de *La Presse*: documents divers.

16

La maison de La Sauvegarde

Construction: 1811
Architecte: inconnu

La compagnie d'assurance-vie La Sauvegarde fut un des plus beaux fleurons du monde des affaires canadien-français.

Fondée en 1903 par Narcisse Ducharme et Philorum Bonhomme, La Sauvegarde s'identifia pendant plus d'un demi-siècle à Ducharme, qui en fut le président, et à sa succession. Il était donc tout à fait logique que le mouvement Desjardins en fît l'acquisition en 1962, tout comme il était logique que La Sauvegarde laissât son nom à une maison à caractère historique, ainsi qu'à l'édifice à bureaux qui lui servit de siège social de 1913 à 1976, tout juste à l'ouest de la maison.

La maison fut longtemps connue sous le nom de maison Fabre-Beaudry, en l'honneur des deux illustres familles montréalaises qui, croyait-on, l'avaient habitée, ce qui n'est pas exactement le cas comme on va le voir plus loin.

Puis le bâtiment traversa une période un peu moins glorieuse alors qu'il fut connu sous le nom de restaurant *Au Coq d'or*, puis de café *Chanteclerc* (de 1940 à 1963), avant de recevoir son nom actuel en 1965, en hommage à La Sauvegarde, qui assuma sa restauration et la transforma en galerie d'art pendant 10 ans.

Pendant la dernière décennie, l'édifice logea la société Davidoff, qui dut déménager après l'incendie de la brasserie du Palais en décembre 1985. La brasserie était installée dans un édifice de quatre étages adjacent à la maison de La Sauvegarde, du côté est. L'eau et la fumée ont causé de lourds dégâts à la maison de La Sauvegarde.

La présence de la société Davidoff sous son toit permet de rappeler le fait que l'édifice avait jadis abrité la première fabrique de cigares du Canada, propriété d'un dénommé B. Houde et que vers 1863, on y imprima le premier journal montréalais à porter le nom de *La Presse.*

La société Davidoff n'a pas réintégré les lieux après l'incendie, et le bâtiment abrite aujourd'hui un des nombreux restaurants du Vieux-Montréal.

L'histoire de l'emplacement

L'histoire de l'emplacement de cette maison remonte aux tout débuts de la colonie. Son premier propriétaire fut Lambert Closse, qui obtint de Paul de Chomedey de Maisonneuve, le 2 février 1658, la concession d'un terrain de 100 arpents.

Moins de deux ans plus tard, le 22 novembre 1659, Gabriel Souart, supérieur du séminaire de Saint-Sulpice, en fit l'acquisition. Des parties du fief furent concédées à Catherine Gauchet de Belleville (future femme de Jean-Baptiste Migeon de Branssat), en 1664, et à Jean-Vincent Philippe de Hautmesnil (neveu de Souart), le 4 janvier 1676.

Le 11 septembre 1692, Hautmesnil céda toutes ses propriétés aux seigneurs de Montréal en guise de paiement pour l'entretien à perpétuité de la lampe du sanctuaire de la paroisse Notre-Dame de Montréal. Les seigneurs cédèrent une de ces propriétés à Gabriel Boudreau dit Graveline, le 10 août 1701, devant le notaire Pierre Raimbault, soit le lot 342 du terrier de Montréal (le terrain portait le numéro 86 au cadastre officiel de 1870).

En 1721, Philippe de Rigaud, marquis de Vaudreuil, aurait acheté tous les terrains compris entre les rues Notre-Dame, Saint-Charles (l'actuel côté est de la place Jacques-Cartier), Saint-Paul et Saint-Vincent, mais rien ne permet de l'affirmer catégoriquement.

Les propriétaires subséquents connus du terrain furent relativement peu nombreux. En voici la liste avec, entre parenthèses, la date d'acquisition: An-

dré Charly dit Saint-Ange (15 avril 1744); Jean-Baptiste Guillon dit Duplessis (13 septembre 1764); Marie-Ange Guillon (fille du précédent et future femme de Joseph-Félix LaRocque), qui en hérita de sa mère (26 août 1826); Mgr Ignace Bourget, au nom de

Dessin de R.A. Sproule datant de 1830, tiré de Montréal, Recueil iconographique, de De Volpi et Winkworth, et montrant un tronçon de la rue Notre-Dame, à l'ouest de la place Jacques-Cartier. Sur le côté sud, on peut apercevoir le cabaret Silver Dollar *à l'angle de la place Jacques-Cartier, une autre maison semblable à ce dernier, puis le groupe de trois maisons dont il est question dans ce chapitre, la toute première étant la maison de La Sauvegarde. À l'arrière-plan, devant l'église Notre-Dame, on peut apercevoir la vieille église Notre-Dame, perpendiculaire à l'actuelle, et installée au beau milieu de l'actuelle rue Notre-Dame.*

La maison de La Sauvegarde, telle qu'elle apparaît aujourd'hui.

la Corporation épiscopale catholique romaine de Montréal (13 juillet 1852), Mélina Desautels, épouse de Louis Dupuy (17 octobre 1881); la compagnie d'assurance La Sauvegarde (1911, au prix de 320 000 $, précisent les documents); et enfin la Société immobilière Ravam (11 août 1975).

Les documents indiquent qu'au moins deux bâtiments ont précédé celui qui nous intéresse. Le premier aurait été construit sous Graveline après 1701, comme l'exigeait l'acte de concession. Le deuxième, une petite maison de bois, est mentionné dans le recensement et inventaire, démarche à l'époque connue par l'expression «aveu et dénombrement», document établi en 1781 par le sulpicien Jean Brassier.

Un ensemble de trois maisons

La maison de La Sauvegarde faisait partie d'un lot de trois, construites entre 1809 et 1811, sur le côté sud de la rue Notre-Dame, entre la rue Saint-Vincent et la place Jacques-Cartier. Les trois présentaient une architecture similaire, sauf que les deux les plus à l'ouest étaient plus vastes que la maison de La Sauvegarde. Elles comportaient des boutiques au rez-de-chaussée et des logements à l'étage et sous les combles.

Dans la première maison, si on les considère d'ouest en est, donc celle faisant angle avec la rue Saint-Vincent, serait née la photographie à Montréal selon l'historien E.-Z. Massicotte; suivaient la maison Fabre et la maison de La Sauvegarde. On trouvait ensuite deux maisons, dont une, le cabaret *Silver Dollar*, existe encore à l'angle de la place Jacques-Cartier. L'autre maison de même type, comme en fait foi un dessin de R. A. Sproule tracé en 1830 et publié dans *Montréal, Recueil iconographique*, de Charles P. De Volpi et P. S. Winkworth, avait cédé sa place à l'édifice de quatre étages détruit par un violent incendie en décembre 1985, et qui abritait la brasserie du Palais comme on l'a dit précédemment.

Perpétuer le style français

Construite en 1811, la maison de La Sauvegarde a donc été érigée après la conquête de la Nouvelle-France, mais son futur propriétaire, le marchand Jean-Baptiste Guillon dit Duplessis, désirait, comme bien d'autres, perpétuer le langage architectural français qu'on retrouvait dans la maison urbaine montréalaise. En témoignent certaines caractéristiques comme l'entrée de plain-pied* avec le niveau de la rue, l'asymétrie des ouvertures, le toit à deux versants* sans saillie et le mur coupe-feu à corbeau*.

Dans les marchés de construction conclus devant le notaire Jean-Marie Cadieux, Duplessis insista pour que sa future maison ressemble à une maison contiguë occupée par un de ses locataires, l'avocat Henry Georgen.

Ces marchés furent les suivants:

— le 6 décembre 1810, avec le maçon Nicolas Morin, du faubourg Saint-Laurent, pour la démolition des murs et de

Photo montrant les trois maisons à pignon, avant la démolition des deux de droite, en 1912.

la cheminée qui se trouvaient sur le terrain (s'agissait-il de ruines d'une maison vétuste ou d'un bâtiment rasé par le feu? Nul ne peut l'affirmer), puis la construction «d'une maison en pierre à deux étages»;

— le 21 décembre 1810, avec le charpentier Augustin Fournelle, également du faubourg Saint-Laurent;

— enfin, le 5 janvier 1811, avec le menuisier Augustin Lanodier dit Languedoc, du faubourg Saint-Antoine, lequel s'engageait à fournir «un nombre d'ouvriers qui ne sera pas moindre que de trois jusqu'à la perfection» des travaux de menuiserie.

Caractéristiques de la maison

La petite maison en pierre grise mesurait approximativement 26 pieds de largeur sur 28 pieds de profondeur et reposait sur des fondations de 30 pouces d'épaisseur. On y trouvait une cave, un rez-de-chaussée, un étage et des combles* sous le toit* à pignon.

La façade était percée de trois fenêtres et d'une porte au rez-de-chaussée, et de quatre fenêtres à l'étage, chaque embrasure* étant encadrée de pierre de taille. La porte donnait accès à un passage cocher* mitoyen (aujourd'hui disparu) que Duplessis partageait avec Antoine Bourdon. Des contrevents* et des contre-portes* protégeaient les ouvertures contre les intempéries.

Le toit à pignon recouvert de déclin* de cinq pouces était percé de deux lucarnes*, l'une à l'avant et l'autre à l'arrière. Le toit est aujourd'hui recouvert de tôle et il comporte quatre lucarnes, dont deux à l'avant.

Le pignon du nord-est était mitoyen et comportait deux cheminées, appartenant à Duplessis et à Antoine Malard dit Desloriers. Les eaux pluviales étaient recueillies et évacuées par deux dalles unies. Enfin, on dénombrait quatre échelles, trois fixées au toit et une pour l'atteindre, toutes en pin.

L'intérieur de la maison

La cave était accessible par deux portes à deux battants*, l'une à l'extérieur et l'autre à l'intérieur; elle avait une profondeur de cinq pieds et demi sous

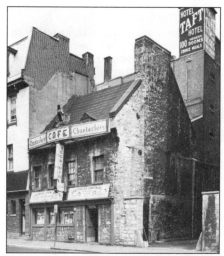

Photo ministère des Affaires culturelles

Photo de 1962 montrant l'édifice à une époque un peu moins glorieuse de son histoire. La maison est alors flanquée d'un bâtiment à quatre étages détruit par un incendie en décembre 1985.

les lambourdes*. Un mur* de refend traversait la cave dans le sens de la longueur et était partiellement recouvert de plâtre.

Le rez-de-chaussée était divisé en trois pièces formées par des cloisons embouvetées*, blanchies des deux côtés et fermées par des portes pleines à six panneaux. Les planchers étaient en bois franc, et les plafonds blanchis.

La salle commune était moins grande que dans les maisons de cette époque où elle servait à la fois de salle de séjour et de cuisine. Ici, la cuisine était séparée. Elle comportait un foyer* en pierre de taille encastré dans les enchevêtrures*. Deux armoires fermées par des portes à six panneaux et des trumeaux* finement travaillés complétaient le tout.

On connaît très peu de choses de l'étage et des combles, sinon que Duplessis les souhaita «pareils à ceux de la maison du sieur Georgen». On peut cependant préciser qu'on trouvait à l'étage un foyer et deux armoires, tout comme au rez-de-chaussée. L'étage était aménagé en chambrettes et on y trouvait l'échelle facilitant l'accès aux combles.

Les Fabre...

Les trois maisons ont abrité plusieurs personnes qui ont laissé leur marque dans l'histoire de Montréal.

D'abord les Fabre. Fils du menuisier Pierre Fabre et d'Anne Lamontagne, Édouard-Raymond Fabre avait 15 ans à peine (il naquit le 15 septembre 1799) lorsqu'il entra au service de son futur beau-frère, le libraire Hector Bossange, qui épousa Julie Fabre en octobre 1816.

Bossange s'installa dans la première maison, à l'angle de la rue Saint-Vincent, et s'associa à l'homme politique Denis-Benjamin Papineau pendant quelques années.

En 1822, Bossange vendit son commerce à Théophile Lefort, puis rentra en France. Le jeune Fabre l'y suivit et y resta un an afin de parfaire ses connaissances en librairie auprès de Martin Bossange, père d'Hector.

En 1823, Fabre rentra au pays et acquit le commerce de Bossange. Sa librairie devint vite un lieu de rendez-vous recherché par les politiciens, les avocats et les journalistes, Louis-Joseph Papineau compris.

Fabre devint le sixième maire de Montréal en 1849, puis fut réélu sans opposition en 1850. En 1848, il avait été échevin et président du comité des finances du conseil municipal.

Fabre mourut le 16 juillet 1854, emporté par l'épidémie de typhus, quelques semaines après une dure bataille électorale pour la mairie contre Wolfred Nelson. La librairie, déménagée au 5 de la rue Saint-Vincent, lui survécut sous la direction de son neveu et associé (depuis 1842) J.-Adolphe Gravel.

Fabre avait épousé Luce Perrault, fille de Julien Perrault et d'Euphrosine Lamontagne, le 9 mai 1826 en la paroisse du Saint-Nom-de-Marie. Louis, frère de Luce et éditeur du journal patriote *Le Vindicator*, fut associé à Fabre de 1828 à 1835.

Les époux Fabre eurent 11 enfants, mais seulement cinq survécurent. Parmi ces derniers, trois sont passés à l'histoire: Édouard-Charles, qui devint le troisième évêque de Montréal en 1876, puis premier archevêque en 1886 jusqu'à sa mort à 1896; Hector (1834-1910), qui devint le premier commissaire canadien à Paris de 1882 à 1910; enfin Hortense, qui épousa Sir George-Étienne Cartier. La famille Fabre habita la maison qui porta son nom, la deuxième à partir de la rue Saint-Vincent.

...et les Beaudry

Le résidant le plus célèbre de la maison de La Sauvegarde fut Jean-Louis Beaudry qui y ouvrit un magasin de menus articles en 1834 avec son jeune frère Jean-Baptiste. Beaudry naquit à Sainte-Anne-des-Plaines le 27 mars 1809. Il était le fils de Prudent Beaudry et Marie-Ange Bogennes, et il arriva à Montréal en 1823. Certains documents, notamment des baux signés avec la Corporation épiscopale de Montréal, permettent d'affirmer que Beaudry résidait dans une des trois maisons et que son commerce occupait les deux autres sous la raison sociale Beaudry, J.L. and Co., Dry Goods.

Ce nom anglophone détonne car Beaudry était devenu assez populaire dans les milieux nationalistes pour occuper une des vice-présidences de l'aile politique des Fils de la Liberté, au point d'être obligé de se cacher à l'extérieur de Montréal pendant sept mois.

Il avait la bosse des affaires. Question d'attirer l'attention, il avait peint des rayures bleues et blanches en biais sur ses contrevents de fer.

Jean-Louis Beaudry fut maire de Montréal de 1862 à 1866, de 1877 à 1879, puis de 1881 à 1885. Il mourut le 24 juin 1886, victime d'une attaque de rhumatisme goutteux et laissa une petite fortune à sa veuve, née Maria Thérèse Vallée, et à ses descendants.

L'édifice de La Sauvegarde

Des trois maisons semblables, il n'en reste qu'une, restaurée en 1965 pour servir de galerie d'art avant de reprendre sa vocation commerciale quelque 10 ans plus tard.

Les deux autres maisons à l'ouest furent démolies en 1912 pour faire place à l'édifice de La Sauvegarde. Inauguré en 1913, cet édifice de 10 étages fut construit en pierre de taille selon les plans des architectes Saxe et Archibald. Il occupe une surface au sol de 162 pieds sur 40. Le devis de construction fut évalué à 35 000 $, mais l'édifice coûta finalement 200 000 $.

Cet édifice de style victorien est remarquable par son fenêtrage* à arc* surbaissé encadré de pilastres* au rez-de-chaussée, son entablement*, son impressionnante corniche* supportée par des consoles* sculptées et sa balustrade* en pierre ciselée.

Le hasard a voulu qu'un autre futur maire laisse son empreinte dans le secteur puisque Camillien Houde y travailla à titre de vendeur pendant quelques années.

Et que dire de l'auteur et comédien Gratien Gélinas, engagé comme teneur de livres en novembre 1928 au salaire de 65 $ par mois. Lorsqu'il quitta la société en 1937 afin de se consacrer entièrement à la rédaction des textes de la série radiophonique *Fridolin*, il était responsable des communications auprès du président Narcisse Ducharme.

Cet édifice n'est plus occupé par La Sauvegarde, dont le siège social a été déménagé au complexe Desjardins il y a une décennie.

REPÈRES

Nom : maison de La Sauvegarde.
Adresse : 160, rue Notre-Dame est.
Nom : édifice de La Sauvegarde.
Adresse : 152, rue Notre-Dame est.
Direction : station Champ-de-Mars, sortie vers le Vieux-Montréal, et tourner à droite à la rue Notre-Dame.

SOURCES :

Archives de la Ville de Montréal : documents divers — Ministère des Affaires culturelles : documents divers — Montbriand, Monique : *La maison de La Sauvegarde et ses soeurs jumelles* — Archives de la compagnie d'assurance La Sauvegarde : *La maison des arts La Sauvegarde*, *À travers les âges* et documents divers — Parcs Canada, Inventaire des bâtiments historiques du Canada : documents divers — Service de documentation de *La Presse* : documents divers — Communauté urbaine de Montréal, Service d'aménagement du territoire : documents divers — Bélisle, Louis-Alexandre : *Références biographiques Canada-Québec* (Les éditions de la Famille canadienne Limitée) — Les Presses de l'Université Laval : *Dictionnaire biographique du Canada* —

Photo Jean Goupil, *La Presse*

Photo de l'édifice de La Sauvegarde, entre la maison de La Sauvegarde et l'édifice Ernest-Cormier (ex-nouveau palais de justice).

17

L'édifice Grothé

Construction: 1906
Architecte: J.-Z. Resther (?)
Monument historique reconnu

Les autochtones du pays ont souvent critiqué, et avec raison d'ailleurs, les mauvaises habitudes importées du «monde civilisé» et implantées sur le territoire de la Nouvelle-France par les découvreurs du Canada au cours des XVIe et XVIIe siècles.

Dans le cas du tabagisme toutefois, la situation est tout à fait différente, puisque c'est en Amérique que les Européens ont découvert, pour leur plus grand malheur futur, pensent nombre de gens, les plaisirs de la *nicotinia rustica*, cultivée par les Hurons sur les rives des lacs Érié et Huron.

Jacques Cartier fuma sa première «pipe» en 1535, sous des augures plus heureux puisqu'il s'agissait d'un «calumet de paix». Les Européens n'ont pas tardé à adopter le goût du tabac et à le propager.

Court historique de la compagnie Grothé

La création de la société Grothé, reliée à ce phénomène, est survenue quelque 350 ans plus tard. Fondée par Louis-Ovide Grothé, l'entreprise a vu le jour dans sa maison privée de la rue Berri, près de la rue Craig (actuelle rue Saint-Antoine), au cours des années 1880, selon son petit-fils, également baptisé Louis-Ovide.

À l'époque, la W. C. Macdonald Tobacco Merchants and Manufacturers, ancêtre de la Macdonald Tobacco, fondée en 1865 par William Christopher Macdonald, était relativement jeune.

D'autres entreprises allaient naître quelque temps plus tard. Qu'on pense à la Rock City, fondée à Québec par Napoléon Drouin en 1899 et absorbée en 1963 par la Rothmans of Pall Mall (Canada) Limitée, ou à la Empire Tobacco Co. Ltd, de Granby, qui a contribué à la formation en 1912 de l'Imperial Tobacco Ltée, grâce à sa fusion avec l'American Tobacco; ou encore à la Benson & Hedges, fondée en 1873 par une société anglaise, et qui ouvrit un premier bureau à Montréal en 1905.

Selon le petit-fils du fondateur, l'entreprise Grothé a occupé deux autres locaux avant de s'installer dans l'édifice qui porte son nom. En quittant la

Dessin de l'édifice Grothé publié en 1922 dans le quotidien Montreal Herald.

Photothèque de la Ville de Montréal

96

L'édifice
Grothé
après la
restauration.

L'édifice Grothé avant la restauration.

maison familiale, la société Grothé s'installa rue Saint-Pierre, près de la rue Saint-Paul, puis déménagea à l'angle sud-ouest des rues Craig et Bleury.

Au moment de la fondation de la compagnie de tabac, Grothé exerçait la profession d'orfèvre en compagnie de son frère Théodore, sous la raison sociale de Grothé et Frères, dans un édifice du boulevard Saint-Laurent sis à proximité du Monument national. Ce commerce disparut vers 1935.

Le fondateur de l'entreprise mourut le 16 septembre 1911, mais non sans avoir en quelque sorte inondé le marché de cigares de marques aussi populaires qu'Ovido (un dérivé d'Ovide), Boston et surtout Peg Top.

Comme le raconte son petit-fils, le cigare Peg Top doit son existence au fait qu'un jour, ayant manqué de colle, le grand-père Grothé résolut de fixer la robe du cigare à l'aide d'un embout en bois. Le fume-cigare venait d'être inventé!

Les fils à la rescousse

À la mort du fondateur, l'entreprise fut administrée par trois des cinq enfants de Grothé, Raoul-Ovide, président de la société incorporée en 1913, Albert-Armand, responsable de la production, et Louis-Émile, responsable du secteur des cigarettes. Les deux autres enfants du fondateur décidèrent de ne pas s'impliquer, Hector préférant l'immobilier et la construction résidentielle, et Célina ayant choisi d'élever les quatre enfants qu'elle eut de son mari, le Dr Wilfrid Jalbert.

Réputée par son vaste choix de cigares (pas moins de 65 marques), la société Grothé Limitée lança aussi de nombreuses sortes de cigarettes, y compris la Roxy (sa toute première), la Grads et surtout la du Maurier, première cigarette avec filtre lancée sur le marché canadien (en 1936) grâce à une licence accordée par la société Peter Jackson, de Londres.

En 1938, les trois fils Grothé vendirent leurs intérêts à l'Imperial Tobacco. Mais comme cette dernière craignait une réaction amère de la part des milieux francophones du fait qu'elle absorbait une entreprise canadienne-française, l'Imperial Tobacco demanda aux frères Grothé de continuer de gérer l'entreprise. Ce qu'ils firent jusqu'en 1942, alors qu'ils furent mis à la retraite.

L'entreprise et la bâtisse furent ensuite vendues en 1949 aux manufacturiers Bernard Besner et Myer Besser, qui fonctionnaient sous la raison sociale de J. A. Besner & Sons. Ces derniers partagèrent l'immeuble en commerces de toutes sortes jusqu'en 1979, alors que le complexe fut acheté par le gouvernement du Québec au coût de 443 000$ pour lui éviter la démolition, sort que lui réservaient ses propriétaires.

Lors du départ des locataires, le complexe abritait neuf fabriques de vêtements, quatre grossistes en étoffes, un grossiste en vêtements, un salon de barbier (aujourd'hui, on dirait «coiffeur pour hommes»), une succursale bancaire, un restaurant et une épicerie-restaurant.

Depuis, l'édifice a été recyclé en commerces et en logements par la Société de développement coopératif, sous la surveillance de l'organisme municipal connu sous le nom de Société immobilière du patrimoine architectural de Montréal (SIMPA).

La construction de l'édifice

L'immeuble fut construit en 1906 sur le lot 133 du faubourg Saint-Laurent, dans un quadrilatère de forme trapézoïdale délimitée par les rues Clark et Ontario, le boulevard Saint-Laurent, ainsi que par une droite perpendiculaire au boulevard Saint-Laurent, à une distance de 150 pieds de la rue Ontario. Le terrain fut acquis de la famille Chaplin le 2 janvier 1906 par Louis-Ovide Grothé.

L'édifice comporte un rez-de-chaussée et quatre étages (trois dans le cas de l'aile de la rue Clark). Il mesure 149 pieds boulevard Saint-Laurent, 134 pieds rue Ontario, 185 pieds rue Clark, et 131 pieds sur la ligne du lot. Il occu-

Bandeau décoratif en pierre au-dessus de l'entrée principale et indiquant la date de construction de l'édifice.

L'entrée principale de l'édifice, à l'angle du boulevard Saint-Laurent et de la rue Ontario.

Élévations ouest, sud et est de l'édifice Grothé.

pe la totalité de la surface de 22 160 pi², à l'exception d'une petite cour intérieure formée par les trois ailes riveraines aux rues et l'aile érigée à la ligne de lot pour relier les édifices du boulevard Saint-Laurent et de la rue Clark.

L'énigme du mur coupe-feu

La construction de l'édifice soulève deux interrogations majeures.

En premier lieu, certains, comme Laszlo Demeter, de l'École d'architecture de l'Université de Montréal, ont émis l'opinion (en 1976 dans son cas) que le complexe fut construit en trois temps, et que la dernière aile fut terminée en 1917.

Certains facteurs tendaient à accréditer cette thèse, notamment le mur coupe-feu entre les ailes Saint-Laurent et Ontario ainsi que le traitement plus austère de l'aile Clark.

Cependant, en 1978, Mathilde Brosseau concluait que l'ensemble du complexe fut construit simultanément en 1906. Cette conclusion découlait de l'étude des rôles d'évaluation de la ville de Montréal entre 1906 et 1925. La valeur au rôle du lot passa de 350$ en 1906 à 99 250$ en 1907. Et aucun indice ne permit subséquemment de croire qu'une addition majeure fut apportée à l'édifice.

L'existence du mur coupe-feu s'explique d'ailleurs par le fait que Grothé souhaitait louer une partie de l'édifice (ce qu'il fit d'ailleurs dès 1907, à la compagnie Fashion Craft, locataire de l'aile Saint-Laurent pendant 40 ans). D'autre part, comme la rue Clark était une rue plus modeste que la rue Ontario ou le boulevard Saint-Laurent, il était normal que le vocabulaire architectural fut moins élaboré de ce côté.

En outre, un dessin publié dans *La Presse* du 4 juin 1907 pour souligner l'installation de la compagnie Fashion Craft dans l'édifice démontre sans l'ombre d'un doute que l'aile Ontario existait déjà et n'a pu être construite en 1917 comme l'affirme le rapport déposé par Demeter.

Une deuxième énigme

L'architecte du projet représente la deuxième énigme. L'article de *La Presse* cité précédemment attribuait la conception architecturale à J.-Z. Resther, mais d'autres croient que les plans auraient été dessinés par Félix Avila, entrepreneur en construction privilégié par la famille.

Le complexe comportait — et comporte toujours — trois édifices principaux: l'aile Ontario (incluant les deux sections aux angles de la rue Clark et du boulevard Saint-Laurent), occupée par la fabrique de cigares L.-O. Grothé, l'aile Saint-Laurent, louée à Fashion Craft dès 1907, et l'aile Clark, érigée pour loger l'entrepôt de tabac de Grothé. L'aile nord construite sur la ligne de lot, et deux passerelles aériennes sont venues s'ajouter au fil des ans.

En cours de restauration, l'aile Clark a été entièrement reconstruite (tout comme une bonne partie du mur de brique de la rue Clark de l'aile Ontario), ce qui a permis aux promoteurs immobiliers de construire un terrain souterrain.

Connu à une autre époque sous le nom de «bâtisse» Grothé, comme en témoigne le bandeau décoratif en pierre installé entre le premier et le deuxième étage, au-dessus de l'entrée à l'intersection du boulevard Saint-Laurent et de la rue Ontario, l'édifice est typique des bâtiments industriels montréalais construits au XXe siècle, avec des caractéristiques telles l'utilisation de la brique, les devantures accentuées par des pilastres* encadrant les travées* du fenêtrage* à arc* surbaissé, les angles arrondis et la corniche* en brique.

L'architecture

Cet édifice d'influence italienne et doté de pilastres de style Beaux-Arts comportait une pointe de modernisme que constituaient les murs-rideaux* du rez-de-chaussée.

Ces murs-rideaux sont encadrés par des pilastres massifs en pierre de taille coiffés d'un chapiteau* ionique angu-

Photo Paul-Henri Talbot, *La Presse*

De l'angle des rues Clark et Ontario, on peut apercevoir l'aile de la rue Clark, entièrement refaite lors de la restauration.

laire. Les pilastres supportent tout le poids de la maçonnerie des étages supérieurs grâce à des poutres* en acier revêtues de tôle ouvragée et formant un entablement* entre le rez-de-chaussée et les étages.

Les quatre étages sont en brique rouge et sont dotés d'un fenêtrage entrecoupé de pilastres en brique placés dans le prolongement des piliers de pierre du rez-de-chaussée. Les pilastres contribuent à rythmer verticalement les élévations, tandis que le généreux fenêtrage facilite l'éclairage et la ventilation de l'intérieur.

Dans l'axe du boulevard Saint-Laurent et de la rue Ontario, les fenêtres sont encadrées de voussoirs* en brique ocre en forme d'arc surbaissé, qui contribuent à introduire un effet polychromique dans la façade du bâtiment.

À la rencontre des deux rues perpendiculaires à la rue Ontario, l'architecte a préféré, avec un heureux résultat, l'angle arrondi à la nécessité de travailler avec des angles à arête, obtu dans un cas, aigu dans l'autre.

Le bâtiment est couronné par une corniche en briques apposées en dents de scie. Quant à la cour intérieure, transformée lors de la restauration, elle était accessible par un passage situé entre l'aile Ontario et l'aile Clark (dotée de fenêtres plus vastes que dans le cas des deux autres ailes).

Autres détails structurels

La structure est entièrement métallique, et elle est formée de poutres et de poutrelles en «I» reposant sur des colonnes en «H». À l'exception du mur mitoyen coupe-feu mentionné précédemment et qu'il a fallu percer pour créer une ouverture entre les deux ailes principales, aucun mur n'est portant.

Au sous-sol, les cloisons sont en briques ou en blocs de ciment, tandis qu'au rez-de-chaussée, elles sont construites de terre cuite enduite d'un crépi* de ciment, puis revêtues de plâtre. Dans le cas des étages, les cloisons sont beaucoup plus légères, puisqu'on a eu recours aux colombages de bois et aux panneaux pré-usinés.

Photo Paul-Henri Talbot, *La Presse*

La construction d'un terrain de stationnement souterrain a permis de créer une cour intérieure.

que une forte dénivellation dans trois directions: 5 pieds boulevard Saint-Laurent, 3,25 pieds rue Ontario, et 8 pieds rue Clark, où le bâtiment ne comporte pas de sous-sol, à cause justement de la dénivellation. Le niveau le plus bas se situait à l'intersection du boulevard Saint-Laurent et de la rue Ontario.

À l'exception du sous-sol, doté d'une dalle de béton, tous les planchers comportent deux épaisseurs de planches de bois. Les planches du dessous mesurent 3 pouces d'épaisseur, comparativement à trois quarts de pouce pour les planches de finition.

À l'exception des portes aux angles du rez-de-chaussée, toutes les portes et fenêtres étaient d'origine au début de la restauration. Toutes les fenêtres* à guillotine furent fabriquées en bois et s'appuyaient sur un linteau* de pierre qui dépassait légèrement de part et d'autre.

Enfin, le toit est plat et comportait certains vestiges d'un ancien château d'eau. Le toit était percé de sept édicules, trois pour les ascenseurs et les monte-charges, trois pour des puits de lumière et un dans le prolongement d'un escalier qui permettait d'accéder au toit. La toiture était l'élément le plus endommagé de l'ensemble du complexe.

En guise de conclusion, il importe de souligner que les architectes n'ont pas eu la tâche facile. En effet, à cause de la topographie du secteur, on remar-

REPÈRES

Nom: édifice Grothé.
Adresse: 2000, boulevard Saint-Laurent.
Métro: station Saint-Laurent, direction nord.

SOURCES:

École d'architecture de l'Université de Montréal: *Bâtisse L.-O. Grothé* — Brosseau, Mathilde: *Immeuble Grothé* — Archives nationales du Québec: documents divers — Archives de la Ville de Montréal: documents divers — Communauté urbaine de Montréal, Service de la planification du territoire: documents divers — Documentation de *La Presse*: documents divers — Centre d'études en enseignement du Canada Inc.: *Horizon Canada* — Conversation téléphonique avec Louis Ovide Grothé, petit-fils du fondateur.

18

Le *Silver Dollar Saloon*

Construction: 1812
Architecte: inconnu

Le cabaret *Silver Dollar Saloon* doit son intérêt non pas à un style architectural exceptionnel ou à son importance dans la trame historique de la métropole du Canada français, mais plutôt à son lieu géographique et à la place qu'il a occupée dans la vie d'une génération de Montréalais.

Cet immeuble de pierre terminé en 1812 et qui loge le Service d'information touristique de la Ville de Montréal doit son nom de *Silver Dollar Saloon* (on verra pourquoi plus loin) au restaurateur Stanislas Vallée qui, de 1896 à 1918, dirigea cette buvette populaire auprès de l'intelligentsia montréalaise, grâce à son emplacement privilégié, au coeur du Vieux-Montréal.

Voué à des fins semi-commerciales par son premier propriétaire, Antoine Malard dit Desloriers, l'édifice illustre

Photo SIMPA
Ce coin a bien changé au cours des 30 dernières années, comme permet de le constater cette photo montrant l'hôtel Taft à gauche, et l'édifice incendié en décembre 1985 à droite. À noter l'entrée dans l'angle tronqué du Silver Dollar Saloon.

Photo SIMPA
Le Silver Dollar Saloon *en cours de restauration.*

le type de petit établissement commercial qui prévalait au début du XIXe siècle.

Sis à l'angle de la rue Notre-Dame et de la place Jacques-Cartier, l'édifice formait un ensemble avec deux autres bâtiments, l'actuel restaurant des Gouverneurs, place Jacques-Cartier, et un édifice similaire et contigu au *Silver Dollar Saloon*, rue Notre-Dame, démoli pour faire place à un édifice de quatre étages détruit par le feu en décembre 1985. L'incendie a en effet permis de découvrir les marques laissées par la ligne d'un toit à pente sur le mur mitoyen ouest du *Silver Dollar Saloon*.

Photo Robert Mailloux, *La Presse*
Le Silver Dollar Saloon *tel qu'il apparaît aujourd'hui.*

Un bâtiment en pierre

Ce bâtiment d'angle en pierre de taille grise est d'architecture vernaculaire classique. Il comporte un sous-sol, un rez-de-chaussée, un étage et des combles.

Les portes originales à panneaux étaient de style Adam et les embrasures* à fenêtres à carreaux comportaient des linteaux* et des allèges* en pierre. Un toit* à pavillon percé de lucarnes* à fronton*, couvert de déclin* et décoré d'une corniche* à moulure simple, couronnait le bâtiment.

Selon Michel Lapointe, du bureau d'architectes LeMoyne et Associés, artisan de la restauration de l'immeuble, le bâtiment se trouvait dans un état déplorable au début de la restauration, à cause des modifications imposées par une douzaine de vocations différentes (y compris un lupanar à l'étage!)

L'utilisation comme fruiterie, puis comme tabagie (jusqu'en 1969) au rez-de-chaussée avait amené les locataires à percer de grandes vitrines à la place des fenêtres et à installer la porte dans l'angle tronqué de l'encoignure*. On croit que ces travaux ont été effectués en 1932.

La restauration de l'extérieur du bâtiment fut entreprise sous la responsabilité de Héritage canadien du Québec, organisme privé voué à la conservation du patrimoine et appartenant à David Molson. Sa réalisation a eu pour base des gravures d'époque. Il fallut donc éliminer l'angle* tronqué et redonner au fenêtrage* du rez-de-chaussée son apparence originelle.

Il fallut aussi résoudre le problème des poutres d'acier apparentes; on y parvint en couvrant les poutres d'une pierre creuse spécialement taillée, formant le bandeau* de pierre du dessous (celui du dessus est d'origine), en laissant un joint de dilatation entre les deux bandeaux. La partie du bâtiment sise au-dessus du bandeau supérieur est d'origine, à l'exception d'une des lucarnes, qui aurait été plus grande afin de faciliter l'accession des provisions au grenier.

Sur le toit, des feuilles d'acier inoxydable ont remplacé le déclin* qui recouvrait vraisemblablement le toit original. L'absence de plans de construction explique ces remarques conjoncturelles. Et l'on ne connaît pas non plus le nom de l'architecte.

Un immeuble fonctionnel

En 1982, Héritage canadien du Québec cédait le bâtiment à la Ville de Montréal à la condition qu'elle poursuive la restauration et qu'elle donne à l'immeuble un caractère culturel susceptible de valoriser encore plus le quartier. Le mandat de restaurer le *Silver Dollar Saloon* fut confié à la SIMPA (Société immobilière du patrimoine architectural de Montréal). Elle s'est si bien acquittée de sa tâche que la restauration lui a valu deux prix d'honneur nationaux de la Fondation canadienne pour la protection du patrimoine.

En ce qui a trait à l'intérieur du bâtiment, les architectes ont convenu d'en faire un projet de recyclage en bâtiment fonctionnel, plutôt qu'une reconstitution qui aurait respecté les volumes de l'édifice original. On voulait recréer une ambiance d'époque sans recherche d'authenticité historique, tout en préservant les éléments architecturaux et décoratifs qui pourraient l'être.

C'est ainsi qu'on retrouve à l'intérieur de nombreux éléments architecturaux: escaliers, moulures*, parements de tôle* embossée qui tapissaient systématiquement tous les murs et plafonds, et corniches* en bois finement sculptées. Certains de ces éléments sont de style Adam, du nom de trois architectes (Robert fut le plus important) anglais de la deuxième moitié du XVIIIe siècle. Les fouilles ont également permis de découvrir plusieurs artéfacts, présumément de la fin du XIXe siècle, et dont certains sont conservés dans une montre à l'étage.

Plusieurs surprises

La restauration de l'intérieur réserva plusieurs surprises, à cause des nombreuses transformations imposées au bâtiment. Au sous-sol, on a décelé des traces de voûtes, toutes parallèles à la rue Notre-Dame, à l'exception d'une seule, sous la porte* cochère mitoyenne aux deux édifices de la rue Notre-Dame qui elle, était perpendiculaire aux autres. Nul ne peut dire pourquoi et quand elles furent démolies.

La dalle de béton récemment coulée au sous-sol est incrustée d'ardoises rouges carrées retrouvées dans la cave. Ces ardoises ont les coins arrondis vers l'intérieur, visiblement pour y incruster des pièces de monnaie, ces fameuses pièces de monnaie du rez-de-chaussée qui ont laissé leur nom à la buvette, puis au bâtiment.

Le plancher du rez-de-chaussée reposait sur des billots ronds équarris sur une face pour supporter les planches. Ces billots en cèdre ou en pin rouge ont remplacé les voûtes.

À l'étage, le plancher était en très mauvaise condition. L'enlèvement de la cheminée du mur ouest et les orifices créés dans le plancher pour les escaliers avaient considérablement affaibli la structure en madriers* de 30 pieds de longueur sur un pied de largeur sur six pouces d'épaisseur, qui reposait littéralement dans le vide à plusieurs endroits, les madriers accusant une flèche* d'un pied en leur centre. Même les poutres métalliques vraisemblablement ajoutées en 1932 avaient plié sous le poids. Selon M. Lapointe, ce sont les cinq ou six couches de planches qui empêchaient le tout de s'effondrer.

Enfin, au grenier, où la ligne faîtière des deux bâtiments de la place Jacques-Cartier était continue, on a décidé de tout réaménager, mais en érigeant un mur coupe-feu descendant jusqu'au sous-sol, entre les deux édifices. C'est ce mur coupe-feu qui a protégé le bâtiment lors de l'incendie de 1985.

Le château de Vaudreuil

Le terrain sur lequel fut construit cet édifice faisait partie de l'ensemble réuni par Philippe de Rigaud, marquis de Vaudreuil, en 1721. Malgré ses 78 ans, il désirait se faire construire un manoir, rue Saint-Paul, avec pleine vue sur le fleuve, et entouré de grands jardins qui se rendraient jusqu'à la rue Notre-Dame, vis-à-vis le couvent des Jésuites, afin de rivaliser avec le château de Claude de Ramezay.

Vaudreuil acheta tous les terrains se trouvant à l'intérieur du quadrilatère délimité par les rues Notre-Dame, Saint-Charles (côté est de l'actuelle place Jacques-Cartier), Saint-Paul et Saint-Vincent. Le terrain du futur *Silver Dollar Saloon* était alors partagé entre Joseph-Charles d'Ailleboust des Musseaux, président du tribunal des seigneurs de Montréal, et André Demers dit Chediville. Les deux hommes avaient acquis ce bien des sulpiciens, Demers le 20 août 1655, et d'Ailleboust le 15 décembre 1660.

Le château de Vaudreuil fut construit entre 1723 et 1726 (Vaudreuil mourut en 1725). Les héritiers de Vaudreuil décidèrent de louer le château aux autorités, de sorte qu'il abrita les gouverneurs généraux et les chefs militaires lors de leur passage à Montréal.

Après la conquête, le manoir devint la propriété du marquis de Lotbinière, de Fleury d'Eschambault, et le 26 juillet 1773, des marguilliers de la paroisse de Notre-Dame, qui y installèrent le collège de Montréal.

Une des nombreuses conflagrations qui frappèrent Montréal força les sulpiciens à déménager. Le 6 juin 1803, un incendie se déclara dans la maison du faubourg Saint-Laurent, propriété d'un dénommé Chevalier. Avant d'être maîtrisées, les flammes atteignirent la rue Notre-Dame et détruisirent plus de 40 maisons, deux chapelles (dont celle des jésuites), la prison de la rue Notre-Dame et le collège de Montréal!

L'historique du terrain

Deux habiles spéculateurs bourgeois, Joseph Périnault, député de Montréal-Ouest, et Jean-Baptiste Durocher, son prédécesseur, achetèrent les ruines du château et ses jardins. Le contrat fut signé le 14 décembre 1803 devant le notaire Joseph Papineau.

Après avoir cédé environ le tiers du terrain à la Ville à la condition qu'elle y installe un «marché neuf», les deux sieurs entreprirent de vendre sept lots en bordure de la nouvelle rue de la Fa-

Photo de De Volpi et Winkworth

Ce dessin réalisé par John Murray vers 1850 permet de constater que le Silver Dollar Saloon, que l'on aperçoit derrière la colonne Nelson, n'a pas tellement changé. À gauche, on peut apercevoir la résidence McGill. Le bâtiment riverain à colonnades, à droite, fut construit sur l'emplacement de la prison détruite par le feu en 1803; on y voit aujourd'hui la place Vauquelin. Enfin, derrière les arbres, on peut apercevoir le «vieux» palais de justice.

brique (le côté ouest de l'actuelle place Jacques-Cartier). Ce «marché neuf» sera connu sous le nom de place Jacques-Cartier à partir du milieu du XIXe siècle, lors de la construction du marché Bonsecours.

Le 29 décembre, tous les terrains étaient vendus; celui qui nous intéresse, à l'angle de la rue Notre-Dame, fut cédé à l'avocat David Ross le 26 décembre.

Le contrat de vente stipulait que Ross y ferait construire «une maison en pierre à deux étages». Incapable de remplir cette condition, Ross dut se départir du terrain, vendu devant le notaire Louis Guy, le 23 mars 1809, à celui qui fit ériger une maison digne des résidences aristocratiques du secteur (château Ramezay, demeure de James McGill, etc.), le maître-boucher Antoine Malard dit Desloriers. À l'époque, Malard habitait une maison sise du côté ouest de la rue Saint-Charles-Bor-

romée (l'actuelle rue Clark), entre les rues Sainte-Catherine et Dorchester. Son père, maître-boucher lui aussi et également prénommé Antoine, y résidait depuis 1767, en compagnie de sa femme, Madeleine Payet.

Historique de la maison

Antoine Malard fils avait 21 ans, le 26 janvier 1783, lorsqu'il épousa une jeune fille de 18 ans, Marie-Catherine Hurteau, de Pointe-à-Callière, en l'église Notre-Dame. De ce mariage naquit un seul enfant, Marie-Angélique.

À la fin du XVIIIe siècle, Malard était devenu riche, non pas dans la boucherie qu'il avait abandonnée, mais plutôt dans la potasse et le savon. Il était propriétaire de plusieurs immeubles et il était connu sous le nom de seigneur des îles Bouchard. C'est dans ce contexte qu'Angélique épousa, en 1799, Pierre Beaudry, maître-boucher et fils d'un cultivateur de Longue-Pointe.

105

Tous les contrats pour la construction de la maison furent signés devant le notaire Jean-Marie Mondelet, avec les artisans suivants: Nicolas Morin, le 25 septembre 1810, pour la maçonnerie et la pierre de taille; Amable Perreault, le lendemain, pour les travaux de charpente; Joseph Meutte, pour les châssis, le 24 janvier 1811; enfin, Isaac Shay, de la société Shay & Bent, le 19 octobre 1811, pour la menuiserie. L'échéance de la fin des travaux était fixée à juin 1812.

Une fois la construction complétée, la maison fut louée à John Boston, avocat de Montréal, tandis que celle qui lui était contiguë, rue Notre-Dame, fut louée à Elizabeth Sanford.

Malard mourut le 6 août 1823, laissant tous ses biens à sa veuve. Le testament de cette dernière, signé le 13 janvier 1824 devant le notaire André Jobin, stipulait qu'elle léguait à Pierre, François-Xavier et Marie-Zoé Beaudry, les enfants de sa fille Marie-Angélique et de Pierre Beaudry, « un emplacement... avec 3 maisons en pierre et à 3 étages contiguës l'une à l'autre et des écuries et autres dépendances dessus construites, le tout tenant par devant à la rue Notre-Dame, d'un côté à M. Guillon Duplessis, d'autre côté à l'une des rues du Marché neuf, et derrière à M. Joseph Roy ». Ce testament confirme donc l'hypothèse iconographique voulant qu'une maison similaire au *Silver Dollar Saloon* exista jadis entre cette maison et la maison de La Sauvegarde, dont il fut antérieurement question.

La veuve Hurteau mourut le 27 février 1824, et Pierre Beaudry père continua d'administrer les biens de la succession à titre d'exécuteur testamentaire. Il le fit jusqu'au 8 janvier 1835 alors qu'il procéda au partage de l'héritage. La maison qui nous intéresse devint alors la propriété de Louise Adèle Beaudry, fille de Pierre Beaudry fils, mort le 7 août 1832. Mais comme cette dernière était mineure, Gaspard Laviolette, son tuteur, géra son bien en son nom et loua la maison à de petits commerçants.

Photo Robert Mailloux, *La Presse*

L'intérieur du bâtiment loge aujourd'hui le Service du tourisme de la ville de Montréal.

Photo SIMPA

Une armoire à artéfacts découverts en cours de restauration.

Place à une auberge

À sa majorité, en 1851, Louise Adèle Beaudry épousa Georges F. Languedoc et assuma la propriété de l'édifice, qu'elle loua de 1851 à 1855 à Phillip Henry, fabricant de cigares et marchand de tabac. En 1856, Mary Bowie, femme de Wilson V. Courtnay, transforma l'édifice en auberge qui, de 1857 à 1863, prit le nom de *George Balchin's Saloon*. Le *saloon* fut dirigé par Balchin jusqu'en 1860, puis par sa veuve, Elizabeth Deacon.

Entretemps, le 15 mai 1861, Mme Languedoc avait vendu l'édifice à Andrew William Hood, pour la somme de 1 700 £, devant le notaire J. Smith. Ce manufacturier de savon et de chandelles fut propriétaire de l'édifice jusqu'en 1880, et sa succession le vendit cinq ans plus tard au bijoutier Napoléon Lefebvre, qui y tenait son commerce depuis 1865 après deux ans d'occupation par un marchand de souliers, Hausselman & Co., le tailleur Norbert Coderre et le photographe Pierre Dufresne.

Napoléon Lefebvre mourut en 1893, mais sa succession en resta propriétaire jusqu'en 1920. Parmi les enfants de Lefebvre, on retrouvait Eugénie, épouse de l'ingénieur Charles Desbaillets, qui laissa sa marque dans la fonction publique montréalaise.

Artéfacts découverts en cours de restauration.

Le *Silver Dollar Saloon*

Après que l'édifice eut logé le restaurant de Stanislas Richardson de 1890 à 1895, Stanislas Vallée y installa son *Silver Dollar Saloon* en 1896.

Les documents sont avares d'informations au sujet de cette buvette. La présence des 350 pièces d'argent américaines de 1 $ dans le carrelage est toutefois confirmée par le journaliste Victor Morin. «On s'y rendait en grand nombre, écrit-il, pour le plaisir de fouler cette richesse aux pieds». Un autre journaliste, Léon Trépanier, rappela que la buvette s'avérait populaire auprès des journalistes et des fonctionnaires du palais de justice. «C'était le moyen de recueillir les potins ou renseignements concernant les procès qui se déroulaient dans les diverses cours de justice», a-t-il écrit à cet effet.

Après avoir servi de magasin de fruits et légumes pendant les années qui suivirent la disparition du *Silver Dollar Saloon*, le bâtiment fut loué à la société United Cigar Stores à partir de 1942. Ce fut sa dernière vocation.

D'ailleurs, le propriétaire de cette chaîne de tabagies, la Imperial Tobacco, fut le dernier propriétaire de l'immeuble avant que l'organisme Héritage canadien du Québec en fasse l'acquisition et le cède ensuite à la Ville de Montréal.

REPÈRES

Nom: *Silver Dollar Saloon.*
Adresse: 174, rue Notre-Dame est.
Métro: station Champ-de-Mars, direction Vieux-Montréal, tourner à droite à la rue Notre-Dame.

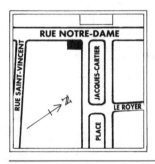

SOURCES:

Société immobilière du patrimoine architectural de Montréal: rapports annuels, document de présentation à la Fondation canadienne pour la protection du patrimoine et documents divers — Musée des Beaux-Arts de Montréal: *Au fil des collections* — Giroux, André: *Silver Dollar Saloon* — Parcs Canada, Inventaire des bâtiments historiques du Canada: documents divers — Ministère des Affaires culturelles du Québec: documents divers — Archives de la Ville de Montréal: documents divers — Massicotte, E.Z.: *Les cahiers des dix* — Documentation de *La Presse*: documents divers — De Volpi, Charles et Winkworth, P. S.: *Montréal, Recueil iconographique*.

19

Le club
des Ingénieurs

Construction : 1860
Architecte : William T. Thomas

Il fut une époque où les clubs privés étaient nombreux à Montréal et bien intégrés à la vie de la métropole. Pour qu'un homme d'affaires soit influent, pour qu'il soit *bcbg*, ou bon chic bon genre comme on dit aujourd'hui, il devait collectionner les cartes de membre de clubs privés comme on collectionne aujourd'hui les cartes de crédit.

Pour ces institutions privées, c'était l'âge d'or. Certains de ces clubs étaient réservés aux seuls membres d'une profession. Exemple: le club des Ingénieurs, plutôt connu sous son nom anglais de Engineers Club of Montreal.

Ce club fut fondé en 1902. Il recruta ses membres chez les ingénieurs exclusivement et tint ses premières réunions à l'hôtel Windsor.

Photo *The Montreal Gazette*

Photo montrant la maison Strathearn en 1906, un an avant d'être acquise par le club des Ingénieurs. À noter, la tour octogonale dont on aperçoit la partie supérieure.

À la fin de 1906, le nombre de membres s'élevait à 300. Il devenait donc urgent de trouver un local permanent. Les administrateurs du club décidèrent d'acquérir la maison Strathearn des exécuteurs testamentaires de William Dow, le 2 mars 1907, devant le notaire William de M. Marler.

L'édifice tel qu'il apparaît aujourd'hui. À noter la chaîne harpée (à la gauche des deux premières rangées de fenêtres) qui permet de dimensionner la résidence originale.

Photo Paul-Henri Talbot, *La Presse*

108

La résidence d'un brasseur

L'histoire de l'immeuble commence en 1856. William Dow, brasseur et homme d'affaires né le 27 mars 1800 en Écosse, possédait trois terrains en bordure nord du square du Beaver Hall.

(Ce square porte aujourd'hui le nom de place du Frère-André, en l'honneur d'Alfred Bessette, béatifié le 23 mai 1982 par le pape Jean-Paul II. Le choix de cet endroit particulier pour honorer la mémoire du thaumaturge de l'oratoire Saint-Joseph paraît peu pertinent, et il eut été plus logique de donner son nom à une place ou à une rue à proximité de l'Oratoire. Mais cette appellation a force de loi depuis le 21 septembre 1982.)

Parmi les propriétaires riverains du square du Beaver Hall se trouvaient l'architecte John Ostell et l'homme d'affaires George Stephen. Plus à l'est, rue Dorchester, s'élevait l'église St. Patrick érigée en 1847, tandis qu'on poursuivait, toujours un peu plus à l'est, la construction du collège Sainte-Marie fondé en 1848 par les jésuites. Au nord-ouest, rue Sainte-Catherine, on avait terminé la construction, deux ans plus tôt, de la cathédrale anglicane Christ Church.

Dow décida de se faire construire une somptueuse résidence sur ses terrains et confia l'architecture de la maison à l'architecte William T. Thomas, auteur de réalisations comme l'église anglicane St. George, rue de La Gauchetière, le Mount Stephen Club, etc.

Dow était riche. Arrivé au pays vers 1819 à titre de contremaître à la brasserie de Thomas Dunn, ce fils de maître-brasseur ne tarda pas à s'imposer, si bien qu'il devint d'abord l'associé de Dunn puis, à la mort de ce dernier, en 1834, l'unique propriétaire de la William Dow and Co.

Dow se lança dans la distillation, comme ses concurrents. Il fit prospérer l'entreprise et la vendit finalement en 1864 à un groupe d'affaires dirigé par Gilbert Scott pour une somme de 77 877£, mais la brasserie conserva le nom de brasserie Dow.

Il fut actif dans l'immobilier, administrateur et/ou actionnaire de banques, de chemins de fer et de compagnies d'assurances, en plus de participer à la fondation d'entreprises dans le domaine des transports et de la télégraphie.

À sa mort, le 7 décembre 1868, dans sa résidence du square du Beaver Hall, ses biens étaient évalués à 300 000£. Le 22 novembre précédent, il avait signé devant le notaire James Stewart Hunter un testament dans lequel il laissait son héritage à sa belle-soeur (son frère Andrew était mort en 1853) Mary et à ses quatre filles.

Outre William et la succession Dow, le splendide édifice n'eut que deux autres propriétaires: le club des Ingénieurs qui lui laissa finalement son nom, de 1907 à 1979, et l'actuel propriétaire, Oscar Grubert, de Winnipeg, qui y exploite le restaurant *Chez la mère Tucker*.

Quant au club des Ingénieurs, il cessa définitivement ses activités avec la vente de ce bâtiment à M. Grubert.

Description de l'immeuble

Construite dans le style Renaissance italienne affectionné de l'architecte Thomas, *Strathearn House*, ainsi que l'avait nommée son propriétaire, illustre bien le style de résidences privilégiées par les riches bourgeois montréa-

Le passage aérien semi-circulaire ajouté en 1912.

lais dans la deuxième moitié du XIXe siècle.

C'était à l'origine un bâtiment rectangulaire entouré de vastes jardins. La chaîne* harpée sur la droite de la façade principale permet d'établir la limite du bâtiment original.

Le bâtiment comporte un sous-sol, un rez-de-chaussée et deux étages (un seul dans la partie est, construite en 1912 et en 1933). Deux des quatre murs sont en pierre de taille, le troisième donnant sur le stationnement est en brique, et le quatrième est mitoyen avec l'édifice de 10 étages connu sous le nom de place Phillips.

La toiture de la partie la plus ancienne comporte un toit à pente douce, une fausse mansarde* du côté nord, et un toit plat à plusieurs niveaux ailleurs.

Photo Paul-Henri Talbot, *La Presse*
La partie la plus ancienne, à l'arrière.

La façade

La façade comporte les principaux éléments du style Renaissance italienne: portique* à colonnes jumelées jadis couronné d'une balustrade* en pierre, chaîne de pierre harpée aux angles, fenêtrage varié mais symétrique (fenêtres à fronton* appuyé sur des modillons*, agencées avec des fenêtres à tablette* moulurée en tête, sur modillons similaires), entablement* sous le rez-de-chaussée, bandeau* décoratif sous la large corniche* à denticules*. Les trois lucarnes* cintrées* qui brisent la ligne de la corniche à la verticale des fenêtres ont été ajoutées à une date sans doute ultérieure, mais inconnue.

La partie à l'est et au sud de la façade principale a été ajoutée en 1912 et construite en pierre de taille. Même si elle s'harmonise bien avec la façade la plus ancienne, on remarquera que les fenêtres sont plus rapprochées.

La face ouest en pierre de taille est aussi partagée en deux parties, la plus ancienne, au sud, comportant une aile en saillie coiffée d'un fronton et d'un fenêtrage qui reprend le langage architectural de la façade principale, et la partie nord, modifiée en 1912, remarquable par ses fenêtres cintrées à l'étage, ses lucarnes à fronton, son toit* à

fausse mansarde recouvert de cuivre vert-de-gris, et le passage vitré semi-circulaire qui relie les deux ailes au premier étage.

Dans le terrain de stationnement, le fenêtrage permet de différencier l'aile construite en 1912, avec ses grandes fenêtres à arc* en plein cintre, de l'annexe ajoutée en 1933 et dotée de fenêtres rectangulaires très modestes.

Une tour octogonale flanqua jadis la maison sur son flanc oriental, lui donnant «un petit air de folie victorienne» pour reprendre l'expression des experts du ministère des Affaires culturelles. Ajoutée entre 1868 et 1906 (il est impossible d'être plus précis), la tour disparut lors des travaux de 1912.

Malgré certaines différences, les architectes Saxe et Archibald, responsables des travaux de 1912, ont dans l'ensemble respecté l'esprit du concepteur original du bâtiment, à l'intérieur comme à l'extérieur. Quant aux architectes Ross et McDonald, qui pilotèrent les travaux de 1933, ils ont en quelque sorte travaillé dans l'ombre puisque leur annexe comportait un seul mur visible, mur qui par surcroît donne sur un terrain de stationnement.

Un intérieur éblouissant

L'intérieur est éblouissant. La société de design L. S. Gurling, responsable

*Dessin montrant
l'évolution du
bâtiment.*

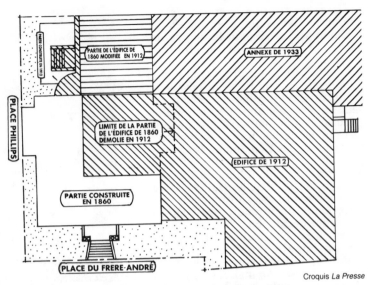

Croquis *La Presse*

de l'aménagement des locaux en restaurant, a démontré beaucoup de respect pour ce bâtiment.

L'entrée est encadrée par deux colonnes remarquables. Un grand escalier en bois teint foncé, à rampe majestueuse, surgit entre deux colonnes en bois à chapiteau* corinthien. La cage de l'escalier haute de trois étages se termine par un plafond éclairé par un puits de lumière. Sur les murs, on peut admirer les remarquables pilastres*, les médaillons* (à l'effigie du club des Ingénieurs notamment), les panneaux et les guirlandes en plâtre de couleur beige.

Dans les différentes pièces de la maison, les décorations en bois et en plâtre, les nombreux foyers en marbre ou en bois, les encadrements de portes et de fenêtres en bois sculpté, les murs lambrissés de panneaux en bois, les meubles, les grands miroirs; tout contribue à donner un air de richesse au bâtiment.

Quant aux différents aménagements apportés depuis la transformation du bâtiment en restaurant, ils ont été faits avec tellement de bon goût et de recherche architecturale qu'on a vraiment l'impression qu'ils ont toujours fait partie du bâtiment, hormis bien sûr certaines traces d'un nécessaire modernisme.

Historique du terrain

Joseph Frobisher fut le premier propriétaire du terrain où fut construit la maison Strathearn par William Dow. Frobisher naquit à Halifax, en Angleterre, le 15 avril 1740. Il était un des sept enfants (dont cinq fils) de Joseph Frobisher et de Rachel Hargrave.

La fortune de ce marchand de fourrures connut des hauts et des bas au sein de la Compagnie du Nord-Ouest

Photo Paul-Henri Talbot, *La Presse*
Le grand escalier.

111

qu'il avait fondée avec ses frères Thomas et Benjamin, avant de s'allier à Simon McTavish pour fonder en novembre 1787 la McTavish, Frobisher and Co.

Lorsque Frobisher prit sa retraite en 1798, cette société lui avait permis de reconstituer sa fortune et d'accumuler, seul ou avec d'autres, de nombreuses propriétés immobilières, notamment la Compagnie des forges de Batiscan, la seigneurie de Champlain, la Compagnie des propriétaires des eaux de Montréal, des lots à Sorel et dans les cantons de Chester, de Halifax, d'Ireland et d'Inverness, en Angleterre.

Résidant de la rue Saint-Gabriel, Frobisher décida, en 1792, de se faire construire une résidence hors les murs sur un terrain longitudinal de 40 arpents, connu sous le nom de «Vauxhall», et sommairement délimité par les actuelles rues de La Gauchetière, Union, Cathcart, University, Prince-Arthur, Lorne, Sherbrooke, Union (un peu à l'est de cette rue), Dorchester et Saint-Alexandre. La terre de Frobisher était flanquée de celles de James McGill à l'est et de Pierre de Rocheblave à l'ouest. La rue Sherbrooke s'appelait alors Sainte-Marie, et l'avenue des Pins portait le nom de rue des Miquelets. La rue Sainte-Catherine n'avait pas encore été tracée.

La maison se trouvait en retrait, sur le côté nord de la petite rue Dorchester, à peu près dans l'axe de l'actuelle côte du Beaver Hall. Blottie au fond d'une allée qui décrivait une courbe et entourée de peupliers de Lombardie, la vaste demeure fut vraisemblablement terminée en 1794.

En l'honneur du Beaver Club

Soit dit en passant, Frobisher lui donna le nom de Beaver Hall en l'honneur du Beaver Club, qu'il avait fondé en 1785, avec 19 marchands de fourrures ayant passé au moins un hiver dans le Nord-Ouest. Sa devise était *Fortitude in Distress* (Le courage dans l'adversité). Le Beaver Club s'éteignit avec les magnats de la fourrure, mais l'habitude de bien boire et de bien manger est aujourd'hui perpétuée au Beaver Club de l'hôtel Reine Elizabeth.

Photo Paul-Henri Talbot, *La Presse*

Le puits de lumière et le lustre remarquable.

Photos Paul-Henri Talbot, *La Presse*

*Un des remarquables   Les boiseries ciselées
foyers de la résidence.   et bien conservées
                          abondent.*

Après une vie bien remplie (il fut député de Montréal-Est, juge de paix, commissaire à la démolition des vieilles fortifications de Montréal, administrateur d'un fonds de pension pour voyageurs âgés, major dans la milice et marguillier de la Christ Church), Frobisher mourut le 12 septembre 1810.

Sa femme, Charlotte Jobert, qu'il avait mariée à l'âge de 18 ans devant le pasteur anglican David Chabrand Delisle, le 30 janvier 1779, lui donna 12 enfants, dont Benjamin Joseph. Mlle Jobert était la fille de Jean-Baptiste, chirurgien, et de Charlotte Larchevêque, fille du commerçant de fourrures Charles-Jean-Baptiste Chaboillez.

Sa femme lui survivra jusqu'au 23 juin 1816, mais la succession ne sera réglée que trois ans plus tard.

Le 30 novembre 1842, devant le notaire William Ross, les héritiers de feu Thomas Phillips cédaient à la Ville de Montréal les terrains acquis de la succession Frobisher et requis pour les chemins et places suivantes: côte du Beaver Hall, square du Beaver Hall, place Phillips, square Phillips, avenue Union, rue Belmont, avenue University et des segments des rues Dorchester et Sainte-Catherine.

Beaver Hall brûla en 1848. Les terrains en bordure du square du Beaver Hall furent alors acquis par deux personnalités, William Dow et James Ferrier.

James Ferrier

Né dans la région de Fife, en Écosse, le 22 octobre 1800, Ferrier émigra à Montréal en 1821 et trois décennies plus tard il était devenu un des hommes les plus riches de Montréal. Il possédait un magasin et de nombreuses propriétés immobilières. Son nom fut associé à une foule d'entreprises, dont la Banque Molson, la Compagnie du gaz de la cité de Montréal, la Compagnie d'assurances de Montréal, la Compagnie de crédit de Montréal, Bryson & Ferrier Co., la Horse Nail Works (de Pointe-Saint-Charles et Ausable Chasm), les Forges du Saint-Maurice, le Grand Tronc, etc. Il fut conseiller municipal, maire de Montréal (en 1845), conseiller législatif du Bas-Canada, membre du Sénat canadien après la Confédération, etc.

En 1863, Ferrier fit construire quatre *town houses* contiguës, sur le côté est du square du Beaver Hall, pour y loger les enfants (deux garçons et deux filles) que lui donna sa femme, Mary Todd. Lui-même demeurait à proximité, au 100, rue Saint-Alexandre, derrière les maisons de ses enfants.

Ferrier mourut le 30 mai 1888. Par la suite, l'ensemble devint la propriété de la Canadian International Paper Co., puis de la Canadian Industries Limited qui l'acquit en 1938 pour y loger sa filiale de guerre, la Defense Industries Limited.

L'ensemble fut démoli en août 1951, pour la construction de l'édifice Dorchester. La démolition permit de découvrir l'incroyable épaisseur (jusqu'à quatre pieds) des murs de l'édifice et un réseau tout aussi incroyable de passages souterrains permettant d'aller d'une maison à l'autre sans jamais mettre le nez dehors.

REPÈRES

Nom: club des Ingénieurs.
Adresse: 1175, place du Frère-André.
Métro: station Square-Victoria, direction nord sur côte du Beaver Hall.

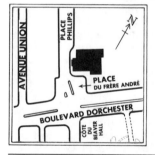

SOURCES:

Brosseau, Mathilde: *L'Engineers Club* — Ministère des Affaires culturelles: documents divers — Beaulieu, Ginette: *The Engineers Club of Montreal* — Parcs Canada, Inventaire des bâtiments historiques du Canada: documents divers — Archives de la Ville de Montréal: documents divers — Les Presses de l'Université Laval: *Dictionnaire biographique du Canada* — The Canadian Press Syndicate: *Encyclopaedia of Canadian Biography* — Association canadienne des automobilistes: *Héritage du Canada* — Hurtig: *The Canadian Encyclopedia*.

20

La maison Saint-Gabriel

Construction: 1698
Architecte: Pierre Couturier
Monument historique classé

L'étable qui servit de première école à Marguerite Bourgeoys.

La maison Saint-Gabriel, propriété des soeurs de la congrégation Notre-Dame qui l'ont restaurée avec amour, est bouleversante.

C'est une maison historique, un des rares témoins de la construction sous le régime français à Montréal. C'est un des musées les plus riches en objets rattachés à l'histoire des premiers temps de la Nouvelle-France. Et c'est aussi, hélas!, un des lieux historiques les plus méconnus de Montréal. Chaque coin cache de nouvelles richesses, et plus particulièrement le grenier, où se termine la visite guidée.

La tâche de rédiger l'historique de cette maison a été simplifiée par l'excellence de la documentation. Il importe de souligner la qualité exceptionnelle du livre *La métairie de Marguerite Bourgeoys à la Pointe-Saint-Charles*, rédigé par soeur Émilia Chicoine et publié aux éditions Fides. En plus de relater l'historique de la ferme et de la maison Saint-Gabriel, soeur Chicoine y trace un portrait captivant du Ville-Marie des XVIIe et XVIIIe siècles. Ça se lit comme un roman!

Le puits et la grange

Connue sous le vocable d'ouvroir de la Providence, puis de ferme Saint-Charles, la ferme prit en 1930 le nom de ferme Saint-Gabriel, pour commémorer la ferme du même nom, propriété des sulpiciens jadis située au nord-ouest de la ferme Saint-Charles. Depuis la restauration, on la connaît sous le nom de maison Saint-Gabriel.

Les bâtiments toujours en place

Marguerite Bourgeoys dans son grenier à provisions.

comprennent la maison reconstruite en 1698 sur les fondations de celle qui datait d'au moins 30 ans, la grange en pierre des champs construite en 1712, un hangar en bois sans aucun intérêt historique, un puits datant de 1670 et une grande croix de bois érigée en 1818.

S'est ajoutée en 1964 la maison Jeanne-LeBer, un édifice moderne mais bien intégré aux bâtiments historiques. Cette maison loge le personnel du musée et les soeurs à la retraite.

La grange construite en 1712 mesurait originalement 45 pieds de longueur sur 26 de largeur. La charpente* est en bois équarri et supporte un toit en pente recouvert de bardeaux. Quant au plancher, il est construit en pieux* fendus. La grange fut lourdement endommagée par un incendie en 1719.

L'eau du puits était d'une qualité telle qu'elle a servi à la fabrication des hosties jusqu'en 1940, soit jusqu'au moment où la pollution a atteint la nappe phréatique.

La maison originale

La pièce de résistance de l'ensemble, c'est la maison. Sa façade comporte deux dates : 1668, année de l'acquisition de la propriété de François LeBer par Marguerite Bourgeoys, et 1698, année de la reconstruction, cinq ans après l'incendie de 1693.

On a longtemps cru que la première date indiquait l'année de la construction du bâtiment original, mais sœur Chicoine démontre que la construction est au moins antérieure à cette date. En effet, les documents de vente de François LeBer à Marguerite Bourgeoys, le 21 septembre 1668, devant le notaire Bénigne Basset, font état de la présence sur le terrain de « une maison qu'ils (LeBer et sa femme, Jeanne Testard) ont fait bastir ». LeBer était propriétaire du terrain depuis janvier 1667, l'ayant acquis de Mathurin Jousset dit LaLoire, mais il l'habitait depuis quelque temps, situation commune à l'époque. Le terrain ayant été concédé à LaLoire en 1662, on peut présumer que la maison originale a été construite entre 1662 et 1668.

De style québécois apparenté au style normand selon les uns, breton selon les autres, la maison mesurait 50 pieds sur 30. Elle comprenait un rez-de-chaussée à ras le sol, un étage et des

Basé sur les documents descriptifs, ce dessin original montrant la maison en 1668 a été réalisé par sœur Françoise Delorme.

Photothèque *La Presse*

Photo montrant la ferme vers 1930 alors qu'on procédait au remplissage des marais, qui se rendaient presque au pied du balcon.

combles* équivalant à deux étages pour le corps principal.

Construite en pierre des champs

La maison Saint-Gabriel telle qu'elle apparaît aujourd'hui.

Photo Pierre Côté, *La Presse*

115

L'arrière de la maison, face au fleuve.

La maison Jeanne-LeBer.

noyée dans le mortier, la maison était coiffée d'un toit à deux versants* avec pente de 50 degrés et recouverts de bardeaux, dont le larmier* dépassait d'à peine six pouces le mur exté-

rieur. Le toit était encadré par deux hautes cheminées en pierre.

L'appentis* de 12 pieds de longueur jouxtait déjà la maison du côté est et servait de laiterie. Ce bâtiment était surmonté d'un toit* en pavillon à trois eaux (ou versants) très inclinées. Il est possible qu'un deuxième appentis similaire ait existé du côté ouest, comme le laisse croire une pièce de dimensions identiques à celles de la laiterie au sous-sol.

L'incendie de 1693 et la nouvelle maison

La congrégation Notre-Dame a été victime de plusieurs incendies depuis sa fondation. Les flammes ont lourdement endommagé la maison mère trois fois. Les deux premières fois, en 1683 et en 1768, la maison était située au pied du boulevard Saint-Laurent; en 1893, elle était située à proximité de l'actuel couvent Villa Maria.

La métairie de Pointe-Saint-Charles n'a pas échappé aux flammes; en 1693, un incendie dévastateur détruisit la métairie, à l'exception de la laiterie et du mur mitoyen. Ce mur incorporait un immense foyer; le contrecoeur* de l'âtre* du foyer* dissimulait une plaque de fonte fabriquée en 1661, vraisemblablement en Alsace. Cette plaque est toujours en place.

Selon l'*estat de la depence*, le corps principal de la maison fut reconstruit en 1698 par les artisans Couturier, Maillet et Champigny. On ne précise

Magnifique étable en pierre, entourée de saules pleureurs centenaires.

La pierre d'eau à l'extérieur.

pas le prénom de Couturier, mais tout porte à croire qu'il s'agit de Pierre, maçon, architecte et entrepreneur de profession, dont les partenaires s'appelaient Gilbert Maillet et Jean Deslandes. Ce dernier était de Champigny, ce qui expliquerait le troisième nom mentionné plus haut.

Les experts n'hésitent pas à qualifier les fondations d'extraordinaires, pour ne pas dire uniques. Dotées d'éperons* distancés de 10 pieds construits afin de contrer le gel et les glissements de terrain, elles atteignent une épaisseur maximale de six pieds à la base.

La charpente qu'on peut admirer sous les combles fut l'oeuvre des sieurs Langenois et Antoine Tesserot, et les sieurs LeNoir (sans doute s'agit-il de Vincent) et Cavelier réalisèrent les travaux de menuiserie et de forge respectivement.

À l'origine, le toit ne comportait ni

La charpente, dans les combles.

lucarnes*, ni clocheton*, et la porte se trouvait en plein centre du corps principal, dans l'axe de la fenêtre du centre à l'étage, donc sous la niche abritant une statue de la Vierge. Les lucarnes* ont été ajoutées en 1777, et le clocheton* en 1811.

Il importe de savoir aussi que jadis la façade faisait face au fleuve, qui s'en approchait à quelques pieds à peine, avant le remplissage des marais effectué par les corps publics.

L'ajout de 1826

Le bâtiment changea de physionomie en 1826: on modifia les faces nord et sud en changeant les portes de place, et on ajouta une annexe de 22 pieds du côté ouest afin d'augmenter la capacité de la maison pour y loger le personnel.

De dimensions plus vastes que l'appentis de l'extrémité opposée, l'annexe en adoptait le toit en pavillon percé de lucarnes. L'annexe a conservé son foyer, mais elle a perdu sa cheminée et son four à pain extérieur, dont on peut déceler les traces dans l'âtre du foyer.

On croit que les fenêtres à petits carreaux sont d'époque. Les ouvertures sont remarquables à cause des pierres en parpaing* disposées en rayons de soleil qui les surmontent.

L'arrière d'aujourd'hui était le devant d'autrefois; les deux façades sont d'ailleurs similaires, à l'exception du balcon et du déversoir de l'évier de cuisine, du côté sud.

Enfin, ceux qui seraient portés à penser que le tambour* ajouté au début de chaque hiver afin de garder la chaleur à l'intérieur est une invention moderne seront déçus d'apprendre qu'en 1770, on faisait état de la remise à neuf d'un tambour!

L'intérieur

Une fois rendu à l'intérieur, faisons abstraction pour un moment de l'ameublement pour concentrer notre attention sur les détails structuraux et architecturaux.

Dans la pièce commune, l'oeil passe du noir de l'évier au blanc du crépi* des murs, en passant par le gris des

La salle commune, avec ses longues tables, son immense foyer, son horloge de 1698 et son mobilier de style Louis XIII. Une porte permet d'apprécier l'épaisseur des murs, et une autre dissimule les dernières traces de l'incendie de 1693.

Soeur Françoise Delorme, devant le foyer de 1668 doté d'une plaque de métal de 1661. La potence date de 1698, et les accessoires ont été fabriqués aux Forges du Saint-Maurice.

nantes dimensions n'ont toutefois rien de surprenant pour l'époque.

Avant de quitter la pièce commune, jetons un coup d'oeil sur la pierre* d'eau (aussi appelée évier ou «potager») en calcaire noire légèrement fossilifère, sans stratification, et son inscription bizarre qui indique la date de la taille, 1721. L'orifice conduisant vers l'extérieur est fermé par une bonde*.

Aussi impressionnantes que soient les dimensions de cette pierre (quatre pieds sur deux et demi sur un), celles de l'évier de la cuisine le sont encore plus, puisque la pierre de calcaire argi-

pierres, l'ocre des boiseries patinées et le vernis des plafonds à caissons* et des poutres* de frêne ou de pin équarries à la hache ou à l'herminette*. À noter aussi les fenêtres, les volets d'inspiration Louis XV, les portes à tenons*, les ferrures forgées et les larges planches du plafond.

Les deux portes conduisant à la laiterie permettent dans un cas de juger de l'importance des murs* de refend, dont l'épaisseur atteint quatre pieds, et dans l'autre cas de découvrir une embrasure endommagée par les flammes en 1668.

Les deux foyers sont en pierre des champs, avec jambages* et linteaux* en pierre de taille. Leurs impression-

La salle de réunion se trouve dans l'annexe de 1826 et sert de salle d'expositions, comme celle des poupées réalisées par des écoliers. Outre de précieux tableaux, la salle comporte notamment une table du XVIIᵉ siècle qui servit de secrétaire à Marguerite Bourgeoys lors de ses visites à la maison de l'île d'Orléans.

La pierre d'eau (évier ou «potager») monolithique de la salle commune (une autre se trouve dans la cuisine). Cette pierre porte en bordure la date de 1721, année où elle a été vraisemblablement taillée.

Quelques-unes des antiquités rangées au grenier.

La détermination des soeurs dans leurs recherches a permis de regrouper dans l'actuelle chapelle, à l'étage, tous les objets mentionnés à l'inventaire de 1722, y compris l'autel avec devant peint à la main, vraisemblablement par Pierre LeBer, décédé en 1707.

leux fossilifère et stratifiée mesure cinq pieds sur quatre sur un. Mieux encore, elle se prolonge de 18 pouces vers l'extérieur, de sorte que l'eau s'écoulant par la gargouille* ne risquait pas d'endommager la base des fondations.

Le sous-sol et le grenier

La visite du sous-sol permet d'apprécier les poutres en pin à peine équarries, les fondations en pierre, d'immenses niches en pierre sous les foyers du rez-de-chaussée, et les soupiraux*, dont l'un a conservé ses «fers* à l'épine» et un autre la pente par laquelle on descendait les fruits et légumes vers la cave.

Lors de travaux effectués au sous-sol, en 1960, les ouvriers d'Ulric Côté découvrirent des débris de margelle* d'un puits, ce qui confirmait pour la première fois la présence d'un puits de 18 pieds de diamètre creusé sous la maison en 1693 par Toussaint Héneaux et Pierre Boudor, selon certains documents.

Mais le choc le plus impressionnant survient au grenier, où les pièces taillées dans le frêne ou le chêne forment, des sablières* au faîte*, une structure monolithique assemblée avec tellement de précision que les chevilles de bois ne furent posées que par précaution.

Même chose pour l'escalier conduisant au deuxième palier, au fond de la pièce: six chevilles suffisent pour son assemblage. Il faut aussi apprécier les planches du plancher posées en 1698, et qui sont d'une largeur inusitée atteignant jusqu'à 18 pouces.

Le grenier regorge d'antiquités précieusement recueillies et entretenues par les religieuses qui assurent la bonne marche de la maison.

On y trouve évidemment une foule d'objets hétéroclites de différentes époques, du métier à tisser aux meubles anciens, en passant par des ustensiles, des outils de toutes sortes, des moules à assiettes en étain qui sont probablement les seuls au Canada, et une énorme corne d'appel qui servait

Photo Robert Nadon, *La Presse*

Ces moules à assiettes en étain sont probablement les deux seuls du genre qui existent encore au Canada.

Photo Robert Nadon, *La Presse*

Les combles dissimulent une des plus belles collections d'antiquités au Canada. On y trouve notamment plusieurs rouets et un métier à tisser.

Photo Robert Nadon, *La Presse*

Détail de l'autel avec devant peint à la main. Les panneaux en bois sont minutieusement protégés par une plaque de verre.

jadis à communiquer avec l'île Saint-Paul (l'actuelle île des Soeurs).

À l'étage, on appréciera une tapisserie vraisemblablement tissée par Jeanne LeBer, les panneaux en bois peint de l'autel de la chapelle, et l'ameublement des chambres à coucher, reconstitué à partir de l'inventaire des biens de la propriété en 1722.

Au rez-de-chaussée, ce sont surtout les objets de la vie de tous les jours et les meubles qui attirent le plus l'attention, tels des ustensiles de cuisson et de préparation des aliments, les pierres d'eau, les longues tables aux interminables tiroirs, la collection de fers à repasser et les objets qui appartinrent à Marguerite Bourgeoys.

Enfin, au sous-sol, on retrouve de nombreuses collections d'art religieux: autels, chandeliers, prie-Dieu, cloches de différents ministères, et les inévitables *ex-voto*. Le contenu muséal de la maison vaut à lui seul le déplacement.

Photo Robert Nadon, *La Presse*

Quelques-uns des objets à ne pas manquer à cause de l'impressionnant coup d'oeil au grenier.

L'emplacement

La maison Saint-Gabriel est construite sur un terrain qui jadis se trouvait au centre d'une importante propriété remembrée par Marguerite Bourgeoys et la congrégation Notre-Dame.

On donnait le nom de pointe Saint-Charles à cette partie de terre située au sud de la première ferme appelée Saint-Gabriel (propriété des sulpi-

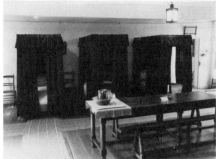

Photo Robert Nadon, *La Presse*

Encore une fois, c'est l'inventaire de 1722 qui a permis de reconstituer le dortoir, avec ses lits à baldaquin, à rideaux en droguet, la table, les bancs étroits, l'horloge du XVIIIᵉ siècle, etc. Les plus anciens coffres de la collection se trouvent dans cette pièce.

Photo Robert Nadon, *La Presse*

Le sous-sol contient de nombreuses collections d'objets religieux, dont plusieurs cloches ayant appartenu à différentes maisons de la congrégation Notre-Dame. Au mur sont accrochés différents tableaux et dessins illustrant la maison Saint-Gabriel au fil des décennies.

ciens) et à l'est de la commune Saint-Pierre. La limite nord longeait le chemin de la Rivière-Saint-Pierre (actuelle rue Wellington).

Les premières concessions furent consenties par le gouverneur Paul Chomedey de Maisonneuve en 1660, et Marguerite Bourgeoys obtint sa première concession dans le secteur (la troisième provenant de Maisonneuve) le 31 octobre 1662: il s'agissait d'une bande de terre de deux arpents de largeur, en bordure du fleuve, sur 15 arpents de profondeur, resserrée entre les terres de Fiacre Ducharne à l'est, et

Jousset dit LaLoire (puis éventuellement François LeBer) à l'ouest. L'actuel parc LeBer a été érigé sur cette bande de terre.

Mais la terre de la métairie allait prendre beaucoup d'expansion par les transactions suivantes complétées sous forme d'achats, de dons ou d'échanges: Urbain Baudreau dit Graveline (16 janvier 1663); François LeBer (21 septembre 1668); Marin de Niaux dit Destaillys (2 novembre 1670); échange avec l'Hôtel-Dieu (16 décembre 1670); échanges avec le séminaire (14 mars 1681, 20 mai 1690 et 20 mai 1699); Fiacre Ducharne (9 février 1704); Pierre Mallet (18 juillet 1704); et Ducharne (5 novembre 1711 et 5 septembre 1723). Les bâtiments actuels se trouvent sur la terre achetée de LeBer en 1668 et payée 1 258 livres, 12 sols et 9 tournois.

En 1723, les 30 arpents concédés par Maisonneuve en 1662 avaient été portés à 183 arpents (le total atteindra 212 arpents en 1781). On pourrait délimiter le terrain par les actuelles rues suivantes: Wellington au nord, Bridge jusqu'à l'axe du prolongement de la rue LeBer à l'est, l'autoroute 15 à l'ouest, et le fleuve au sud, en faisant abstraction du remplissage effectué pour le Canadien National et, plus tard, pour l'autoroute Bonaventure. Fait à signaler: à l'angle des actuelles rues Wellington et Dublin se trouvait un poste de péage; l'argent récolté servait à défrayer le coût de l'entretien des routes et des ponts.

Les propriétés champêtres de la communauté étaient nombreuses ailleurs; rappelons-les brièvement: le fief Verdun, les îles Saint-Paul (île des Soeurs), aux Hérons, à la Pierre (incorporée à l'extrémité amont de l'île Notre-Dame) et à l'Aigle; les côtes Saint-François, Saint-Martin et de la Visitation, et le fief du Bon-Pasteur sur l'île Jésus.

Le creusage du canal de Lachine, l'avènement du chemin de fer, la modification de la trame urbaine, les dons à la Ville de Montréal, par exemple pour l'aménagement du parc Marguerite-Bourgeoys, ont contribué au démembrement progressif du territoire à partir de 1853 et jusqu'à la vente d'un dernier terrain à un promoteur immobilier en 1957.

Les derniers vestiges de la ferme résistèrent jusqu'en 1955, année où disparurent le tracteur, les chevaux, le poulailler et le clapier.

Marguerite Bourgeoys

On ne saurait terminer ce chapitre sur la maison Saint-Gabriel sans dire au moins quelques mots de la fondatrice de la congrégation Notre-Dame, mère Marguerite Bourgeoys, canonisée en 1982 par Jean-Paul II, devenant par le fait même la première sainte de l'Église du Canada.

Née en 1620 à Troyes, Marguerite Bourgeoys est arrivée au pays en 1653. Venue pour enseigner, elle découvrit qu'il n'y avait qu'un seul enfant d'âge scolaire à son arrivée, et se consacra aux pauvres pendant un certain temps. Mais ce n'était que partie remise. En 1658, un an après avoir financé l'édification de la première chapelle Notre-Dame-de-Bonsecours, elle procédait à l'ouverture de la première école de Ville-Marie, dans une ancienne étable de 16 pieds et demi sur 33.

Après avoir fondé la congrégation Notre-Dame et l'avoir dédiée à l'enseignement, Marguerite Bourgeoys s'occupa des «filles à marier», ces jeunes filles arrivées de France afin de corriger le déséquilibre entre les hommes et les femmes en Nouvelle-France. Ces filles étaient logées à l'ouvroir de Pointe-Saint-Charles tant qu'elles n'avaient pas pris mari.

Marguerite Bourgeoys mourut en 1700 à Montréal, laissant derrière elle une communauté très active encore aujourd'hui.

REPÈRES

Nom: maison Saint-Gabriel.
Adresse: 2146, rue Favard.
Métro: venant de l'est, descendre à la station Square-Victoria, venant de l'ouest, descendre à la station De l'Église; dans les deux cas, prendre l'autobus 61 (Wellington) jusqu'à l'arrêt de l'avenue du Parc-Marguerite-Bourgeoys.
Téléphone: 935-8136
Musée: ouvert de 13 h à 18 h, de la mi-avril à la mi-décembre; les visites sont obligatoirement guidées (il est recommandé de réserver).
Handicapés: visites limitées au rez-de-chaussée.
Droit d'entrée: libre, mais un don est recommandé à la sortie puisqu'il s'agit là des seuls revenus disponibles pour l'entretien du musée.

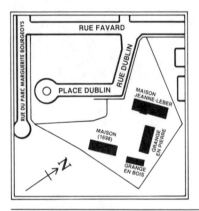

SOURCES:

Chicoine, Émilia: *La métairie de Marguerite Bourgeoys à la Pointe-Saint-Charles* et *La maison Saint-Gabriel* — Beaudoin, Marie-Louise: *Les premières et les filles du roi à Ville-Marie* — Archives de la Ville de Montréal: documents divers — Commission des monuments historiques: *Ferme Saint-Gabriel, Montréal* — Ministère des Affaires culturelles: documents divers — Communauté urbaine de Montréal, Service de la planification du territoire: documents divers — Collection *Les cahiers des dix* — Association canadienne des automobilistes: *Héritage du Canada* — Documentation de *La Presse*: documents divers.

21

La maison Louis-Joseph-Papineau

Construction : 1785
Architecte : Jean-Baptiste Cérat dit
          Coquillard
Monument historique classé

Dessin de la maison Papineau réalisé en 1885 par Roswell Corse Lyman.

« **J**'étais désolé de voir le Vieux-Montréal disparaître. On démolissait de vieux édifices pour les remplacer par des terrains de stationnement parce que leurs propriétaires voulaient réduire leurs comptes de taxes. Il fallait donc faire quelque chose, et j'ai décidé de donner un exemple. »

Ces propos du journaliste Eric Donald McLean illustrent le début d'une histoire d'amour pour les vieux murs d'une maison restaurée avec une conscience professionnelle tout à son honneur.

Mais si M. McLean avait respecté son premier choix, il aurait plutôt

L'hôtel Bonsecours vers 1930 : à noter les deux étages qui avaient remplacé le toit à pignon.

La maison Papineau, telle qu'elle apparaît aujourd'hui.

acheté la maison Du Calvet, à quelques pas de la maison Louis-Joseph-Papineau, et il est vraisemblable de penser que la maison Papineau aurait depuis longtemps succombé sous le pic d'un quelconque démolisseur. Heureusement pour la maison Papineau, l'achat de la maison Du Calvet était si compliqué à ses yeux que M. McLean abandonna ce projet et jeta son dévolu sur la maison Papineau, acquise en 1961, et qu'il habite depuis lors.

L'histoire du terrain

La première concession du terrain survint en 1692, à Pierre Héneaux dit Deschamps. Certains pensent que la maison de bois mentionnée dans les documents de 1781 aurait été construite par Héneaux.

De 1692 à 1779, le terrain n'eut que deux propriétaires en sus de Deschamps: Jean Dablay dit Larose, et Joseph Papineau dit Montigny, grand-père de Louis-Joseph. C'est sous ce dernier que l'aile en pierre parallèle à la rue Notre-Dame aurait été construite, probablement en 1752, par un dénommé Daveluy.

En 1779, le colonel John Campbell, commissaire responsable des Indiens dans le district de Montréal, faisait l'acquisition du terrain, sur lequel se trouvaient déjà « une maison en bois, une allonge en pierre, hangard et écurie », pour reprendre le descriptif tiré de la Déclaration du fief et seigneurie de l'Isle de Montréal de 1781.

Quelques années plus tard, Campbell décida de faire construire une demeure sur son terrain. Le mandat fut confié à Jean-Baptiste Cérat dit Coquillard, maître maçon, entrepreneur, et vraisemblablement architecte, et le contrat fut signé le 10 février 1785 devant le notaire F. Leguay.

Le marché stipulait deux choses: démolition de la maison en bois, et édification d'une maison en pierre à deux étages (la future maison Louis-Joseph-Papineau), à être terminée pour le mois de juillet suivant. Le contrat stipulait également que les croisées devaient être en bois, et non en pierre.

La rue Bonsecours vers 1930. L'hôtel Bonsecours se trouve à l'extrême droite.

L'acquisition par la famille Papineau

La famille Papineau se porta acquéreur de la propriété le 18 février 1809 devant le notaire Louis Guy, Marie-Anne de Lacorne, veuve du colonel Campbell depuis 1796, ayant décidé de vendre.

Au moment de l'acquisition, le notaire Joseph Papineau, fils de Joseph mentionné précédemment, avait cessé toute activité politique et se limitait à l'exercice de sa profession.

Conformément à une décision familiale, Louis-Joseph en devint propriétaire en 1814. Il occupa la maison jusqu'en 1830, alors qu'il la loua au Dr Pierre Beaubien. Mais dès la fin du bail, en 1831, Papineau entreprit de la rénover.

Une fois la rénovation terminée, Louis-Joseph emménagea dans sa maison et y demeura jusqu'à la mi-novembre 1837 (les contradictions dans les biographies nous empêchent d'être plus précis) lorsqu'il dut s'exiler aux États-Unis.

Différentes vocations

Restée vide pendant quelques années, la maison fut louée à Alexander Courtney le 30 mai 1842, devant le notaire J. Belle. En 1843, Courtney fit exécuter des réparations majeures par les entrepreneurs charpentiers Robert Goodwillie et James Wark afin de transformer l'édifice en hôtel, qui prit le nom d'Exchange.

L'année suivante, l'édifice conserva la même vocation, mais changea de nom et de locataire; il prit le nom d'hôtel Arcade. Un dénommé Hart l'occupa jusqu'à la fin de 1846.

Inoccupée en 1847, la maison abrita de nouveau Papineau en 1848. Il y resta jusqu'en 1850, alors qu'il s'installa sur le domaine de Montebello hérité de son père.

Louée comme résidence à Mᵉ J. D. Lacroix pendant quelques années, la maison retrouva de nouveau sa vocation hôtelière sous le nom d'Empire Saloon, de 1854 à 1863.

Après avoir servi de quartier général au 63ᵉ régiment des Scots Guards, de 1864 à 1867, l'édifice reprit définitivement sa vocation hôtelière, sous les noms d'hôtel Empire, puis hôtel Rivard, enfin hôtel Bonsecours. Mais il lui arriva aussi de se prêter à des usages moins nobles: bureau de télégraphie, casse-croûte, bar, salon de coiffure, buanderie chinoise et salle de quilles.

Papineau en fut le propriétaire jusqu'à sa mort en 1871. La maison passa alors entre les mains de son fils Louis-Joseph Amédée. Ce dernier autorisa la transformation de l'édifice; il s'agissait notamment de remplacer le toit* à pignon par deux étages en brique. À la mort de Louis-Joseph Amédée, la propriété passa à Marie Julie Azélie, puis à sa succession. En 1919, la succession Papineau s'en défit définitivement.

Quant au confrère McLean, il en fit l'acquisition du poissonnier Jolicoeur, lequel y faisait affaire sous la raison sociale D. Hatton Co.

M. McLean l'a à son tour vendue à Parcs Canada en mai 1982, au prix de 350 000$. Selon les termes de l'entente, M. McLean peut habiter la maison jusqu'à sa mort. Elle sera alors transformée en centre d'interprétation historique.

L'évolution de la maison

Au moment de la construction, l'édifice comprenait un rez-de-chaussée (le premier étage actuel) et des combles*, sous un toit à pignon à deux versants* aigus percés de deux rangées de lucarnes.* L'édifice comptait alors cinq ouvertures, et la porte se trouvait à la place de la deuxième fenêtre à partir de la droite.

Derrière la maison, se trouvait le bâtiment en pierre des champs datant du milieu du XVIIIᵉ siècle qui logeait les serviteurs. Les gonds des contrevents* en fer démontrent que les deux édifices donnaient sur la cour intérieure. Un mur en pierre des champs délimitait déjà tout le périmètre de la propriété.

Dans les premières années qui suivirent la prise de possession par Louis-Joseph Papineau, ce dernier relia dans un premier temps l'aile de la rue Bonsecours à l'aile parallèle à la rue Notre-Dame.

Les transformations de 1831

Papineau fit subir à l'édifice sa principale transformation en 1831. Les travaux découlaient de la décision de la Ville de Montréal d'abaisser de six pieds le niveau de la rue Bonsecours, conséquence directe de la démolition de la vieille citadelle et de la dernière section des fortifications de Montréal.

Les effets sur la maison étaient les suivants: mise à nu des fondations en pierre des champs parallèles à la rue Bonsecours, le sous-sol devenant de ce fait le rez-de-chaussée, et le rez-de-chaussée devenant l'étage; nécessité de modifier complètement l'entrée prin-

La maison lors de son achat par Eric McLean, vers 1960.

cipale ; construction d'un escalier à une seule volée* qualifié de monumental par les experts de Parcs Canada, actuel propriétaire de l'édifice ; nécessité d'abaisser aussi le niveau de la terre dans la cour intérieure.

Papineau prit deux autres décisions importantes au même moment. Afin d'agrandir le salon, il décida de prolonger l'étage jusqu'au bâtiment voisin (connu sous le nom d'édifice Tate) par une annexe en brique, au-dessus de la porte cochère* conduisant à la cour.

De la pierre ...en bois !

La façade incorporait trois matériaux (pierre des champs pour les fondations, pierre de taille du rez-de-chaussée devenu étage, et brique de la rallonge. Pour corriger cette situation, Papineau eut une idée saugrenue : il décida d'uniformiser le parement de la façade en imitant la pierre avec des planchettes de bois ! Comme saint Thomas, il faut toucher pour le croire !

Au rez-de-chaussée, chaque « pierre » est chanfreinée en profondeur sur son pourtour, tandis qu'au-dessus du bandeau, le chanfrein* est plus léger et se limite à l'horizontale. À l'étage, seules les pierres des chaînages* aux extrémités paraissent plus massives.

Les simili-pierres en bois démarquent même les ouvertures de l'actuel rez-de-chaussée, par un arc* en plein cintre au-dessus de la porte d'entrée, par un arc* surbaissé au-dessus de la porte cochère, et par un arc* tronqué au-dessus de chaque fenêtre.

La reconstitution du toit à pignon

Lorsque M. McLean entreprit les travaux de restauration, bien décidé de redonner à l'édifice l'apparence qu'il avait après les modifications de 1831, celui-ci était vraiment dans un piteux état. Après avoir rempli une bonne dizaine de camions d'ordures de toutes sortes laissées par les clochards qui y avaient logé (on y trouvait pas moins de 40 lits à une époque), tout dut être mis à nu pour remplacer toutes les pièces pourries, notamment les poutres.

Il fallut aussi démolir toutes les pa-

Photo Eric McLean

L'ouvrier montre la ligne laissée sur la cheminée par la dernière couverture ajoutée, en cours de restauration.

rois ajoutées au fil des ans. Or, certaines de ces parois contenaient pas moins de 19 couches de papier peint, et dans un cas au moins, c'est même le papier qui tenait la paroi en place. Il fallut aussi enlever des milles de tuyauterie de plomb utilisée pour le chauffage et l'éclairage au gaz.

Ce curetage permit de faire des découvertes étonnantes, par exemple l'emplacement de l'entrée originale et, dans la cuisine, un foyer extraordinaire qu'on avait, à une certaine époque, décidé de cacher.

La restauration du toit donna les résultats les plus spectaculaires. La première étape consistait à démolir les deux étages en brique ajoutés en 1871.

La démolition permit de constater deux choses : d'abord, l'accumulation de toitures (pas moins de quatre) avait haussé le toit de quatre pieds ; en second lieu, on put retracer la ligne exacte du toit à pignon dans le mur mitoyen avec l'édifice Tate.

Pour la reconstitution de la toiture, M. McLean s'est appuyé sur un dessin de Roswell Corse Lyman, réalisé en 1885. Ce dessin indiquait nettement deux rangées de lucarnes, la rangée du haut n'en comportant que cinq au lieu de six ; et si le nombre de carreaux diminuait de 16 à 9, ils étaient de dimensions identiques dans toutes les lucarnes.

Deux souches de cheminées flanquaient le toit de chaque côté, mais l'une des quatre ne visait qu'à respecter le principe de symétrie si populaire au XVIIIᵉ siècle.

De nombreux éléments remontant à Papineau ont été conservés (et copiés dans certains cas) lors de la restauration : des planchers, des portes, des foyers, des chambranles*, des corniches* en plâtre, des fenêtres à volets*, etc. Et de Papineau lui-même, M. McLean a conservé un magnifique secrétaire en noyer tendre.

La cour intérieure

Dernier élément digne de mention, la cour intérieure. À l'arrivée de M. McLean, cette cour aux dimensions impressionnantes était entièrement recouverte d'un toit en bois et servait de garage pour les camions de la poissonnerie située tout juste à côté.

Avec la démolition de ces abris, cette cour prit une apparence étonnante en plein coeur de Montréal. M. McLean y emménagea alors un jardin à la française, délimité par une clôture en fer forgé, l'agrémentant d'une fontaine fa-

Photo Jean Goupil, *La Presse*

La magnifique cour intérieure, entièrement ceinturée d'un mur de pierre.

briquée à l'aide d'une caryatide* provenant d'un édifice du Morgan Trust aujourd'hui démoli. On s'apprêtait à briser cette caryatide au marteau-pilon comme on l'avait fait pour les huit autres, selon M. McLean.

Quelques notes au sujet de Papineau

Louis-Joseph Papineau naquit à Montréal le 7 octobre 1786. Il était un des dix enfants (dont sept fils) de Joseph Papineau, notaire, arpenteur-géomètre et homme politique canadien, et de Marie Rosalie Cherrier.

Éduqué chez les sulpiciens, il étudia ensuite le droit à l'étude légale de son cousin, Denis-Benjamin Viger. Il fut reçu par le Barreau du Bas-Canada en 1810, un an après son élection au Parlement du Bas-Canada.

En 1822, le projet d'union entre le Haut-Canada et le Bas-Canada fut divulgué à Londres. Papineau s'y rendit l'année suivante avec son collègue journaliste John Nelson, afin de s'opposer au projet. Les deux hommes plaidèrent si bien leur cause que le projet fut abandonné par le Parlement de Londres.

En 1834, Papineau assista, à l'hôtel Nelson, place Jacques-Cartier, à la fondation de l'Association des fils de la liberté, dont il devint le président et un des plus ardents militants. Le 21 juillet 1836, à La Prairie, il participa aux cérémonies marquant l'inauguration de la première ligne de chemin de fer construite au Canada, entre La Prairie et Saint-Jean-sur-Richelieu.

Les événements qui suivirent furent très pénibles. À la mi-novembre de 1837, en pleine insurrection, Papineau dut s'exiler aux États-Unis. Il séjourna pendant une quinzaine de mois à Albany, New York, avant de prendre, le 8 février 1839, le chemin de la France où sa famille vint le rejoindre quelques semaines plus tard.

Amnistié, Papineau rentra au pays en 1845, deux ans après sa famille. Mais il avait perdu le feu sacré, d'autant plus que son attitude pendant l'insurrection n'avait pas créé l'unanimité, certains l'accusant même de lâcheté.

Pupitre ayant appartenu à Papineau, propriété d'Eric McLean.

Une des belles fenêtres à embrasure boisée de l'étage.

L'escalier de l'entrée principale, construit en 1831.

À partir de 1854, Louis-Joseph Papineau s'installa à la seigneurie de 178 000 arpents que son père possédait depuis 1801 et sur laquelle il avait fait construire un manoir et une chapelle en 1850.

Marié en 1818 à Julie Bruneau, Louis-Joseph eut cinq enfants, trois garçons et deux filles. Une de ses filles, Azélie, maria Napoléon Bourassa, père d'Henri Bourassa.

Louis-Joseph Papineau mourut le 25 septembre 1871 à Montebello, mais sans avoir renoué avec la foi catholique, au grand désespoir du curé de la paroisse. Homme de contradiction, il l'aura été jusqu'à sa mort.

REPÈRES

Nom: maison Louis-Joseph-Papineau.
Adresse: 440, rue Bonsecours.
Métro: station Champ-de-Mars, direction Vieux-Montréal; virer à gauche à la rue Notre-Dame jusqu'à la rue Bonsecours.

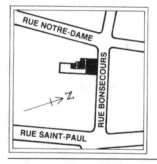

SOURCES:

Giroux, André: *Maison Papineau* — Fortier, Yvan: *La maison montréalaise de Louis-Joseph Papineau; description de l'évolution architecturale* — Parcs Canada, Inventaire des bâtiments historiques du Canada: documents divers — Ministère des Affaires culturelles: documents divers — Archives nationales du Québec: documents divers — Archives de la Ville de Montréal: documents divers — McLean, Eric Donald: *The Papineau House* et documents divers — Centre d'études en enseignement du Canada Inc: *Horizon Canada* — Association canadienne des automobilistes: *Héritage du Canada* — Les Presses de l'Université Laval: *Dictionnaire biographique du Canada* — Éditions de la Famille canadienne Ltée: *Références biographiques* — Grolier: *Encyclopedia Canadiana* — Hurtig: *The Canadian Encyclopedia* — Rose Publishing Co., 1888: *A Cyclopaedia of Canadian Biography* — Cochrane, Rev. William: *The Canadian Album — Men of Canada*.

22

La maison du Pressoir

Construction: c.1806
Architecte: inconnu
Monument historique classé

Le 2 octobre 1984, la Communauté urbaine de Montréal votait des crédits de 250 000 $ pour la restauration et la mise en valeur de la maison du Pressoir, située sur la rue du même nom dans le quartier Sault-au-Récollet.

Le mandat confié au bureau d'architectes et d'ingénieurs Beaubien, Glorieux paraissait suffisamment clair pour que les travaux démarrent le plus tôt possible; il stipulait que « le respect de l'architecture existante est de rigueur et les architectes devront travailler en étroite collaboration avec le ministère des Affaires culturelles ».

Autant de bonnes intentions ne pouvaient que réjouir des organismes comme la Société pour la conservation du Sault-au-Récollet. Et même si le dossier a mis du temps à aboutir à cause de différends au niveau de l'interprétation et de la restauration en vue d'une utilisation rationnelle, toutes les difficultés semblent maintenant aplanies entre le ministère et le Service de la planification du territoire de la Communauté urbaine de Montréal.

On distinguait trois points majeurs de divergence: la date de construction, le type de structure de l'édifice original et le genre de restauration à privilégier.

La date de construction

Plusieurs dates ont été avancées pour la construction de l'édifice original, et elles allaient de 1730 à la période s'étendant de 1842 à 1848. Essayons d'y voir clair.

Jusqu'à tout récemment, on était

Photo ministère des Affaires culturelles
Photo tirée du fonds Massicotte, qui l'avait lui-même tiré de From Art Work on Montreal — Sault-au-Récollet on Back River, *publié par William H. Carré en 1898. Cette photo maintes fois recopiée permet d'apprécier l'ensemble vu de l'arrière avec, de droite à gauche, la partie démolie du pressoir, la partie conservée et l'ex-duplex à toit plat.*

Photo ministère des Affaires culturelles
Photo montrant l'ensemble avec, de gauche à droite, la partie démolie du pressoir, la partie conservée et l'ex-duplex à toit plat. Il s'agit encore là d'une photo maintes fois recopiée.

Photo ministère des Affaires culturelles
Photo prise après la démolition d'une partie du pressoir, mais avant la démolition du duplex à toit plat.

porté à situer la date de construction entre juin 1841 et mars 1848. Mais de récentes découvertes de la CUM ont permis d'établir que la maison fut construite vers 1806, et qu'il s'agissait déjà de la maison telle qu'elle existait en 1969, année où elle fut amputée de sa partie nord.

La première concession sur les lots 148 et 149 de l'actuel cadastre survint le 20 août 1806 devant le notaire Louis Chaboillez lorsque les sulpiciens, seigneurs et propriétaires des lieux, cédèrent à Didier Joubert un terrain en bordure de la rivière des Prairies, de deux arpents de largeur sur un arpent et trois perches de profondeur.

Les sulpiciens y avaient obtenu leurs premières concessions sur les bords de la rivière à la toute fin du XVIIe siècle, alors que le territoire seigneurial était connu sous le nom de Fort-Lorette, du nom du fort construit en 1696 sur la rive de la rivière.

L'édifice le plus remarquable qui reste de cette époque est l'église de la Visitation dont la partie la plus ancienne (elle a été agrandie en 1850) date de 1750, année où elle remplaça la chapelle du fort Lorette.

L'acte notarié de la concession à Joubert n'indique pas la présence d'un bâtiment sur le terrain. Ceci n'exclut évidemment pas la possibilité qu'une maison ait existé avant cette date et même qu'elle ait été construite en 1730 comme l'avancent certains, mais on peut raisonnablement conclure tout au moins qu'elle n'existait plus en 1806.

Un édifice en trois éléments

Depuis le début de son existence, la maison du Pressoir a pris des visages différents selon les époques. Ainsi, il importe de savoir que la maison barricadée jusqu'à tout récemment ne représentait qu'un des trois éléments qui formèrent l'ensemble pendant près de 70 ans : la partie amputée (en 1969) du pressoir, équivalant à environ le tiers de sa superficie; la partie sud du pressoir qui a résisté à la démolition jusqu'à ce moment; et l'annexe à toit plat construite du côté sud au début du XXe

Photo Paul-Henri Talbot, *La Presse*
La maison du Pressoir avant la restauration.

siècle et démolie il y a une dizaine d'années.

On doit à l'analyse de l'inventaire des biens de Joubert à son décès, en 1821, l'établissement de la date du pressoir, construit au plus tôt en 1806 et au plus tard en 1821. En effet, cet inventaire est le document le plus ancien qu'on connaisse à mentionner le bâtiment, « un pressoir lambrissé en planches, peint en rouge et couvert en bardeaux, ayant cinquante pieds de long sur vingt-quatre de profondeur ».

En 1829, l'acte notarié de Jean-Baptiste Constantin rédigé le 22 juillet pour le partage de la succession Joubert (Didier Joubert mourut le 3 septembre 1821) entre la veuve Joubert (née Marie-Louise Juteau) et ses enfants, l'acte notarié, disait-on, fait état de « une vieille maison, un pressoir, une grange... » L'épithète « vieille » peut en surprendre plusieurs puisque en théorie ce bâtiment n'aurait eu que 23 ans. Mais il faut savoir que la « vieille maison » était inhabitée depuis 1822, soit depuis le remariage de veuve Joubert avec François-Xavier Racicot.

Arriva 1832, et la mort de dame Racicot. L'inventaire dressé les 30 et 31 janvier par le notaire Césaire Germain fait état de « une vieille maison et deux bâtiments... », ces deux bâtiments étant vraisemblablement le pressoir et la grange dont il était question trois ans plus tôt.

Arel assemble les terrains

La description suivante des immeubles remonte à 1842, date où Benjamin

Arel compléta l'acquisition des terrains concernés.

Tout avait commencé le 24 février 1840 par un échange de terrains entre F.-X. Racicot (par le biais de Pamela, sa fille et celle de Marie-Louise Juteau) et Benjamin Arel devant le notaire Germain. L'autre partie du terrain appartenait à Léon Joubert, qui l'avait acquise de son frère Zéphirin. Arel l'acheta le 5 juin 1841, toujours devant le notaire Germain.

Dans tous ces actes notariés (acquisitions d'Arel et transaction entre les frères Joubert), il n'est plus question ni d'une maison, ni d'une grange, mais simplement d'un « bâtiment qui a servi de pressoir... ».

Après avoir morcelé le terrain pour le revendre à la pièce, Arel se réserva le terrain correspondant aux numéros 148 et 149 du cadastre actuel. Mais le 16 mars 1848, il dut vendre le numéro 148 à Anthime Pépin. Le document signé devant le notaire Jean-Baptiste Constantin précisait que « le terrain vient avec la partie de la maison ». Or, comme le 148 correspond à la partie nord-ouest du terrain qu'Arel avait conservée, il s'agissait sans nul doute de la partie du pressoir qui fut démolie en 1969.

Division en deux unités distinctes

La division de la maison en deux unités distinctes survint en septembre 1864 lorsque Joseph Labelle, propriétaire de l'ensemble, vendit la partie nord du terrain à Esther Racine (veuve Gagnon), avec la partie nord-ouest de l'ancien pressoir aujourd'hui démolie. Seize autres propriétaires apparurent dans ce dossier jusqu'à ce que la Ville de Montréal fasse l'acquisition du terrain en 1965.

La partie sud-est, sur laquelle se trouve la partie du pressoir encore existante, fut acquise par Basile Brignon dit Lapierre, le 3 avril 1870, toujours devant le notaire Germain. L'acquisition par la Ville de Montréal devant le notaire Normand Latreille, le 2 juin 1975, était seulement la septième transaction sur ce terrain.

Le 29 septembre 1982, la Communauté urbaine de Montréal expropriait le terrain en même temps que l'île de la Visitation, afin d'y aménager un parc régional, qui est devenu une réalité depuis.

La maison

L'examen du type de construction de la maison permet de soulever une autre différence dans les appréciations des experts pour ce qui est de la structure, comme nous le verrons plus loin.

Au cours de ses premières années, le bâtiment servit de pressoir à cidre, afin de profiter des nombreux vergers du voisinage. Cinquante ans plus tard, le bâtiment avait été transformé en pressoir à étoffe.

À l'origine, c'est-à-dire avant la construction de l'annexe à deux planchers et à toit plat qui a jouxté son mur sud-est du début du XXe siècle à 1977, les fondations rectangulaires du pressoir mesuraient 50 pieds sur 25, ce que confirment d'ailleurs les vestiges des fondations mis à jour de la partie d'environ 16 pieds amputée au nord-ouest.

Le « colombage pierroté »

C'est un bâtiment fait de bois et de pierre, selon le principe de « colombage* pierroté » pris au sens large de l'expression, avec des murs d'environ neuf pieds de hauteur surmontés d'un toit* à pignon à pente aiguë de 14 pieds de hauteur. Le « colombage pierroté » désigne un mode de construction en vigueur à l'époque et dont les exemples se font de plus en plus rares au Québec. Le principe supposait une charpente* de pièces de bois équarries à la hache et érigées à la verticale.

Dans le « colombage pierroté », les colombages verticaux sont ordinairement distants de 9 à 12 pouces, et l'on utilise de petites pierres pour le remplissage.

Dans le cas de la maison du Pressoir, il faut parler plutôt de charpente* façonnée. En effet, l'espacement des colombages d'environ neuf pouces d'épaisseur est de cinq pieds. En outre, l'appareil de remplissage est régulier et

L'arrière de la maison avant la démolition de l'annexe à toit plat (sur la gauche).

implique surtout de grosses pierres calcaires et des galets qui auraient été tirés du lit de la rivière des Prairies, et le tout est noyé dans le mortier d'une consistance grisâtre encore en bon état. Les documents trouvés par la CUM permettent de penser que le maçonnage de la charpente fut réalisé sous Arel, donc après 1842.

Le revêtement des murs

Faisons le tour du bâtiment tel qu'il apparaissait avant la restauration, en partant de la rue du Pressoir (ex-rue Sainte-Marie et ex-rue du Moulin). Les quatre murs extérieurs étaient dans un piteux état. En façade (mur sud), le mur comportait un revêtement de crépi* qui avait ajouté huit pouces à l'épaisseur du mur. La façade comprenait quatre ouvertures à espacement anarchique, soit, en partant de la gauche, trois fenêtres, puis une porte. Tout porte à croire que ces ouvertures furent pratiquées par Arel entre 1842 et 1848.

Le mur ouest (à la gauche de la façade) était recouvert de ciment depuis la démolition de la partie nord du pressoir. Une cheminée excédait ce mur. Cette cheminée, comme celle qui existait jadis à l'autre extrémité, se trouvait en entier du côté sud du faîte* du toit.

Le mur nord, à l'arrière, était revêtu de briques ajoutées à un moment qu'il est impossible de préciser. Une véranda en bois masqua jadis cette face. On retrouvait cinq ouvertures à espacement anarchique encore une fois, soit dans l'ordre une petite fenêtre, une grande fenêtre, une porte, puis deux grandes fenêtres. La petite fenêtre donnait sur la salle de bain ajoutée au fil des ans et n'existait vraisemblablement pas lors de la construction.

Enfin, le mur est (à la droite de la façade) n'existait plus, mais on peut présumer qu'il fut jadis semblable aux

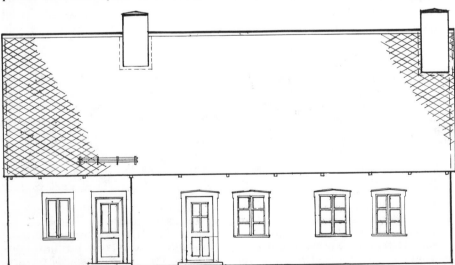

Le projet de restauration retenu par la CUM.

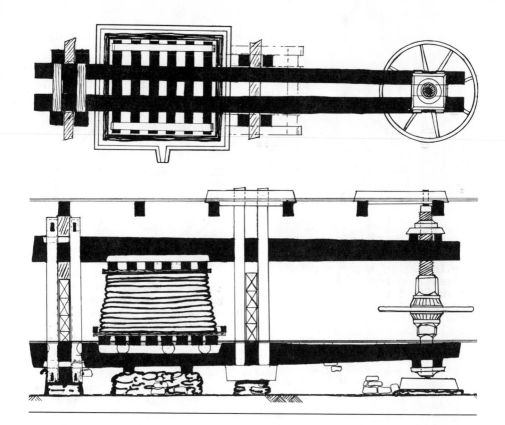

murs nord et sud, avant l'érection de la maison à deux paliers et à toit plat démolie il y a une dizaine d'années. D'ailleurs, on a pu retrouver les traces de deux fenêtres bouchées. Ce mur a été longtemps protégé par un appentis temporaire en contre-plaqué pour empêcher le mauvais temps de causer encore plus de dommages.

Après la restauration, la maison du Pressoir comportera les ouvertures suivantes : deux portes et quatre fenêtres asymétriques et arythmiques en façade ; une porte et trois fenêtres au rez-de-chaussée, une porte et trois lucarnes* à l'étage dans la face arrière ; une fenêtre dans chacun des murs*-pignons, au rez-de-chaussée dans le mur est, et à l'étage dans le mur ouest.

L'énigme du toit

Le toit à pignon recouvert de tôle* à baguettes était percé de lucarnes «en chien assis», deux à l'avant et une à l'arrière. Ces lucarnes n'étaient pas d'origine.

Hypothèse d'un pressoir, vu du dessus et de côté, tel que dessiné par Germain Casavant, de la CUM, à partir des vestiges existants.

Le toit soulevait une énigme intéressante. La charpente récente du toit comportait six fermes* de deux chevrons* et un faux-entrait*. Ces fermes étaient numérotées (voir le croquis) par des chiffres romains qui cependant commençaient à II et se poursuivaient jusqu'à V. Sur la ferme VI, le chiffre V était disparu. Donc, la ferme I manquait.

À l'autre extrémité du toit, on remarquait un bout de chevron coupé à la rencontre des deux chevrons de la sixième ferme, ajouté aux deux chevrons en diagonales servant d'arêtiers*. Certains y voyaient des traces de modifications au toit et avaient la certitude qu'à l'origine, il s'agissait d'un toit* en pavillon à quatre versants*. En effet, en ajoutant une ferme semblable à la sixième à l'autre extrémité, là où se trouvait jadis la partie démolie du pressoir, on rétablissait

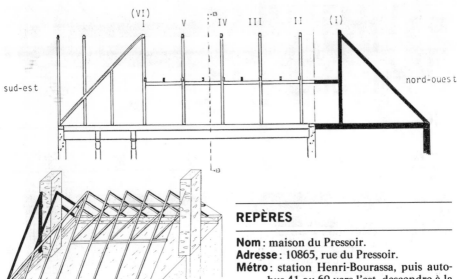

sud-est   nord-ouest

Croquis ministère des Affaires culturelles

Ces croquis permettent de mieux comprendre l'hypothétique reconstitution du toit à partir des fermes restantes. Les fermes en noir du croquis du haut ont été rajoutées à une date inconnue pour transformer, selon certains, le toit en pavillon à quatre versants en toit à pignon à deux versants. Grâce aux fermes noires, le croquis du haut permet de comprendre pourquoi certains experts émettent l'opinion que le bâtiment était coiffé d'un toit en pavillon.

alors le bâtiment dans son rectangle original présumé. Tout porte à croire qu'Arel avait apporté les modifications au toit en même temps qu'il ajouta un plancher, toujours entre 1842 et 1848. D'ailleurs, cette hypothèse si passionnante trouvait une sorte de confirmation dans la facture des cheminées, car le fait que la cheminée encore existante était étagée laissait voir par le fait même qu'elle n'avait pas d'appui dans le mur pignon.

Mais aussi passionnante qu'ait été cette hypothèse, il a été décidé de doter la maison d'un toit à pignon. Nul doute que la discussion entre historiens ne s'arrêtera pas là pour autant. Mais au moins, la maison aura été restaurée et elle desservira les citoyens du secteur.

REPÈRES

Nom: maison du Pressoir.
Adresse: 10865, rue du Pressoir.
Métro: station Henri-Bourassa, puis autobus 41 ou 69 vers l'est, descendre à la rue des Prairies et se diriger vers le boulevard Gouin. La rue du Pressoir se trouve presque dans le prolongement de la rue des Prairies. Gare aux sens uniques dans le secteur (y compris sur le boulevard Gouin) si vous vous y rendez en voiture.

SOURCES:

Gouger, N.: *La maison du Pressoir* — Ministère des Affaires culturelles du Québec: documents divers — Communauté urbaine de Montréal, Service de la planification du territoire: documents divers — Archives de la Ville de Montréal: documents divers — Tellier, René: *La Visitation du Sault-au-Récollet* — Documentation de *La Presse*: documents divers.

23

La maison Notman

Construction : 1845
Architecte : John Wells
Monument historique classé

La maison Notman est un des derniers exemples de l'architecture canadienne du milieu du XIXᵉ siècle à avoir échappé au pic du démolisseur, ce qui n'est pas peu dire, considérant qu'elle se trouve dans la partie ancienne de la rue Sherbrooke.

Elle doit son nom à William Notman, photographe de réputation internationale, qui l'habita pendant 15 ans, de 1876 jusqu'à sa mort le 25 novembre 1891.

Avant de mourir, il avait eu le temps, avec ses équipes qui comprenaient notamment ses fils William McFarlane (le plus talentueux des trois), George et Charles, de réunir plus de 400 000 photos illustrant tous les recoins de Montréal, du Canada et

Photo Luc Perrault, *La Presse*
Détails du portique.

de l'Est des États-Unis. Bien souvent, ces photos sont les seuls souvenirs que l'on possède de certains événements, bâtiments ou personnages.

Il avait maîtrisé le daguerréotype

Né à Paisley, en Écosse, le 8 mars 1826, Notman venait d'avoir 30 ans

La maison Notman en 1986.

Photo Luc Perrault, *La Presse*

lorsqu'il émigra au Canada à l'été de 1856. Sa femme et son enfant vinrent le rejoindre en novembre de la même année.

Partenaire de son père dans un commerce de lainage en gros à Glasgow où la famille s'était installée en 1840, Notman avait eu la bonne idée de se familiariser avec la daguerréotypie (l'une des toutes premières techniques de la photographie) avant de partir pour l'Amérique du Nord. Six mois à peine après son arrivée au Bas-Canada, Notman ouvrit son premier studio de photographie à Montréal, au 11, rue de Bleury.

Déjà réputé pour la qualité de ses portraits (c'était en quelque sorte le Karsh du temps), Notman se vit confier par le Grand Tronc, en 1858, la tâche d'immortaliser sur pellicule les différentes étapes de la construction du pont Victoria, y compris l'inauguration officielle par le prince de Galles, le 25 août 1860.

Marié à une Anglaise, Alice Merry Woodwark, en 1853, Notman eut sept enfants, mais seulement cinq vécurent au-delà de l'adolescence.

Son commerce continua même après sa mort grâce à William McFarlane, auquel Charles se joignit plus tard. En 1935, le commerce fut finalement vendu après que Charles eut décidé de prendre sa retraite. Tous les documents de Notman sont aujourd'hui propriété des Archives photographiques Notman, conservées au musée McCord de l'Université McGill.

Photo Luc Perrault, La Presse
Détails des pilastres du portique.

Photo Luc Perrault, La Presse
Détails d'une fenêtre à arc surbaissé surmontée de la fasce à denticules et de la corniche à modillons.

Le terrain

Le terrain sur lequel la maison fut construite était la propriété de Thomas Wilson et de sa soeur Mary, femme d'Alexander Nimmo. Le 13 juin 1835, les Wilson vendaient à John G. Mackenzie et à sa femme Seraphina Gates trois arpents de cette terre que leur père avait acquise des seigneurs de l'île de Montréal.

Le 30 mars 1844, Mackenzie vendit une partie de ce terrain à William Collis Meredith. Cette parcelle de terrain de 180 pieds de profondeur mesurait 91 pieds le long de la rue Sherbrooke, et 138 pieds en arrière, le tout en mesures françaises. Ce terrain libre de tout bâtiment, précise l'acte de vente, se trouvait dans le secteur connu sous le nom de côte à Baron (l'actuelle rue

Photo ministère des Affaires culturelles
Arrière de la maison Notman, en 1891.

Clark), lieu de prédilection des hommes d'affaires prospères désireux de s'installer dans un quartier neuf.

Les voisins de Meredith étaient John Molson, qui habitait Belmount Hall au nord-est et à l'arrière, et Mackenzie au sud-ouest.

Une oeuvre de John Wells

Éminent juriste, Meredith décida de se faire construire une grande demeure à deux paliers. L'architecture fut confiée à John Wells, un Britannique qui était notamment l'auteur du majestueux siège social de la Banque de Montréal, à la place d'Armes, et du marché Sainte-Anne (aujourd'hui disparu) à la place d'Youville.

Wells soumit ses plans en novembre 1844, et le 28 du même mois, Meredith avait rédigé à la main, puis déposé chez le notaire Henry Griffin, les devis complets des travaux à effectuer. Ce document fournit clairement tous les détails de l'excavation, de la maçonnerie, du briquetage, du plâtrage, de la menuiserie, de la ferblanterie et de la peinture, ainsi que des échéances à respecter. La maison fut terminée à la fin de 1845.

Les documents permettent de dresser une liste des artisans qui appuyèrent le constructeur et maître-maçon David Brown : William Kennedy (charpente et menuiserie); S. S. Prowse (ferblanterie et dinanderie), V. W. Dunlop (plâtre) et Francis Clarke (peinture et tapisserie). Chaque pied de l'édifice porte la marque du talent de ces hommes.

Les occupants de la maison

Meredith n'eut guère le temps de jouir de la maison conçue avec autant de soins, puisqu'en décembre 1849, il fut promu au poste de juge de la Cour supérieure du Québec (il devint par la suite juge de la Cour du banc de la reine, puis de la Cour supérieure du Canada en 1866), ce qui le força à déménager à Québec.

Meredith en demeura cependant propriétaire jusqu'en 1866. Pendant ces 16 ans, il loua la maison à James D. Gibb, de Gibb & Co., tailleurs, de 1850

Photo ministère des Affaires culturelles
Le hall dans toute sa splendeur.

Photo ministère des Affaires culturelles
La lampe à gaz au pied de l'escalier.

Photo ministère des Affaires culturelles
Le foyer du boudoir.

137

à 1858; à Thomas E. Blackwell, président du Grand Tronc, de 1858 à 1862; et enfin à l'agent de change E. A. Prentice, jusqu'en 1866.

La maison fut ensuite vendue à Alexander Molson, fils de John et directeur général de la Banque Mechanics. Molson l'habita pendant 10 ans et en 1876, il la vendit à Notman.

Peu après la mort du photographe en 1891, sa veuve la céda à son tour à George Drummond, qui devint Sir George Drummond.

Drummond y installa la communauté anglicane des soeurs de St. Margaret dès 1894, et ces dernières y logent encore aujourd'hui.

La maison-mère de cette communauté fondée en 1854 se trouvait à East Sussex, en Angleterre. Une Montréalaise, soeur Sarah (de son vrai nom Sarah Watts-Smith), fut la fondatrice de la mission.

Aujourd'hui connue sous le nom de Maison pour femmes âgées St. Margaret, la maison est actuellement placée sous la responsabilité du Trust Royal, fiduciaire de la succession Drummond.

L'architecture

La maison de deux paliers est de style «Renouveau grec» et coiffée par un toit en pavillon. Elle impressionne par la remarquable symétrie de l'appareil architectural de sa devanture en pierre de taille.

Meredith exigea qu'on utilise seulement la meilleure des pierres grises. Quant au mortier, l'entrepreneur devait se limiter au «sable de la rivière et aucun autre». S'agit-il du Saint-Laurent ou de la rivière des Prairies? On peut penser qu'il s'agit du premier.

Les rallonges en brique du côté ouest et à l'arrière sont venues s'ajouter plus tard; elles se distinguent nettement du bâtiment historique.

Même si la maison est carrée, l'architecte a plus particulièrement soigné la façade de la rue Sherbrooke (les trois autres faces sont en brique peinte en blanc, et les faces latérales commencent par une bande de pierre de deux pieds de largeur, conformément aux exigences de Meredith).

Les chapiteaux des colonnes dans la grande salle.

Détails d'un plafond à caissons.

Symétrie remarquable

Si on se place devant le bâtiment, la symétrie irréprochable mise en valeur par les proportions harmonieuses et de gracieux motifs classiques sont ce qui frappe en premier. De chaque côté du majestueux porche* à quatre pilastres* supportant un fronton* surbaissé se trouvent les deux légers décrochements* latéraux.

On remarque que le rez-de-chaussée se distingue par les joints en sillon des pierres* rustiquées, ce qui n'est pas le cas de l'étage où on trouve une pierre* finement bouchardée.

Tel qu'exigé par Meredith, toutes les pierres «sans veines ni taches noires» mesurent au moins deux pieds et demi de longueur, à l'exception des boutisses*. Dans le cas des pierres de couronnement de la plinthe, Meredith exigea des pierres de quatre pieds de largeur.

Au surplus, Meredith exigea que les

linteaux*, les seuils*, les marches, les capuchons* de cheminée, les frontons* du porche et des fenêtres du rez-de-chaussée, les pilastres du porche entre l'assise* et le chapiteau*, les assises des piédestaux* de chaque côté de l'escalier fussent taillés dans une seule pierre.

Après la symétrie, c'est la différence dans le fenêtrage qui saute aux yeux ; les fenêtres du rez-de-chaussée sont surmontées d'un fronton, tandis que celles de l'étage sont coiffées d'un arc* surbaissé à jambages* en pierre.

Puis l'oeil est attiré par la fasce* ornée d'entrelacs* et de denticules*, tout juste sous la large corniche* à modillons* plus gros et plus espacés que ceux de la fasce.

La qualité du ciselage est remarquable à plusieurs endroits : le porche, les pilastres et leurs chapiteaux, les piédestaux et les montants de l'escalier, les frontons du rez-de-chaussée, les architraves* des fenêtres de l'étage, la fasce et la corniche. À noter que la corniche, à porte-à-faux de 19 pouces, est en bois. Ses corbeaux* sont sculptés et se trouvent de chaque côté de soffites* ornés d'une rosette.

À l'exception du vitrage des fenêtres* à guillotine, la façade n'a subi aucune transformation remarquable. Le long de la rue, un mur de ciment de trois pieds de hauteur surmonté d'une clôture en fer forgé a remplacé la clôture de bois peinte en blanc.

À l'arrière, le corridor couvert et l'aile ont remplacé une bonne partie du grand terrain qui jouxtait autrefois la maison Notman.

La toiture

Le toit en pavillon supporté par trois fermes* et six demi-fermes comporte une partie centrale plate formée de deux épaisseurs de planchettes d'un demi-pouce d'épaisseur. Le document donne toutes les précisions concernant les sablières,* les entraits*, les arbalétriers*, les embases*, les pannes* et les arêtiers*, toutes des pièces structurales de la toiture.

Un puits de lumière (un deuxième a été ajouté depuis) et les cheminées per-

Photo ministère des Affaires culturelles
Commode ayant déjà appartenu à Notman.

çaient la partie plate du toit. Une porte donnait accès au toit.

Les quatre versants* latéraux du toit* à baguettes comportent deux épaisseurs de feuille d'étain superposées sur une largeur d'au moins quatre

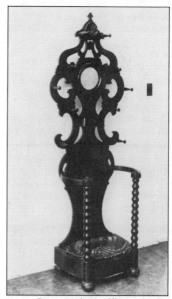
Photo ministère des Affaires culturelles
Porte-chapeau du vestibule jadis la propriété de Notman.

139

Une des appliques en plâtre au plafond.

À noter le cadre sculpté de la porte.

Une commode dans le quartier des domestiques.

pouces afin de garantir l'étanchéité de l'ouvrage. Le toit se termine par des gouttières faites du même métal.

L'intérieur

Dans la rédaction de son cahier de devis, Meredith a mis autant de soins pour l'intérieur que pour l'extérieur.

Les normes quant au bois par exemple étaient très précises ; comme pour tous les autres matériaux, Meredith exigea ce qu'il y avait de mieux : du pin (en très grande majorité) bien sec, sans sève et sans noeud. Les ouvrages ciselés sont évidemment nombreux tout comme à l'extérieur.

Le hall d'entrée est naturellement la pièce de résistance de l'intérieur. Son arche* supporté par des colonnes corinthiennes met en valeur l'escalier gracieux qui se profile derrière un lampadaire ciselé, et les chambranles* des portes ornées d'architraves et de pilastres.

Meredith avait tout prévu pour que sa maison soit la plus confortable et «la plus moderne» possible. La construction des annexes et l'aménagement de l'édifice en maison d'accueil ont évidemment modifié sa vocation, mais la qualité architecturale de l'édifice méritait d'être soulignée.

REPÈRES

Nom : maison Notman.
Adresse : 51, rue Sherbrooke ouest.
Métro : station Saint-Laurent, direction nord jusqu'à la rue Sherbrooke, puis vers l'ouest rue Sherbrooke.

SOURCES :

Trigg, Stanley : *Historique de la maison Notman* — Brosseau, Mathilde : *La maison Notman* — Archives photographiques Notman : documents divers — Ministère des Affaires culturelles : documents divers — Archives de la Ville de Montréal : documents divers — Hurtig : *The Canadian Encyclopedia* — Grolier : *Encyclopedia Canadiana* — Rose Publishing Co. Ltd : *A Cyclopaedia of Canadian Biography*.

24

La maison Alcan

Construction : 1981-83
Architecte : Arcop Associés

La maison Holland
Construction : 1872
Architecte : William T. Thomas

L'hôtel Berkeley
Construction : 1928
Architectes : H. B. Lawson et
H. Little

La maison Béïque
Construction : 1894
Architecte : inconnu

La restauration de vieux édifices connaît une vogue rassurante à Montréal depuis que des promoteurs immobiliers ont entrepris de recycler de vétustes entrepôts du Vieux-Montréal pour en faire des appartements.

Parallèlement, surgissait dans la population l'intention tenace de sauvegarder le patrimoine architectural. Et cette prise de conscience n'est pas étrangère à la vogue de la restauration qui a 20 ans à peine.

Si bien que, harcelés par des organismes comme Héritage Montréal, les corps publics sont désormais plus prudents avant d'autoriser la démolition d'un bâtiment qui mériterait d'être restauré en vue d'un recyclage éventuel.

Les entreprises ont emboîté le pas. Plusieurs ont réussi leur projet de recyclage avec goût, tout en respectant l'histoire et notre patrimoine architectural.

Mais s'il fallait accorder une palme en la matière, il serait indécent d'ignorer la maison Alcan, car ce n'est pas un seul bâtiment mais cinq que la multinationale québécoise a recyclés, avec l'apport professionnel du bureau d'architectes Arcop.

Des maisons victoriennes

Situés du côté sud de la rue Sherbrooke, entre les rues Stanley et Drummond, ces cinq bâtiments sont, d'ouest en est, la maison Klinkhoff, la

Photo de 1974 montrant l'ensemble immobilier aujourd'hui connu sous le nom de maison Alcan.

Photo Yves Beauchamp, *La Presse*

maison Holland, l'hôtel Berkeley, la maison Béïque et la maison Atholstan.

Le vieil hôtel et les résidences de pierre de style victorien qui le côtoient ont été complètement restaurés pour servir de bureaux à la grande entreprise québécoise, les besoins volumétriques étant complétés par la construction de l'édifice Davis, bâtiment ultra-moderne intelligemment dissimulé derrière les vieux immeubles, mais formant corps avec ceux-ci grâce à un atrium* couvert d'une verrière* et baigné de soleil.

Avant d'examiner le groupe d'édifices, il importe de souligner qu'à cause de son caractère historique et architectural, la maison Atholstan fera l'objet d'un traitement particulier au prochain chapitre.

La maison Holland

Comme on ne possède que très peu de renseignements au sujet de la maison Klinkhoff, commençons par la maison Holland, située au 1194 de la rue Sherbrooke. Lors de sa construction en 1872, on assistait au début du développement du « Mille carré doré ».

Sur ce territoire d'environ un mille carré (d'où son nom) allaient résider quelque 25 000 personnes qui détiendront 70 p. cent de toutes les richesses du Canada. Les premières grandes demeures surgirent au milieu de vastes jardins et de vergers.

La rue Sherbrooke était un chemin de campagne non pavé et mal éclairé, borné de rares maisons. Au moment de l'inauguration de la maison Holland, celle-ci était d'ailleurs la dernière avant les vastes étendues de la campagne.

La maison avait été commandée par Philip Holland, négociant à commission et partenaire associé de la société Winn & Holland. Malheureusement pour lui, il n'eut jamais le plaisir d'habiter sa demeure puisqu'il mourut avant le début des travaux. C'est finalement sa veuve, Elizabeth Holland, qui vit à la construction de la résidence, après avoir signé un contrat d'une valeur de 2 120$ avec l'entrepreneur Peter Nicholson, le 19 juillet 1871.

L'architecte et son oeuvre

En choisissant l'architecte William Titus Thomas pour construire la maison, Holland avait engagé un homme

Le même ensemble immobilier après la restauration.

Photo Michel Gravel, La Presse

L'intérieur de l'atrium, vers l'ouest. L'atrium à toit de verre sépare et unit simultanément les bâtiments anciens (à gauche) et l'édifice moderne à revêtement d'aluminium (Alcan oblige...).

qui jouissait d'une très bonne réputation en matière de résidences somptueuses.

Arrivé au pays avec sa famille en 1864, Thomas fut formé dans une famille d'architectes. Son père William, son oncle John, auteur des sculptures qui ornent le Parlement de Londres, et Cyril P. furent tous architectes. Thomas a notamment réalisé la maison Shaughnessy, le club Mount Stephen, l'église St. George qui se dresse encore aujourd'hui en face de la gare Windsor, ainsi que le château Craiguie aujourd'hui disparu. La maison Holland fut l'un des premiers contrats qu'il exécuta sans son frère, parti s'installer à Chicago.

La maison Holland est une maison en rangée comme en possédait la classe moyenne montréalaise. L'édifice comportait une cave, un rez-de-chaussée remarquable par son oriel* montant de fond, deux étages et des combles* sous un toit* mansardé, éclairé par deux lucarnes* dont l'encadrement reflète l'ensemble de l'édifice.

La façade fut construite en pierre grise bossée. Le fenêtrage* est réduit à trois fenêtres par étage (dont deux juxtaposées). L'ornementation de l'encadrement de pierre taillée des ouvertures est modeste. Seul le portail* de l'entrée principale, surplombé d'un entablement* massif par rapport au reste, se démarque de la façade. La face arrière en brique du bâtiment donnait sur un terrain où s'élevaient l'écurie et la remise de voitures.

L'intérêt notoire que Thomas portait aux proportions et à la symétrie se reflète à l'intérieur de la maison. Le sous-sol comportait la cuisine et les pièces des domestiques. Le hall d'entrée et le salon double occupaient le rez-de-chaussée, et toutes les chambres se trouvaient aux deux étages.

L'étonnante ressemblance du langage architectural de cette résidence avec sa voisine, la maison Klinkhoff, incite certains architectes à croire que Thomas fut également auteur de cette dernière, sans doute érigée peu de temps après la maison Holland.

L'hôtel Berkeley

L'hôtel Berkeley fut construit en 1928 pour le compte de Revenue Realties selon le concept d'hôtel-appartements. Sa construction marquait la fin d'une époque glorieuse puisque le «Mille carré doré» avait déjà perdu de l'exclusivité et une partie de son lustre, les familles les plus opulentes allant dorénavant s'établir à Westmount ou à Outremont. Rue Sherbrooke, de somptueuses résidences cédaient déjà la place à des magasins et à des édifices à bureaux.

L'emplacement où fut construit l'hôtel comprenait deux terrains vagues dont l'un appartenait à R. R. Grindley. Les plans furent dessinés par les architectes montréalais Harold B. Lawson et Harold Little, également auteurs de la plus grande construction en rondins au monde, le château Montebello érigé pour le Canadien Pacifique.

Des garçonnières
pour hommes célibataires

À sa construction, le bâtiment prit le nom d'appartements Hermitage. Il s'agissait de garçonnières pour hommes célibataires; la disposition intérieure de l'immeuble a été préservée lors de la restauration. Mais le projet avorta à cause du fameux krach selon certains, à cause d'une mauvaise évaluation du marché selon d'autres. Toujours est-il que l'édifice fut transformé en hôtel dès 1930, sous le nom d'hôtel Ambassador, puis, quatre ans plus tard, sous celui de Berkeley.

Construit dans l'esprit du renouveau classique qu'on retrouvait déjà dans la façade des édifices Montreal Star (aujourd'hui disparu), Caron (construit en 1910 rue de Bleury) et Southam (érigé en 1916 sur la même rue), l'hôtel Berkeley comporte une façade partagée en trois parties: base en granite, fût en brique et chapiteau en brique ornementé de granite.

Haute de deux étages, l'embrasure* des portes est encadrée d'arches* en plein cintre enjolivées d'un cordon* ciselé. Cachée pendant 20 ans par une marquise* couvrant un café-terrasse, l'embrasure ornementée de deux balconnets* a retrouvé sa splendeur d'antan et sert aujourd'hui d'entrée principale à la maison Alcan.

Le fût* en brique propose des fenêtres encadrées de pilastres* ou de bandeaux. Les fenêtres centrales du dernier étage sont coiffées d'un linteau* ciselé dans le granite.

Les deux derniers étages de l'édifice forment le chapiteau, remarquable par ses fenêtres soulignées par des bandeaux* de granite qui s'étendent jusqu'aux arches à arc* surbaissé surmontées d'un écusson. Une balustrade* à redents* couronne l'édifice.

La maison Béïque

La maison Béïque, au 1176, fut construite en 1894, 20 ans après la maison Holland.

Le quartier s'était grandement transformé au cours de cette période. De grands ormes bordaient la rue Sherbrooke qu'on appelait avec plus ou moins d'à-propos la «Cinquième avenue» ou les «Champs-Élysées» de Montréal. La rue de terre avec trottoirs en bois avait fait place à une large avenue asphaltée.

Le tramway électrique avait rapproché ce quartier du centre-ville, lui enlevant graduellement son caractère rustique. Morcelés par leurs propriétaires, les grands terrains entourant les somptueuses demeures disparaissaient parmi d'autres constructions montréalaises.

La maison dont l'architecte est malheureusement inconnu doit son nom à son propriétaire, Me Frédéric-Liguori Béïque, sénateur, président du comité exécutif de l'Université Laval et président de la Banque Canadienne Nationale. Quant à Mme Béïque, elle fut la fondatrice et première présidente de l'École des ménagères provinciale. Au moment où le sénateur s'y installa, sa famille comptait une douzaine de membres.

La façade classique de la maison en pierre de taille grise est intéressante pour son portail* surmonté d'un fronton* et encadré de pierre ciselée, pour son fenêtrage très varié, ses combles mansardés avec lucarne* à fronton, et sa tourelle* surmontée d'un toit à six pans* tronqués à revêtement en écailles de poisson, et couronnée par une balustrade* en fer forgé.

Construite un an à peine avant la maison Atholstan, la maison Béïque avait pourtant l'air sortie d'une toute autre époque puisque sa décoration intérieure se caractérisait notamment par le ton foncé des boiseries, ce qui devenait de moins en moins au goût du jour.

Derrière la maison, séparée par un jardin, se trouvait l'écurie en bordure de l'allée mentionnée précédemment.

La cuisine était au sous-sol, construite au niveau de la rue. Au rez-de-chaussée se trouvaient le hall d'entrée, un salon double et une salle à manger. La bibliothèque et des chambres occupaient le premier étage; une salle de billard et d'autres chambres formaient le deuxième étage.

Si on la compare à la maison Atholstan qui abritait trois personnes, la maison Béïque semble avoir des dimensions plutôt modestes, si l'on songe qu'elle devait loger 12 personnes. Mais elle avait largement sa place dans son environnement.

Cette demeure fut construite sur un terrain voisin de celui de R. R. Grindley, et appartenant à H. V. Allen et William Hales Hingston.

Hingston et l'affaire Guibord

Ce Hingston est un personnage important de l'histoire de Montréal. Fils du lieutenant-colonel Samuel James Hingston et d'Eleanor McGrath, il naquit à Hinchinbrook, comté de Huntingdon, le 29 juin 1829.

Diplômé en médecine de l'Université McGill, il commença sa pratique médicale à Montréal en 1854 après un stage de perfectionnement de trois ans dans plusieurs villes européennes.

Ses succès répétés contribuèrent à sa nomination au poste de chirurgien-chef à l'Hôtel-Dieu de Montréal. Il fut le premier chirurgien au Canada à procéder à l'excision d'un genou, de la langue et de la mâchoire, ainsi qu'à l'ablation de l'utérus et d'un rein.

Premier directeur de la Faculté de médecine du Bishop's College (l'actuelle université du même nom) en 1873, il fut élu maire de Montréal pour un mandat de deux ans en 1875.

À ce titre, il sera, en 1875, impliqué dans l'affaire Guibord, du nom du typographe Joseph Guibord, qui provoqua un affrontement non seulement entre ultramontains et libres penseurs libéraux, mais aussi entre Mgr Ignace Bourget, alors évêque de Montréal et chef des ultramontains, et Mgr Elzéar-Alexandre Taschereau, archevêque de Québec et leader des catholiques modérés.

L'objet du débat? Henriette Brown, veuve de Guibord, voulait que la dépouille de son mari décédé le 18 novembre 1869, et auquel on avait refusé la sépulture catholique à cause de la mise à l'index des ouvrages publiés par l'Institut canadien dont il était membre, que sa dépouille, donc, soit inhumée dans un cimetière catholique. Il faudra attendre le 16 novembre 1874 avant que les tribunaux tranchent en sa faveur, et une autre année avant que l'enterrement soit effectué au cimetière de Côte-des-Neiges.

Fait chevalier en 1895, Sir William Hingston fut nommé au Sénat canadien un an plus tard. Il mourut le 19 février 1907, laissant dans le deuil sa femme, Margaret Josephine Macdonald qu'il avait épousée en 1875, quatre garçons et une fille.

REPÈRES

Nom: maison Alcan.

Adresse: 1188, rue Sherbrooke ouest.

Métro: station Peel, direction rue Sherbrooke.

Remarque: à visiter absolument:l'ensemble des édifices rénovés, et plus particulièrement l'atrium. La société Alcan offre des visites guidées, mais il est obligatoire de réserver, en faisant le (514) 848-8487.

SOURCES:

Laliberté, Norman: *La maison Alcan* — Société Alcan: *Maison Alcan* et documents divers — Ministère des Affaires culturelles: documents divers — Communauté urbaine de Montréal, Service de la planification du territoire: documents divers — Archives de la Ville de Montréal: documents divers — Centre d'études en enseignement du Canada Inc.: *Horizon Canada* — Hurtig: *The Canadian Encyclopedia* — Grolier: *Canadiana Encyclopedia* — Rose Publishing Co.: *A Cyclopedia of Canadian Biography* — Documentation de *La Presse*: documents divers.

25

La maison Atholstan

Construction : 1895
Architectes : Dunlop & Heriot
Monument historique classé

Lord Atholstan

Des quatre résidences privées restaurées par l'architecte Ray Affleck et le bureau d'architectes Arcop pour le compte de la société Alcan, la maison Atholstan est la plus intéressante, même si elle est la moins ancienne.

Construite en 1895 par le bureau d'architectes Dunlop & Heriot, elle doit son nom à Hugh Graham, ultérieurement connu sous le nom de Lord Atholstan.

Lord Atholstan a laissé sa marque dans l'histoire de Montréal en raison de sa grande générosité envers les malades et les nécessiteux. Mais sa liberté d'action lui fut acquise grâce aux imposants revenus de la Montreal Star Publishing Co., éditeur à diverses époques du *Montreal Daily Star*, du *Family Herald* et du *Weekly Star*.

Hugh Graham naquit à Atholstan, dans la circonscription de Huntingdon, le 18 juillet 1848, au sein d'une famille de fermiers de racine écossaise. Il était le fils de Robert William Graham et de Marion Gardner.

Fondateur du *Montreal Star*

Au début de 1869, après quelques années au service de son oncle Edmond Henry Parsons, éditeur du *Montreal Daily Telegraph*, il fonda, avec George T. Lanigan, le *Montreal Daily Star*, qui parut pour la première fois le 18 janvier 1869 (il était donc dans sa 111e année lorsqu'il ferma ses portes en 1979). Mais comme Lanigan préconisait l'annexion du Canada aux États-Unis face à un Graham nettement impérialiste, ce dernier se retrouva seul à la tête du journal.

Dès que la santé financière du *Montreal Star* fut assurée, surtout grâce au travail inlassable de Graham, celui-ci commença résolument à s'intéresser à une foule de problèmes et de luttes : la vaccination obligatoire contre la variole, le mauvais entretien des routes et des trottoirs pendant l'hiver (il créa la « brigade du pic et de la pelle » qui nettoyait les rues), la participation du Canada à la guerre des Boërs et la rupture de l'entente de réciprocité Tait-Fielding sont parmi les luttes les plus marquantes qu'il ait livrées.

Il était aussi un philanthrope réputé, contribuant largement à des organismes tels le Fonds de secours contre la famine chez les Indiens, le camp Air pur pour enfants défavorisés, la lutte contre le cancer, l'Université McGill (qui lui doit le Moyse Hall) et l'Association des arts de Montréal. On se souviendra aussi des 300 000 repas qu'il fit servir aux miséreux pendant l'hiver de 1929.

En 1892, Graham épousa Annie Beckman Hamilton. Alice, leur fille unique, épousa Bernard M. Hallward en 1928. Les époux Hallward eurent deux petits-fils, Hugh Graham et John Marsham Hallward.

Fait chevalier puis anobli

Fait chevalier en 1908 (il porta alors le nom de Sir Hugh Graham), il fut anobli en 1917 sous le titre de baron Atholstan of Huntingdon, et obtint ainsi un siège à la Chambre des lords britannique.

Lord Atholstan mourut le 28 janvier 1938. Dans son testament confié au greffe du notaire H. B. McLean, il laissa l'usufruit de ses possessions à sa femme, Lady Ann Beckman Hamilton. En cas de vente des actifs, Lady Hamilton devait remettre la moitié des revenus de la vente à la soeur de Graham, Marion, ou à la fille de cette dernière, Lilias Crawford.

La maison d'Atholstan fut construite sur un terrain acheté des héritiers de Philip Holland en 1892, devant le notaire H. de M. Marler. Ce terrain était alors la propriété de la succession Abraham De Sola, comprenant sa veuve, Esther Joseph, et ses enfants, Aaron David, Clarence Isaac, Grenshaw, Joseph et Rica (épouse de Leonard Pereira Inendez). Ce terrain faisait partie de l'ensemble portant le numéro de cadastre 1463 et acquis par De Sola d'Isaac Ebbit en 1871, ce dernier le tenant de James Duncan depuis deux ans.

Photo société Alcan
La maison Atholstan, au début des années 40.

Un architecte réputé

Alexander Francis Dunlop en fut l'architecte principal. Formé à l'école de George et John James Browne, réputés pour leurs constructions de style victorien, il s'établit à son compte en 1874 et acquit vite une renommée comme architecte de projets importants et de résidences somptueuses.

Parmi ses oeuvres qui existent toujours, mentionnons la brasserie Ekers (boulevard Saint-Laurent), la flèche de l'église St. George (face à la gare Wind-

Photo société Alcan
La maison Atholstan, quelque temps après sa construction.

Photo Michel Gravel, *La Presse*
La maison Atholstan après la restauration.

L'arrière de la maison Atholstan avec, sur la gauche, une partie de l'édifice ultra-moderne Davis.

sor), l'église St. James dont la façade de la rue Sainte-Catherine a depuis disparu derrière une rangée de boutiques, l'hôtel Queens, et le vieil édifice du *Montreal Star*, rue Saint-Jacques, aujourd'hui propriété de *The Gazette*.

Son partenaire au moment de la construction de la maison Atholstan, J. C. A. Heriot, arrivait d'Albany où il avait collaboré à la construction du Capitole de l'État de New York. Mais immédiatement après la construction de la maison Atholstan, il quitta Dunlop pour se joindre à David Robertson Brown et D.N. McVicar.

La maison Atholstan rompait radicalement avec le langage architectural des 15 années précédentes, marqué par le style victorien, accompagné d'une palette sombre pour la décoration intérieure.

Jusque-là, en s'inspirant des styles roman et gothique, les architectes rejetaient l'asymétrie et brisaient la ligne du toit par des tours* et des tourelles* (la maison Béïque, tout juste à côté, est là pour en témoigner).

Les grès et les calcaires importés avaient remplacé la pierre calcaire grise privilégiée depuis si longtemps à Montréal. À l'intérieur, les boiseries sombres et les peintures foncées côtoyaient les papiers peints aux larges motifs.

L'Exposition universelle de Chicago, en 1893, contribua à ce changement en préconisant un certain retour au classicisme. Et comme Lord Atholstan désirait que sa maison soit du style le plus récent, Dunlop sut le satisfaire en construisant l'une des premières maisons de Montréal à adopter le nouveau concept architectural.

Maison de style Renaissance italienne

De style Renaissance italienne, la maison Atholstan compte un sous-sol, un rez-de-chaussée et deux étages.

Sa façade en pierre grise très pâle comporte d'intéressantes caractéristiques: portique* à colonnade*; oriel* à deux étages montant de fond à l'avant et oriel en surplomb à l'étage sur le côté; rez-de-chaussée séparé du premier étage par deux cordons* en pierre; motifs décoratifs encadrant les trois fenêtres de l'oriel de la rue Sherbrooke, dont le motif est repris entre les fenêtres du deuxième étage; deux oculi* ovals avec pourtour orné encadrant une fenêtre surmontée d'un entablement* massif; tables* rentrantes ornées de motifs à feuillage au dernier étage; large corniche* à modillons*; balustrade* en pierre surmontée d'un garde-corps* en métal. Les claveaux* au-dessus des fenêtres accentuent le jointoiement* plus prononcé du rez-de-chaussée par rapport à celui des étages.

Derrière la maison se trouvait le jardin, délimité par une clôture en fer forgé. Au fond du jardin, on pouvait apercevoir l'écurie et le hangar plus tard transformé en garage.

L'intérieur de la maison

La superficie de la maison Atholstan atteint 12 700 pieds carrés sur quatre planchers. Comme le voulait la coutume, les domestiques résidaient au sous-sol, où se trouvait également la cuisine. La salle à manger dotée d'un monte-plats occupait le rez-de-chaussée, tout comme le boudoir, le cabinet de travail de Lord Atholstan et, bien

Le hall d'entrée au début du siècle et aujourd'hui, vu de deux angles différents.

tère prétendument oriental et d'un goût pour le moins douteux : une mosaïque de miroirs couvrait le plafond du hall, un arc pompeux avait été érigé au fond du hall, de faux plafonds avaient été installés à divers endroits, etc.

En travaillant à partir de photos, les architectes parvinrent à redonner à la maison l'apparence qu'elle avait vraisemblablement au tournant du siècle. La murale en verre au fond du hall fut

La salle de séjour vers 1900 et aujourd'hui. À noter qu'on a réussi à sauver la corniche et le groupe architectural (colonne et pilastre) qui la supporte.

sûr, le hall d'entrée rehaussé par un magnifique escalier.

Le salon, le boudoir de Lady Atholstan, la chambre des maîtres et celle d'Alice, une chambre d'amis et un boudoir logeaient au premier étage. Le deuxième étage comportait la *nursery* et des chambres à coucher.

Au moment de son acquisition par la société Alcan, la maison Atholstan était la propriété du shah d'Iran, qui rêvait de la transformer en maison d'Iran. La maison avait déjà subi de malheureuses transformations à carac-

reconstituée en couleurs à partir d'une photo monochrome.

Du talent et de la chance!

Les architectes ont aussi reconstitué le foyer de la salle à manger, démoli par les jésuites (propriétaires pendant une courte période) pour la construction d'un autel. On a bien sûr conservé l'impressionnant lustre de la salle à manger. Les chandeliers originaux ont été retracés dans une boutique d'antiquités de Hamilton, en Ontario, et ramenés à Montréal. Toutes les moulures décoratives en plâtre et en bois des murs et des plafonds ont été restaurées ou reconstituées selon le cas.

Mais le plus important, c'est qu'on a redonné à la résidence les tons pastel (crème, beige et or) qui la distinguaient tellement des autres au moment de son inauguration. Une seule pièce tranchait, la salle à manger, avec ses panneaux d'acajou si typiques des maisons d'autrefois.

La famille Graham resta propriétaire de la maison jusqu'au 6 avril 1948, alors que, devant le notaire H. B.

McLean, les exécuteurs testamentaires de Lord Atholstan, Alice Hamilton, Graham Hallward, Bernard Marsham Hallward, John D. MacKinnon et le Royal Trust cédèrent la maison à l'Association canadienne des textiles. La maison eut deux autres propriétaires avant son acquisition par la société Alcan, soit la Compagnie de Jésus et le shah d'Iran.

REPÈRES

Nom: maison Atholstan.
Adresse: 1172, rue Sherbrooke ouest.
Métro: station Peel, direction rue Sherbrooke.
Remarque: cette maison est incluse dans la visite guidée de la maison Alcan. Prière de réserver au (514) 848-8487.

SOURCES:

Laliberté, Norman: *La maison Alcan* — Société Alcan: *Maison Alcan* et documents divers — Ministère des Affaires culturelles: documents divers — Associated Textiles of Canada Limited: *Fabric House* — Communauté urbaine de Montréal, Service de la planification du territoire: documents divers — Archives de la Ville de Montréal: documents divers — Centre d'études en enseignement du Canada Inc.: *Horizon Canada* — Hurtig: *The Canadian Encyclopedia* — Grolier: *Canadiana Encyclopedia* — Rose Publishing Co.: *A Cyclopedia of Canadian Biography* — Documentation de *La Presse*: documents divers.

Photo Luc Perrault, *La Presse*
La salle du conseil d'administration.

26

Le siège social de la Banque de Montréal (1)

Construction: 1845-47
Architecte: John Wells

Rappeler l'histoire de la Banque de Montréal, même brièvement, c'est plus qu'évoquer les origines d'une simple institution, ses dirigeants, ses édifices; c'est rappeler plus d'un siècle et demi d'histoire. Car la Banque de Montréal fut la première banque du Canada; elle a largement contribué à l'instauration du système bancaire canadien.

Par conséquent, pour ne pas escamoter une foule d'informations intéressantes, l'histoire de cette grande institution canadienne sera divisée en deux chapitres. Le premier est consacré aux origines de la banque et aux hommes qui ont assuré son succès depuis 1817, tandis que le second abordera le côté architectural.

L'urgence d'une banque

Au début du XIXᵉ siècle, l'urgence d'une banque pour gérer les transferts de fonds et mettre fin au troc par une émission de billets de cours légal se faisait de plus en plus sentir; les énormes transferts de fonds occasionnés par le versement de la solde des troupes britanniques pendant la guerre de 1812 l'avaient démontré sans l'ombre d'un doute.

En 1815, quand se dessina le mouvement pour la création d'une banque à charte provinciale, Napoléon venait de subir la défaite à Waterloo, George III régnait sur l'Empire britannique, et les Canadiens se déplaçaient en diligence, en char à boeufs ou en bateau à voiles.

Montréal comptait 16 000 âmes, vivant surtout à l'intérieur des fortifications, sur un territoire de 90 acres. Dotée de lampes à l'huile de baleine, la rue Saint-Paul récemment pavée était la seule rue éclairée de la ville. C'était l'artère privilégiée par les commerçants qui, généralement, demeuraient à l'étage, au-dessus de leurs boutiques.

Le service de police n'existait pas. L'ordre était maintenu par les sentinelles de la garnison britannique cantonnée dans la citadelle, à l'extrémité nord-est des fortifications.

Les neuf pionniers

La Banque de Montréal doit son existence à la volonté d'un groupe de marchands impatients devant l'inaction de l'Assemblée législative du Bas-Canada. Ces neuf pionniers, qui atteindront finalement leur but en 1817, méritent une mention, à commencer par John Richardson, leur leader.

Considéré comme le père du système bancaire canadien, Richardson naquit en Écosse en 1773 et vécut dans l'État de New York avant de s'installer à Montréal, où il s'associa à la Compagnie du Nord-Ouest. Membre de l'Assemblée législative du Bas-Canada, il

John Richardson, le «père du système bancaire canadien».

fit partie du Conseil exécutif et du Conseil législatif.

Les autres furent, par ordre alphabétique :

Robert Armour : arrivé d'Écosse en 1800, il était éditeur du *Montreal Almanach*, copropriétaire de *The Gazette* et propriétaire de l'édifice où la banque ouvrit ses guichets pour la première fois.

John C. Bush : le moins connu du groupe, il aurait représenté les intérêts financiers et commerciaux américains.

Augustin Cuvillier : seul Canadien du groupe, ce riche importateur anglicisé fut le premier président de l'Union des deux Canadas, en 1841.

George Garden : autre Écossais d'origine, il fut un des partenaires des commerçants Auldjo, Maitland & Co., et un des administrateurs de l'Hôpital général de Montréal, ouvert rue Dorchester en 1822.

Horatio Gates : né au Massachusetts, il avait 27 ans à son arrivée au Canada en 1804. Commerçant en farine, il fut président de la banque et son principal propagandiste auprès des investisseurs américains.

James Leslie : militaire à la retraite, il était le fils du premier quartier-maître du général James Wolfe. Bizarrement, il fut un des premiers à appuyer les revendications de Louis-Joseph

Ce tableau de Lorne Bouchard, propriété de la Banque de Montréal, reproduit la scène telle qu'elle se présentait au matin du 3 novembre 1817, lorsque la banque entreprit ses activités, rue Saint-Paul, dans un édifice sis à l'angle nord-est de la rue de Vaudreuil.

Papineau ; il était représentant de Montréal-Est à l'Assemblée législative du Bas-Canada.

George Moffat : né en Angleterre en 1801, il débarqua au Canada en 1815 pour faire fortune dans le commerce de la fourrure. Il fut membre de l'Assemblée législative du Bas-Canada, du Conseil législatif et du Conseil exécutif.

Thomas A. Turner : premier vice-président de la banque, il était propriétaire des grossistes Allison Turner & Co.

Ces hommes demandèrent une charte à titre privé et l'obtinrent le 4 juillet 1817. Le capital-actions fut fixé à 100 000 $, dont 5 000 $ en or et en argent.

Premier jour de transactions

La banque ouvrit ses guichets à la clientèle pour la première fois à 10 h le 3 novembre 1817, au 32 (l'actuel 105) de la rue Saint-Paul. Depuis, la Banque de Montréal n'a jamais fermé un jour ouvrable, même pas pendant les crises économiques, les guerres ou les quatre ans de travaux de rénovation du 119, rue Saint-Jacques, de 1901 à 1905.

Les sept premiers employés de la banque furent Robert Griffin, premier caissier (on dirait aujourd'hui directeur général); James Jackson, deuxième caissier; Henry Dupuy, comptable; Henry B. Stone, caissier payeur; Benjamin Holmes, préposé à l'escompte; Allan McDonell, préposé aux livres; et Alexander McNiven, messager.

Au moment de sa fondation, il n'existait aucune monnaie légale au Canada. Pour le commerce extérieur, on recourait aux lettres de change. C'est de cette manière que Londres paya la solde de ses troupes pendant la guerre de 1812.

Le troc alimentait le commerce intérieur. Les colons se servaient du fruit de leur labeur pour acquérir les biens nécessaires: ils échangeaient le blé, le bois et la potasse contre des outils, des armes et autres biens. Les trappeurs troquaient leurs pelleteries, et les Amérindiens recouraient au *wampoum*.

Le transport de l'argent tenait parfois de l'exploit. Ainsi, en janvier 1818, la Banque de Montréal reçut le mandat de livrer à Boston 130 000 dollars espagnols destinés au commerce avec la Chine. Le cortège de traîneaux mit une semaine pour transporter le chargement de trois tonnes par les routes enneigées de la Nouvelle-Angleterre. On était évidemment loin des transferts de fonds par télégraphe...

Les premiers billets

Les premiers billets émis dès 1817 étaient payables au porteur et présentaient le texte suivant (traduction libre): «Le président et les directeurs de la compagnie de la Banque de Montréal promettent de payer à — on indiquait le nom du porteur — ou au porteur vingt — ce chiffre était variable — dollars sur demande à même les fonds conjoints de l'Association et aucun autre.» Suivaient le numéro manuscrit du billet et la date également manuscrite encadrant le mot «Montréal», puis les signatures du président John Gray et du caissier

La deuxième pièce de monnaie frappée par la Banque de Montréal, dans la série «Habitant», et l'un des premiers billets de banque, daté de 1817 (la date était manuscrite).

Peinture de la Banque de Montréal

Robert Griffin. De chaque côté du billet, la valeur exprimée en lettres, en anglais à gauche et en français (vingt piastres) à droite. La dernière émission — en l'occurrence des billets de 5 $ — de la banque eut lieu le 7 décembre 1942.

Les premières pièces de monnaie à circuler au Canada provenaient de pays proches comme les États-Unis et le Mexique, ou de pays colonisateurs comme l'Angleterre, la France ou l'Espagne. À ces pièces hétéroclites se greffaient celles d'entreprises privées.

La Banque de Montréal frappa sa première pièce en 1836. Il s'agissait d'un demi-penny en cuivre, portant la traduction française (mais erronée) de « un sous ».

La deuxième série, plus remarquable, fut frappée à partir de 1837. On connaissait ces pièces sous le nom de « jetons Habitant » à cause du dessin sur l'avers qui représentait, au centre de l'inscription « Province du Bas Canada — Un sou », un homme chaussé de mocassins traditionnels, vêtu d'une veste de laine, d'une ceinture fléchée et d'une tuque. Le revers de ces pièces affichait les armoiries de la banque.

Les armoiries furent empruntées à la Ville de Montréal et furent réalisées en 1833 par Jacques Viger, premier maire de Montréal. L'écu propose l'emblème des peuples fondateurs : le lys de la France, la rose de l'Angle-

Cette peinture de James Walker illustre le départ de Montréal, en janvier 1818, d'un chargement de 130 000 dollars espagnols, transporté dans 65 tonnelets pesant 100 livres chacun, en route pour Boston, où il arriva une semaine plus tard, sous la direction du vice-président Thomas Turner. Il s'agissait de la première des opérations de change de l'histoire de la Banque de Montréal.

terre, le chardon de l'Écosse et le trèfle de l'Irlande. L'écu repose sur un ruban identifiant la banque et sur une corne d'abondance ; il est surmonté d'un castor rongeant une bûche d'érable. Deux Amérindiens se retrouvent de part et d'autre de l'écusson.

Ces pièces eurent cours légal jusqu'en 1858, date à laquelle le gouvernement commença à frapper des pièces de monnaie décimales, qui remplacèrent les pièces des banques privées.

Des périodes difficiles

La fusion, en 1821, des deux grandes compagnies de traite, la Compagnie de la Baie d'Hudson et la Compagnie du Nord-Ouest, eut de terribles conséquences pour les actionnaires de cette dernière. Ainsi, William McGillivray fit faillite en 1826, et la banque perdit 90 000 $, somme qui représentait 5,6 p. cent de son actif total. En 1827 et 1828, la banque ne put verser de dividendes pour la première — et la dernière ! — fois de son histoire. À ce chapitre, on peut ajouter qu'à l'exception de 1879, au lendemain de la crise économique de 1873-1878, la banque n'a jamais eu à puiser dans sa réserve générale.

La Banque de Montréal fut impliquée dans les plus grands dossiers: la construction du canal de Lachine en 1825, la construction du chemin de fer entre La Prairie et Saint-Jean-sur-Richelieu en 1837, l'instauration du service télégraphique en 1848, le boom de la construction ferroviaire au pays entre 1850 et 1885.

Le krach de 1929 causa d'énormes problèmes à la banque. Son chiffre d'affaires, qui venait tout juste de franchir le cap de 1 milliard de dollars, retomba sous la barre des 800 millions de dollars et y demeura pendant cinq ans. La banque ne s'en tira ni mieux ni moins bien que les autres. Il lui fallut attendre jusqu'à la fin des années 30 pour refranchir le cap de 1 milliard de dollars.

Deux anecdotes

Une entreprise qui en est à sa 170e année d'existence est évidemment fertile en anecdotes de toutes sortes. On se contentera d'en rappeler deux.

En 1840, un client, Lord Mark Kerr, aide de camp du gouverneur général Earl of Elgin, entra dans l'édifice à dos de cheval! Reconnu pour ses excentricités, il avait déjà conduit son cheval dans la salle à dîner de l'hôtel Donegana...

Un autre client devait également marquer l'histoire. En 1865, un Américain du nom de John Wilkes Booth ouvrit un compte à la Banque de Montréal; il logeait à l'hôtel St. Lawrence Hall, à deux pas de là. Quelques semaines plus tard, Abraham Lincoln était assassiné au théâtre Ford de Washington, atteint d'une balle à la tête. L'assassin: John Wilkes Booth.

Les hommes de la banque

Le premier président de la Banque de Montréal fut John Gray. Ex-associé de la Compagnie du Nord-Ouest, cet Anglais résidait sur une vaste propriété derrière la montagne.

Ses premiers successeurs furent Samuel Gerrard (1820-1826), spécialiste de l'import-export; le brasseur John Molson (1826-1830); l'Écossais John Fleming (1830-32), propriétaire de la société Hart, Logan & Co. et homme de lettres réputé (sa bibliothèque comptait pas moins de 11 000 livres), mort du choléra; Horatio Gates (1832-1834); et surtout le célèbre Peter McGill.

McGill occupa le poste pendant 26 ans, le plus long mandat de l'histoire de la banque. Arrivé d'Écosse en 1809 à l'âge de 20 ans, fils de John McCutcheon, il prit le nom de McGill à l'insistance de l'honorable John McGill, qui lui légua tous ses biens en 1835.

Homme d'affaires prospère, Peter McGill (le neveu) se révéla très entreprenant. Son nom fut associé au premier chemin de fer canadien en 1836, aux canaux de Lachine et Rideau, à l'organisation du transport sur l'Outaouais. Nommé au Conseil législatif du Canada en 1841, il en devint le président en 1847 et siégea au Conseil exécutif.

Autres personnalités très marquantes

Parmi les autres personnalités qui marquèrent l'histoire de la Banque de Montréal, mentionnons: George Stephen, baron de Mount Stephen, Donald A. Smith, baron de Strathcona et de Mount Royal (à la présidence pendant 18 ans), Sir George Drummond, R. B. Angus, Sir Vincent Meredith, Sir Charles Gordon, François Larocque, John Redpath, les Molson (John père, John fils, William, Herbert, Frederick W., Herbert W. et Hartland de M.), Sir John Rose, Sir George Simpson, Sir A.T. Galt, W.W. Ogilvie, Thomas G. Shaughnessy, Sir Arthur Currie, Sir Lomer Gouin, Louis Saint-Laurent, Henry G. Birks, Roger Létourneau, Georges P. Vanier, C. D. Howe, Paul Bienvenu, Lucien G. Rolland, James Sinclair, Leslie M. Frost, Samuel et Charles Bronfman.

À cette liste, il faut ajouter le nom de Joseph Masson. Vice-président de la banque de 1834 à 1847, Masson fut le premier millionnaire canadien-français.

Né le 5 janvier 1791 à Saint-Eustache, il était le fils du menuisier Antoine Masson et de Suzanne Pleyfert. En 1803, il entrait au service de l'importateur John Robertson, rue Saint-Paul, à Montréal, et quelques années plus tard, devenait un des associés de Robertson.

Ses succès en affaires attirèrent l'attention des anglophones et en 1826, Masson devenait l'un des administrateurs de la banque, avant d'en devenir son vice-président huit ans plus tard.

Il fut aussi conseiller de la Ville de Montréal, membre du Conseil législatif, juge de paix, ainsi que président de la compagnie de gaz responsable de l'éclairage de la ville.

Le 31 décembre 1832, Masson acheta la seigneurie de Terrebonne (il sera le dernier à porter le titre de seigneur de Terrebonne), au prix de 25 150 louis. Il y fit construire un manoir et de nouveaux moulins, mais n'eut jamais la chance d'en profiter puisqu'il mourut avant la fin des travaux. C'est sa femme, Marie-Geneviève Raymond, qui fit construire le château Masson.

Père de 12 enfants, Joseph Masson était reconnu comme un mécène, et plusieurs purent poursuivre leurs études grâce à sa générosité. C'est le cas notamment de Joseph-Adolphe Chapleau, futur Premier ministre et lieutenant-gouverneur du Québec.

REPÈRES

Nom: siège social de la Banque de Montréal.
Adresse: du 119 au 129, rue Saint-Jacques.
Métro: station Place-d'Armes, direction place d'Armes.

SOURCES:

Denison, Merrill: *Histoire de la Banque de Montréal* — Archives de la Banque de Montréal: *Historic Home-Coming for Canada's First Bank*, *Quelques données historiques sur la Banque de Montréal*, *Nouvelles de la Banque de Montréal* et documents divers — Parcs Canada, Inventaire des bâtiments historiques de Montréal: documents divers et *Banque de Montréal*, par Jacqueline Hallé — Ministère des Affaires culturelles: documents divers — Archives de la Ville de Montréal: documents divers — Association canadienne des automobilistes: *Héritage du Canada* — Bosworth, Newton: *Hochelaga Depicta* — Centre d'études en enseignement du Canada Inc.: *Horizon Canada* — De Volpi, Charles, et Winkworth, P. S.: *Montréal, Recueil iconographique* — Communauté urbaine de Montréal, Service de la planification du territoire: documents divers — Prévost, Robert: *Il y a toujours une première fois* — Documentation de *La Presse*: documents divers.

27

Le siège social de la Banque de Montréal (2)

Construction: 1845-47
Architecte: John Wells

Depuis sa fondation, la Banque de Montréal a eu son siège social toujours au même endroit, à l'emplacement choisi par ses fondateurs. Les trois sièges sociaux occupés depuis 1819 ont tous été construits dans le même quadrilatère, à proximité de la place d'Armes, sur la rue Saint-Jacques, il n'y a pas si longtemps encore considérée comme le coeur financier du Canada.

La première banque n'était ouverte que depuis quelques semaines, rue Saint-Paul, quand ses administrateurs décidèrent de construire un siège social. Le 6 février 1818, chez le notaire

Thomas T. Turner, les administrateurs achetèrent de James McDougall, au prix de 2 000 £, deux lots d'un total de 129 pieds de façade sur 100 pieds de profondeur, à l'angle nord-est des rues Saint-Jacques et Saint-François-Xavier. L'emplacement actuel de la place d'Armes et des édifices de la Banque de Montréal faisait partie de la concession de 30 arpents faite à Jean Durocher par Paul Chomedey de Maisonneuve, en janvier 1648.

La construction par les entrepreneurs Andrew White et Isaac Shay débuta peu de temps après l'acquisition du terrain. Le cahier des charges daté du 23 janvier 1818 existe toujours, mais il ne mentionne malheureusement pas le nom de l'architecte.

Le premier édifice

La banque s'y installa à l'été de 1819. L'édifice en pierre comportait un rez-de-chaussée et deux étages. Inspirée de

Ce tableau de Henry Simpkins montre à l'avant-plan John Richardson (chapeau sur la tête) examinant la fin des travaux de construction du premier siège social en compagnie de James Leslie, un des plus jeunes administrateurs de la banque, au printemps de 1819.

Tableau de l'artiste montréalais Georges Delfosse, montrant le premier édifice construit spécialement pour la Banque de Montréal, occupé par cette dernière de 1819 à 1847, et démoli en 1876.

l'architecture géorgienne, la façade à imposant porche* à colonnade* dorique surmonté d'un fronton* était coiffée d'un toit* en pavillon qu'encadraient quatre hautes cheminées.

Derrière l'édifice se trouvaient l'écurie, la glacière et les lieux d'aisance, tous construits en pierre. Un mur d'enceinte de 12 pieds de hauteur et de deux pieds d'épaisseur clôturait l'ensemble.

En façade, quatre superbes bas-reliefs* au-dessus des fenêtres du rez-de-chaussée illustraient l'agriculture, la navigation, les arts et métiers, et enfin le commerce.

Ils furent «moulés» en pierre Coade en 1819, à partir de dessins attribués à John Bacon. La pierre Coade est un procédé exclusif à la manufacture Coade, fondée par Elizabeth Coade en 1769. La pierre doit sa dureté exceptionnelle à la formule spéciale de préparation et de cuisson de l'argile. La statue originale de Nelson, installée place Jacques-Cartier en 1809, fut moulée dans ce matériau.

Les bas-reliefs sont toujours intacts.

Ce tableau de l'artiste Krieghoff montre la place d'Armes vers 1855. L'édifice à coupole est occupé par la Banque de Montréal depuis 1848 quoiqu'il ait subi d'importantes modifications au début du XXᵉ siècle.

En 1876, ils furent incorporés au bureau de poste de style néo-Renaissance conçu par H. Maurice Perrault et érigé sur l'emplacement du premier siège social. En 1935, le gouvernement fédéral rendit les bas-reliefs à la Banque de Montréal. On les entreposa avec soin jusqu'au jour où, en 1960, on les installa dans le couloir qui conduit de l'ancien siège social au nouveau, face au musée de la banque.

Quant à l'édifice lui-même, il fut vendu à la Banque du Peuple après le déménagement de 1848, puis démoli en 1876 après avoir été vendu au gouvernement fédéral ; ce dernier y érigea un bureau de poste six ans plus tard.

L'édifice de John Wells

Le succès de la Banque de Montréal força les administrateurs à envisager un nouveau déménagement, de préférence dans le même secteur. Les administrateurs optèrent pour le terrain adjacent au siège social, du côté est. Ils acquirent le terrain (un cimetière !) de 105 pieds de façade sur 91 de profondeur de la Fabrique de la paroisse Notre-Dame de Montréal le 29 mai 1845, devant le notaire Henry Griffin, pour une somme de 8 000 £.

À la suite d'un concours d'architecture, le bureau de Wells et fils fut choisi pour réaliser le projet soumis à un comité ad hoc. Mais entre-temps, le comité vit les plans du nouveau siège social de la Commercial Bank of Scotland, à Édimbourg, réalisé par le grand architecte écossais David Rhind. John Wells reçut alors le mandat de s'en inspirer.

Le siège social de la Banque de Montréal en 1865. À noter que l'édifice a perdu son dôme.

La construction commença en 1845 et se termina en 1847 ; le déménagement eut lieu en 1848. Le bâtiment en pierre était de style néo-classique. Il comportait une façade impressionnante par son portique* formé de six colonnes corinthiennes surmontées d'un fronton* à fond uni. Derrière le portique, de larges pilastres* excédaient la façade et encadraient les embrasures* de fenêtre.

Un dôme* en bois inspiré du Panthéon de Rome coiffait l'édifice, mais on dut l'enlever en 1859 lorsqu'on constata que le bois de la charpente* pourrissait. Les murs furent surélevés de 10 pieds et surmontés d'acrotères*, puis l'édifice fut doté d'un toit plat. Le bâtiment de deux étages mesurait 92 pieds de façade sur 65 de profondeur,

L'édifice de la banque sans sa coupole de bois, au cours des années 1880. Il est encadré par le bureau de poste (à gauche) et le siège social du Canadien Pacifique.

et l'arrière était adossé à la ruelle des Fortifications.

L'infrastructure du bâtiment fut construite en pin, mais on utilisa le chêne blanc pour la banque, le vestibule et le passage.

La splendeur des banques s'expliquait par l'absence d'une assurance-dépôt ; il fallait inspirer confiance aux clients éventuels, d'où le recours à un style somptuaire et l'utilisation de matériaux riches et spectaculaires.

Un Amérindien ... à moustache !

En 1859, la banque commanda une oeuvre au sculpteur John Steel pour enjoliver le fronton. L'oeuvre en pierre de Binny acheminée en 20 pièces d'un poids total de 25 tonnes fut installée en 1867. Elle mesure 52 pieds de longueur et se trouve à 50 pieds du niveau de la rue.

La sculpture montre les armoiries de la banque encadrées de deux Amérindiens. Côtoyant les Amérindiens, on peut voir un colon et un marin, chacun d'eux accompagné d'objets évocateurs de leurs activités respectives.

La curiosité de deux observateurs permit de faire une découverte étonnante en 1960. Freeman Clowery, archiviste de la Banque de Montréal, examinait la façade avec un télescope installé sur la place d'Armes. Son collègue Jack Carroll dirigea la lunette vers l'Amérindien de droite et découvrit, à sa grande surprise, que l'Amérindien arborait... de fières moustaches légèrement tombantes !

Photo Robert Nadon, *La Presse*
L'Amérindien...à moustache !

L'édifice de McKim

À la fin du XIXᵉ siècle, la Banque de Montréal était de nouveau à l'étroit. Il fallait agrandir, sans détruire la façade de Wells. Mais agrandir où ? Les deux terrains voisins de la banque étaient occupés, à l'ouest par le bureau de poste, et à l'est par le siège social du Canadien Pacifique.

Il restait une solution : construire vers la rue Craig, à l'arrière, après avoir obtenu de la Ville la permission de construire au-dessus de la ruelle des Fortifications, et après avoir acquis les deux terrains de la rue Craig, propriété de la Canada Paper Co. et d'un propriétaire du nom de «Boxer». Les terrains mesuraient 200 pieds de largeur sur 100 de profondeur.

À cause de la présence sous la rue Craig de la petite rivière Saint-Martin, il est vraisemblable que les entrepreneurs aient rencontré de nombreuses difficultés, mais les documents sont silencieux à ce sujet. En revanche, la correspondance entre différents intervenants confirme que les travaux ont à peine progressé au cours de l'été de 1901, à cause de difficultés imputables au sous-sol de la rue Craig.

La Banque de Montréal engagea le célèbre bureau d'architectes new-yorkais McKim, Mead et White, avec mandat de moderniser et d'agrandir le siège social existant. Incidemment, Stanley White, qui contribua grandement au projet, mourut d'une manière stupide, aux mains d'un jeune et riche playboy du nom de Harry Thaw, qui ne pouvait digérer de savoir que sa femme, Evelyn Nesbitt, continuait de faire «preuve de politesse» à l'endroit d'un ancien ami. Thaw régla le problème le 25 juin 1906 en assassinant le célèbre architecte au café Martin de New York.

Le contrat de construction fut signé le 30 mai 1901 ; Norcross Brothers, entrepreneur du Massachusetts, accepta de faire les travaux pour 574 000 $.

Pendant les quatre années des travaux, il fallait que la banque puisse poursuivre ses activités. On procéda donc par étape : excavation et construction des fondations et des murs du nouvel édifice de la rue Craig; érection du pont au-dessus de la ruelle, et de l'intérieur de l'édifice de la rue Craig; enfin, curetage de l'édifice de la rue Saint-Jacques, tant pour réorganiser l'espace que pour reconstruire le dôme, supporté cette fois par des poutres* d'acier qui consolidaient la maçonnerie de pierre originale.

Rue Saint-Jacques, la façade d'ordre corinthien en pierre calcaire n'a rien perdu de sa physionomie de 1845.

La façade en granite de Chelmsford de l'actuelle rue Saint-Antoine est considérée comme un chef-d'oeuvre. D'inspiration dorique, elle donne une impression de puissance, de sécurité et de dignité identique à celle des grands palais florentins de la Renaissance, surtout grâce aux grilles de bronze des fenêtres. Elle ne possède aucune ouverture à moins de 17 pieds du sol, hauteur d'où partent d'imposants pilastres toscans.

La rotonde et le propylée

Voyons maintenant l'intérieur. On entre par un vestibule s'ouvrant sur la rotonde*, qui correspond au centre de l'édifice de Wells. Le dôme* coiffe la rotonde à une hauteur de 90 pieds. Il est recouvert de tuiles de Guastavino,

Photo Luc Perrault, *La Presse*
La Banque de Montréal aujourd'hui, coiffée d'un dôme à coques jumelées.

disposées à la manière d'une mosaïque romaine, puis de feuilles d'or, de sorte qu'il change de valeur à tous les jours suivant le cours de l'or.

On parle de dôme, mais il s'agit plutôt d'une coupole* à double coque*. Le dôme aperçu à l'intérieur est en fait un faux dôme, et le vaste espace entre les deux coques sert de lieu d'entreposage. Notons que jadis, des appartements pour les employés de la banque occupaient le quatrième étage circulaire.

Photo Robert Nadon, *La Presse*
La statue de la Patrie victorieuse.

On grimpe quelques marches et on se retrouve dans le propylée* bordé par huit colonnes ioniques en syénite verte du Vermont, avec base en marbre noir de Belgique et chapiteau en bronze massif plaqué de feuilles d'or. Murs et piliers sont en marbre rose de Knoxville, au Tennessee.

Au fond du propylée se profile la statue de la *Patrie victorieuse*, réalisée par le sculpteur américain James Earle Fraser. La statue de marbre Serezza mesure neuf pieds de hauteur et repose sur un socle* en marbre Botticino de quatre pieds et demi.

Érigée pour honorer les 231 employés de la banque morts au champ d'honneur pendant la Première Guer-

Le propylée conduisant à la salle principale.

re mondiale, elle a été dévoilée le 3 décembre 1923 par Sir Vincent Meredith, président de la banque.

La salle principale

Le propylée débouche sur la spectaculaire salle principale, inspirée aux architectes par les basiliques de Sainte-Marie-Majeure et de Saint-Paul-hors-les-Murs, en Italie, elles-mêmes inspirées par les grandes salles de la Rome antique. D'ailleurs, la grande salle présente un profil basilical à l'extérieur.

Comparable à la salle des pas perdus d'une gare, cette salle mesure 172 pieds de longueur sur 84 de largeur et 56 de hauteur. Elle contient 32 colonnes corinthiennes de 31 pieds de hauteur avec fût* en syénite verte et chapiteau* plaqué de feuilles d'or. Groupées par quatre, les colonnes sont séparées par d'imposants pilastres de marbre rose de Knoxville. La corniche* décorative et l'entablement* sont de même matériau. Le plafond* à caissons est généreusement décoré. La lumière pénètre dans la salle par de grandes baies vitrées et par une claire-voie* au-dessus des colonnes.

L'édifice moderne

Le nouvel édifice, qui fait le coin Saint-Jacques et Saint-François-Xavier, a été inauguré le 30 novembre 1960, sur le terrain où se trouvait jadis le premier siège social de la banque, ac-

La salle principale en 1905.

Photo Luc Perrault, *La Presse*

La salle principale aujourd'hui.

quis du gouvernement fédéral le 31 décembre 1954.

La tour fut dessinée par les architectes Barott, Marshall, Merrett et Barott. D'un poids de 80 000 tonnes, l'édifice a nécessité 5 000 tonnes d'acier et 100 000 verges cubes de béton.

Il comporte une superficie utile de 250 000 pieds carrés dans deux ailes de 14 étages côtoyant une tour centrale de 17 étages, ainsi que quatre étages au-dessous du niveau de la rue Saint-Jacques. L'édifice s'élève à 280 pieds au-dessus de la rue Saint-Antoine, 260 au-dessus de la rue Saint-Jacques, et s'enfonce à une profondeur de 50 pieds sous le niveau de la rue Saint-Jacques. L'édifice mesure 153 pieds rue Saint-Jacques, 103 rue Saint-Antoine, et 202, rue Saint-François-Xavier.

Les chambres fortes de 6 800 pieds carrés sont protégées par des portes de 33 tonnes chacune. Mais ces portes installées par la société Chubb Safe Co. Ltd. sont si bien équilibrées qu'un enfant peut les ouvrir!

REPÈRES

Nom: siège social de la Banque de Montréal.

Adresse: du 119 au 129, rue Saint-Jacques.

Métro: station Place-d'Armes, direction place d'Armes.

Musée: Le musée comprend de nombreux objets historiques, ainsi qu'une collection très rare de tirelires mécaniques. Le musée est ouvert de 10 h à 16 h, du lundi au vendredi, jours de fête exceptés. Un guide bilingue répond aux questions des visiteurs. L'entrée est libre.

SOURCES:

Denison, Merrill: *Histoire de la Banque de Montréal* — Archives de la Banque de Montréal: *Historic Home-Coming for Canada's First Bank*, *Quelques données historiques sur la Banque de Montréal*, *Nouvelles de la Banque de Montréal* et documents divers — Parcs Canada, Inventaire des bâtiments historiques de Montréal: documents divers et *Banque de Montréal*, par Jacqueline Hallé — Ministère des Affaires culturelles: documents divers — Archives de la Ville de Montréal: documents divers — Association canadienne des automobilistes: *Héritage du Canada* — Bosworth, Newton: *Hochelaga Depicta* — Centre d'études en enseignement du Canada Inc.: *Horizon Canada* — De Volpi, Charles, et Winkworth, P. S.: *Montréal, Recueil iconographique* — Communauté urbaine de Montréal, Service de la planification du territoire: documents divers — Prévost, Robert: *Il y a toujours une première fois* — Documentation de *La Presse*: documents divers.

28

Le canal de Lachine

Construction: 1821-25
Ingénierie: Thomas Burnett

Il était inévitable qu'une série consacrée aux lieux historiques de Montréal aborda également certaines grandes places et infrastructures, comme le canal de Lachine, sans lesquelles Montréal ne serait pas Montréal.

Entreprise en 1821, la construction du canal de Lachine fut complétée en 1825. Mais l'histoire des canaux canadiens était déjà riche en réalisations.

Photo Banque de Montréal
C'est à bout de bras qu'on halait les bateaux à voile à partir de la rive pour franchir le sault Saint-Louis.

Photo Banque de Montréal
Derniers travaux de construction à Lachine vers 1825.

Premier canal canadien

Le premier canal jamais construit en Amérique du Nord fut celui de Coteau-du-Lac; sa construction fut terminée en 1781, sous la direction du capitaine William Twiss, commandant des Royal Engineers. L'invasion américaine de 1775-1776 avait convaincu le gouverneur général, Sir Frederick Haldimand, de l'importance des communications fluviales entre le Haut-Canada et le Bas-Canada.

Trois écluses découpaient ses 900 pieds. Le canal avait une largeur de 7 pieds et une profondeur de 30 pouces. L'endroit fut choisi en raison de la dénivellation (84 pieds sur une distance de 8 milles), la plus importante du Saint-Laurent.

Suivirent, en 1783, les canaux du Rapide-de-la-Faucille, du Trou-du-Moulin (tous deux à Pointe-des-Cascades) et du Rocher-Fendu, un mille et quart en amont de la pointe. Le canal des Cascades fut ajouté en 1805 pour remplacer les deux premiers. Les autres canaux (Rideau, Welland, Sainte-Anne, de Beauharnois, de Soulanges, etc.) vinrent après le canal de Lachine. Bien avant la construction de la Voie maritime du Saint-Laurent, ces canaux permirent de relier Montréal à l'extrémité occidentale du lac Supérieur, une distance de 1 305 milles avec dénivellation de 537 pieds.

Le canal de Lachine

Le sault Saint-Louis (ou rapides de Lachine) a toujours représenté un obstacle quasi insurmontable pour le développement de la colonie. Dès 1541, les rapides avaient empêché Jacques Cartier de remonter encore plus loin le Saint-Laurent. D'ailleurs, jusqu'à la construction du canal de Lachine, la seule façon de franchir la dénivellation des rapides (29 pieds et demi sur une distance de 5 900 pieds), c'était à l'aide d'embarcations spéciales: des bateaux à voile plats, en pin, étroits à l'avant et à l'arrière à la manière d'un canoë. Ces bateaux de 40 pieds sur 10 pieds remontaient le courant, halés à bout de bras le long du fleuve.

Les premiers colons cherchèrent donc très tôt un moyen de contourner le sault Saint-Louis. Entre Montréal et Lachine, la voie la plus naturelle suivait la rivière Saint-Pierre et le lac à la Loutre (aussi connu sous le nom de lac Saint-Pierre), au pied de la falaise sur laquelle serpentait la route Upper Lachine Road, entre la tannerie des Rolland, à Saint-Henri, et le village de Lachine.

Le premier projet, vers 1680, émana du Supérieur général des sulpiciens, François Dollier de Casson, qui reprit l'idée émise une dizaine d'années plus tôt par le sulpicien François de Salignac Fénelon, frère de l'archevêque de Cambrai. Après neuf ans de déceptions, Dollier de Casson vit enfin aboutir son projet le 13 juin 1689. Mais à peine les ouvriers s'étaient-ils mis à l'oeuvre que le massacre de Lachine vint mettre abruptement fin aux travaux, dans la nuit du 4 au 5 août.

Reprise des travaux

Après une parenthèse de 11 ans, les travaux reprirent en novembre 1700. Dollier de Casson et l'ingénieur-arpenteur royal Gédéon de Catalogne conclurent un marché à forfait signé le 30 octobre devant le notaire Adhémar. Contre paiement de 9 000 livres françaises, Gédéon de Catalogne s'engageait à relier, au plus tard en juin 1701, la rivière Saint-Pierre à la batture située près de la concession du dénommé LaChasse, à Lachine, par un chenal sans écluse de 7 pieds de longueur sur 12 pieds de largeur, avec profondeur minimale en tout temps de 12 pouces.

Hélas, en février, la caisse était à sec et il dut interrompre les travaux; le roc solide imprévu avait eu raison du budget. Faute de ressources additionnelles, et devant l'impossibilité d'obtenir une contribution du roi de France, Dollier de Casson abandonna. L'embryon de canal fut longtemps connu sous le nom de canal de La Morandière, du nom d'un des ingénieurs royaux de France, qu'on croyait être l'auteur des travaux. Gaspard-Joseph Chaussegros de Léry, responsable des fortifications du roi, tenta de ranimer le projet en 1717 et en 1733, mais sans succès.

Un rapport du gouverneur général Sir George Prevost mentionna l'existence d'un canal doté d'écluses qui aurait été construit entre 1779 et 1783. Par ailleurs, l'historien Castel Hopkins fit seul état de l'élargissement, entre 1801 et 1805, d'un canal existant déjà. S'agit-il d'un nouveau dragage de l'ouvrage entrepris par Gédéon de Catalogne? S'agit-il de méprises? Ces questions restent sans réponse car on n'a jamais trouvé de trace du prétendu canal et encore moins des écluses...

Les écluses de Montréal en 1877.

Photo *Canadian Illustrated News*

Une carrière de pierres pour l'agrandissement du canal.

Photo *Canadian Illustrated News*

Le cadre légal

Après une première tentative avortée en 1812 à cause de la guerre canado-américaine, la législature du Bas-Canada vota, le 25 mars 1815, à l'instigation d'un groupe d'hommes d'affaires montréalais, une loi qui accordait des crédits de 25 000 £ pour la construction d'un canal. Mais cette loi n'eut pas de suite.

En avril 1819, fut créée la Compagnie des propriétaires du canal de Lachine, formée de John Forsyth, Louis Guy, Jacques-Antoine Cartier, William McGillivray, Joseph Perrault, Thomas Porteous et David Ross. La compagnie tenta de vendre des actions pour la construction du canal prévu entre Lachine (en amont de l'embouchure actuelle) et le Pied-du-Courant, à Montréal, avec embranchement vers le port de Montréal. La compagnie retint les services de l'ingénieur britannique Thomas Burnett, qui évalua les travaux à 78 000 £. Ce fut un nouvel échec : vu le nombre insuffisant d'investisseurs, la compagnie rendit les armes au Gouvernement le 18 mai 1821.

Travaux d'agrandissement à l'écluse Saint-Gabriel au milieu du XXe siècle.

Photo *Canadian Illustrated News*

166

Le premier « vrai » canal de Lachine

Le 17 juillet 1821, John Richardson, président nommé par le gouvernement du Bas-Canada, leva enfin la première pelletée de terre symbolique en présence des commissaires François Desrivières, George Gordon, Charles William Grant, Thomas Phillips, Thomas Porteous, David Ross, et du secrétaire Frederick Griffin. Burnett demeura l'ingénieur en chef du projet, et les travaux furent exécutés par les sociétés Bagg & White, McKay & Redpath, et Phillips & White. Plus de 500 employés, en grande partie irlandais, y travaillèrent, et les travaux coûtèrent 109 601 £.

Ouvert à la circulation le 24 août 1824, le canal ne fut cependant complété qu'au printemps de 1825. Il se trouvait dans l'axe du lac à la Loutre (mais plus haut que le lac à la Loutre pour éviter d'être inondé) et de la rivière Saint-Pierre dont il suivait le parcours à proximité du port de Montréal. Long de 8 milles, sa largeur était de 48 pieds à la surface (contre 25 au fond) et sa profondeur de 54 pouces. Sept écluses de 100 pieds de longueur sur 20 de largeur permettaient de franchir la dénivellation de 47 pieds: trois près du port de Montréal, une à Saint-Gabriel (à la hauteur de l'actuelle rue des Seigneurs), deux à Côte-Saint-Paul, plus une écluse régulatrice à Lachine.

Les murs du canal étaient en terre; maçonnés dans les écluses, ils avaient là 6 pieds d'épaisseur. Sauf à Lachine où l'écluse fut percée dans le roc, le fond des écluses comportait un arc inversé*, afin de prévenir toute déformation imputable aux infiltrations d'eau ou aux cycles gel-dégel. À chaque printemps, il fallait réparer le mortier de chaux éteinte et de sable mordant qui réagissait mal aux rigueurs de l'hiver.

Les portes à doubles vantaux* furent construites en bois renforcé de métal. Elles étaient actionnées à la main par un système de treuils utilisé jusqu'à l'électrification en 1951.

Pas moins de 13 ponts enjambaient le canal, et des tunnels d'égout passaient dessous. Trois ponts, à Lachine et à Montréal, étaient en pierre, et les autres étaient en bois. Une palissade en bois clôturait le canal, mais il fallut très vite la remplacer par une clôture en pierre à cause du vandalisme.

Les travaux du milieu du XIXe siècle

Pour combattre l'influence néfaste du canal Érié qui drainait vers New York 50 p. cent du trafic des Grands Lacs destiné au port de Montréal, l'amélioration du réseau canadien de canaux s'imposait. Après avoir étudié la possibilité de prolonger le canal jusqu'en aval du courant Sainte-

Le vieux canal en amont des écluses de Lachine avant le maçonnage des murs.

167

Photothèque *La Presse*
*Un navire sous le pont levant de Saint-Pierre,
en 1932.*

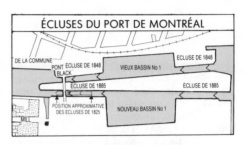

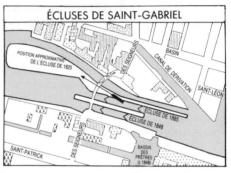

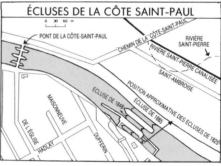

Dessins de Parcs Canada
*Montage montrant la position des écluses pour
chacune des trois époques.*

Marie, tel qu'envisagé initialement, il fut décidé de conserver le tracé existant.

Les travaux débutèrent en 1843 sous l'égide du Bureau des travaux publics. La largeur du canal fut alors portée à 120 pieds en surface et 80 au fond, avec 9 pieds de profondeur. Les travaux permirent aussi de réduire le nombre d'écluses de sept à cinq; on élimina une écluse à proximité du port de Montréal et une autre à Côte-Saint-Paul. Le sas (bassin) des écluses était long de 200 pieds, la largeur fut portée à 45 pieds et la profondeur à 9 pieds.

Les écluses furent construites en pierre de taille avec mortier hydraulique. Les portes étaient en poutres* de chêne et de pin, transpercées par de longs boulons de fer et renforcées par des attaches en chêne. Des vannes* en fonte actionnées par des crics et situées au bas des portes facilitaient l'admission de l'eau. Quant aux portes, elles étaient actionnées par des chaînes reliées à des cabestans*.

À l'entrée de Lachine, on construisit aussi une deuxième jetée en coffrages de pierres, poutres et maçonnerie. La jetée avait une largeur de 21 pieds sur une base de 29 pieds, et une hauteur de 7 pieds.

L'administration occupait la maison de pierre avec toit en fer blanc qu'on peut encore apercevoir rue Mill.

Au cours des années suivantes, les événements se précipitèrent: introduction du service de diligences entre

168

Un bateau passe sous le pont ferroviaire Wellington à la belle époque du canal de Lachine.

Montréal et Lachine, via les tanneries de Saint-Henri (1842); construction du chemin de fer entre Montréal et Lachine en 1844 (huit ans après le chemin de fer entre La Prairie et Saint-Jean-sur-Richelieu); construction du chantier maritime d'Augustin Cantin (1846); autorisation en 1847 de tirer de l'énergie hydraulique du canal par la construction de canaux d'amenée privés (ou de dérivation) actionnant des roues* à aube, ce qui entraîna l'industrialisation accélérée des rives; construction du chemin de fer du Grand Tronc dans le lit asséché du lac à la Loutre (1850), puis de la gare Bonaventure (1853) et des usines ferroviaires de Pointe-Saint-Charles pour la construction et l'entretien du matériel

roulant (1856); construction du canal de l'aqueduc (1856); construction du pont Victoria (1859); puis avènement des tramways à chevaux, rue Notre-Dame (29 novembre 1861). Montréal connaissait un développement exceptionnel, et de nouveaux villages et quartiers comme Griffintown, Pointe-Saint-Charles, Sainte-Anne, Saint-Henri, Sainte-Cunégonde, virent le jour sur les rives du canal.

Nouveaux travaux

Les derniers travaux majeurs se déroulèrent à partir de 1874, deux ans après que le Gouvernement eut décrété une profondeur standardisée de 12, puis de 14 pieds, suffisante pour permettre le passage de navires de 1 000 tonneaux. Quant aux écluses, elles furent portées à 270 pieds de longueur sur 45 pieds de largeur (à titre de comparaison, les écluses de la Voie maritime du Saint-Laurent mesurent 735 pieds de longueur sur 80 de largeur et 30 pieds de profondeur). Et on construisit une troisième jetée à Lachine, longue de 6 200 pieds.

Le canal de Lachine a eu sa part de conflits ouvriers. En 1843, quelque 1 300 manoeuvres de descendance irlandaise se mirent en grève, en janvier d'abord, puis en mars, pour protester contre les mauvaises conditions de travail. Mais, déchirés par des querelles internes, ils reprirent le travail sans avoir gagné une seule de leurs revendications. Quelque 40 ans plus tard, en

La section « Vieux-Lachine » du canal.

Photo Bernard Brault, *La Presse*
Les écluses Saint-Gabriel.

centre d'un parc linéaire doté de pistes cyclables. Parcs Canada souhaite le rouvrir un jour aux bateaux de plaisance, mais ce n'est sans doute pas pour demain.

1877, c'était au tour des manoeuvres du canal à débrayer, sans connaître plus de succès.

Après la construction d'un déversoir en 1900, à Lachine, les seuls travaux majeurs du XXe siècle eurent lieu au cours de 1930, alors qu'on recouvrit de béton les pierres de couronnement des écluses afin de porter leur profondeur à 16 pieds.

Au moment de sa fermeture à la circulation en 1968 (il fut momentané-

DIMENSIONS DU CANAL			
(en pieds)			
	1821-25	1843-48	1874-1883
CANAL			
Largeur (s)	48	120	120
Largeur (f)	25	80	80
Profondeur	4,5	9,0	14
ÉCLUSES			
Longueur	100	200	270
Largeur	20	45	45
Profondeur	4,5	9,0	14
(s) — Surface (f) — Fond			

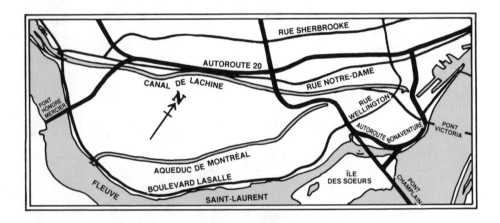

ment rouvert pendant quelques mois à l'été de 1969), le canal était traversé par six ponts routiers, trois ponts ferroviaires, l'autoroute Bonaventure et les échangeurs Turcot et Ville-Saint-Pierre. Trois tunnels croisaient son axe, soit les tunnels Wellington, Atwater et Saint-Rémi. Depuis s'est ajouté le tunnel du métro.

Aujourd'hui, le canal est devenu le

SOURCES:

Parcs Canada: *Canal de Lachine - Atlas historique, Chronologie générale et documents historiques* — Espesset, Hélène: *Canal Lachine, dossiers structuraux* — Archives de la Ville de Montréal: documents divers — Association Les mil Lieues (1986): *De la vapeur au vélo* — CIDEM-Communications: Collection *Pignon sur rue* — Centre d'études en enseignement du Canada Inc.: *Horizon Canada*.

29

La prison du Pied-du-Courant

Construction: 1832-36
Architecte: George Blaiklock
Monument historique classé

La vague de démolitions qu'exigeait le prolongement de l'autoroute Ville-Marie a passé bien près d'emporter la vieille prison du Pied-du-Courant au début des années 70. Mais c'était compter sans la levée de boucliers des défenseurs du patrimoine architectural, qui força le gouvernement Bourassa à abandonner le projet.

Les raisons de sauver ce monument étaient importantes: occupé depuis 1836 mais complété seulement en 1840 au coût de 104 000 $, ce bâtiment est l'un des plus beaux exemples d'édifices en pierre de taille grise, et il joua un rôle capital dans l'histoire du pays lors du soulèvement de 1837-38.

La prison du Pied-du-Courant ne fut évidemment pas le premier lieu de détention de Montréal. Voyons rapidement les geôles antérieures à cette prison.

Sous le régime français

Sous le régime français, les prisonniers étaient enfermés au fort de Ville-Marie, construit sur la rive sud de la rivière Saint-Pierre, un peu au sud de l'actuelle Pointe-à-Callière.

À la démolition du fort en 1682-83, la prison fut aménagée dans une maison du côté nord de la rue Notre-Dame, à l'ouest de la rue de la Congrégation (actuel boulevard Saint-Laurent). L'emplacement fut plus tard occupé par l'église d'Angleterre de 1804 à 1856, puis par l'actuel ensemble immobilier du nom de Crystal Block.

Comme cette maison était alors dans un piètre état, on reconstruisit la prison au même endroit. Aux deux cachots utilisés à partir de juillet 1708 s'ajoutèrent en 1720 une chambre d'audience et le logement des geôliers puis, en 1730, un mur d'enceinte dont l'intendant Gilles Hocquart ordonna la construction.

La faible dimension des lieux s'expliquait par le fait que la détention prolongée était alors inexistante; les sentences se résumaient aux châtiments corporels infligés place du Marché (actuelle place Royale) ou à la peine de mort. Quand une longue détention s'imposait, le prisonnier était embarqué sur les galères du roi.

Sous le régime anglais

Vers 1783, la prison fut déménagée dans un édifice de la résidence des Jésuites, construit en 1742 du côté nord de la rue Notre-Dame est, à proximité de l'emplacement de l'actuel hôtel de ville. En 1802, on construisit, vraisemblablement au même endroit, une nouvelle prison, détruite lors de la conflagration de 1803. Il fallut donc retourner temporairement dans la vieille prison.

La première vraie prison fut érigée en 1808 sur l'emplacement de l'actuelle place Vauquelin, en retrait de la rue Notre-Dame. L'argent provenait d'une taxe spéciale à l'importation imposée malgré l'opposition des marchands anglophones.

Conçu par Joseph Courcelle dit Chevalier, l'édifice en pierre comportait un sous-sol dégagé et deux étages. Surmontée d'une coupole*, la partie centrale comportait un perron orné d'un fronton*. Les ailes latérales symétriques étaient dotées d'un toit* en croupe. Les prisonniers passaient la journée dans des salles communes de 50 à 60 pieds de longueur sur 30 de largeur et dormaient dans des petites cellules à peine plus grandes qu'une couchette, attenantes à ces salles.

En 1824, on reconstruisit le mur d'enceinte, et on ajouta vraisemblable-

La prison du Champ-de-Mars lors de sa construction en 1808, d'après James Duncan.

ment le corps de garde à colonnade érigé en bordure de la rue Notre-Dame. Cette prison fut démolie en 1860, après avoir servi de maison d'industrie, de baraquement militaire, de palais de justice temporaire, et d'édifice municipal.

La prison moderne

Les démarches pour la construction d'une prison moderne commencèrent le 2 mars 1825 par une recommandation unanime des Grands Jurés du district de Montréal.

Après avoir songé à construire sur le terrain adjacent à celui de la prison du Champ-de-Mars, les commissaires optèrent pour un emplacement connu sous le nom de Pied-du-Courant, ainsi nommé parce qu'il se trouvait tout juste en aval du courant Sainte-Marie créé par le rétrécissement du chenal entre les îles Sainte-Hélène et de Montréal.

La prison du Pied-du-Courant vers 1839, d'après James Duncan.

Le terrain appartenait à Archibald Kennedy Johnson, descendant de Sir John et de William Johnson. Le contrat de vente fut signé le 9 novembre 1830 devant le notaire Louis Guy; Johnson cédait aux commissaires Pierre de Rocheblave, Frederick Auguste Quesnel et John Try un terrain de 10,61 acres (328 pieds de front sur six arpents de longueur), borné par la rue Sainte-Marie (actuelle rue Notre-Dame) en façade, les terrains de Louis Parthenais à l'est, un autre terrain de Johnson au nord, et l'avenue Colborne (actuelle avenue de Lorimier) à l'ouest. En 1833, on fit l'acquisition de 7,5 arpents additionnels au nord, mais ces terrains furent cédés en 1879 à la Compagnie du chemin de fer du Nord, en même temps qu'un droit de passage à l'est, sur des terrains acquis de Thomas Logan en 1839.

Le terrain de la prison diminua légèrement en 1873, quand la Ville décida de prolonger la rue Craig (actuelle rue Saint-Antoine) vers l'est jusqu'à la rue Sainte-Marie, forçant le recul du mur d'enceinte et de son portail* d'une cinquantaine de pieds.

Une oeuvre de George Blaiklock

Les plans de la prison du Pied-du-Courant furent dessinés en 1825 par l'architecte George Blaiklock, dont ce fut le chef-d'oeuvre, au terme d'un concours décrété par le gouverneur, Sir George Ramsay, comte de Dalhousie.

Né à Londres en 1792, George et son frère Henry Musgrave Blaiklock arrivèrent au Canada vers 1823, afin d'y poursuivre leur carrière en architecture. Dalhousie n'est probablement pas étranger à leur installation à Québec puisque George avait épousé une nièce du gouverneur.

L'oeuvre de Blaiklock fut limitée puisqu'il mourut cinq ans après son arrivée au pays. Il eut cependant le temps de dessiner la chapelle de la Trinité, l'hôtel Union et l'édifice de la Bourse, tous à Québec.

Un autre Anglais d'origine, John Wells, devint responsable de la surveillance de l'exécution des travaux à partir de plans et de devis qui, précisait la

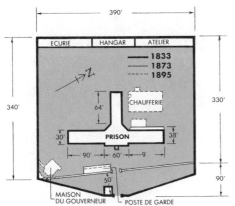

ECURIE | HANGAR | ATELIER

390'

— 1833
— 1873
---- 1895

CHAUFFERIE

64'

PRISON

30' · 38'

90' · 60' · 9

340'

330'

90'

50'

MAISON DU GOUVERNEUR · POSTE DE GARDE

Croquis de Gilles Dussault, *La Presse*

Emplacement des bâtiments construits au XIXe *siècle.*

Photo ministère des Affaires culturelles

Façade originale du corps central, mais privée de son fronton.

Gazette officielle, «étaient dans les deux langues». L'architecte Wells fut beaucoup plus célèbre. Arrivé d'Angleterre en 1830, il réalisa d'importants travaux. Mentionnons à Montréal le marché Sainte-Anne (place d'Youville), le siège social de la Banque de Montréal et l'édifice des Francs-Maçons, et à Québec, la succursale de la Banque de l'Amérique Britannique du Nord et l'église Presbytérienne.

La construction accusa d'importants retards dès le départ; l'édifice devait être prêt en 1833, mais les trois principaux «marchés de construction», comme on disait à l'époque, ne furent signés qu'en 1832 devant le notaire Henry Griffin, soit le 25 janvier par William Lauder et William Spier (maçonnerie et charpente), le 8 février par Christopher Patch (briquetage), et le 31 mars, par Robert Morton et Asa Kimball (boiseries et plâtrage).

Photo ministère des Affaires culturelles

La prison du Pied-du-Courant vers 1900.

173

Description de l'édifice

D'architecture néo-classique, l'édifice original en pierre* de taille bouchardée présentait une façade de 240 pieds départagée en trois sections: un corps central de 60 pieds, encadré de deux ailes de 90 pieds de longueur chacune. À l'arrière, se trouvait une aile de 64 pieds de longueur perpendiculaire au corps principal. La largeur des trois ailes était identique à 30 pieds. Ces données indiquent que l'architecte utilisa une unité de 15 pieds comme module, que respectent le portail, les deux pans* coupés et même la hauteur des étages démarqués par un bandeau* de pierre. L'épaisseur des murs varie de trois pieds au sous-sol à deux pieds et demi aux étages.

Le corps central excédait les ailes latérales et comportait un sous-sol, un rez-de-chaussée et trois étages. Il était coiffé d'un toit* à pignon à deux versants*, dans le prolongement des deux côtés du fronton* dépouillé de la façade. Les ailes avaient un étage de moins et étaient surmontées d'un toit* en croupe.

Les cuisines et les salles de toilette se trouvaient au sous-sol. Le corps central logeait les services comme les salles de réception et de classe, les locaux des jurés et des geôliers et la chapelle. Aux étages se trouvaient les locaux d'incarcération, tous voûtés* et finis en brique: 32 cellules d'isolement de 12 pieds sur 8; 114 cellules mesurant gé-

Photo Antoine Désilets, *La Presse*

Cette vue d'ensemble datant de 1975 permet d'apercevoir les bâtiments anciens, la maison du gouverneur devant la cheminée, et tout juste derrière, le corps central et les deux ailes latérales.

Photothèque *La Presse*

L'entrée de la prison.

La prison au début des années 30.

Photothèque *La Presse*

Les événements de 1837-38

La prison du Pied-du-Courant devint inévitablement le principal centre de détention lors des «troubles» de 1837-38. Mais pas le seul puisqu'on rouvrit la prison du Champ-de-Mars et transforma le magasin Fry de Pointe-à-Callière en prison temporaire.

La révolte de 1837 entraîna l'emprisonnement de près de 500 prisonniers politiques. Tous furent libérés à la suite d'une amnistie proclamée après que huit chefs, dont Wolfred Nelson, eurent accepté l'exil.

L'insurrection de 1838 se solda par l'emprisonnement de plus de 800 patriotes. Des 108 prisonniers jugés par une cour martiale, 99 furent condamnés à mort, et 12 montèrent sur l'échafaud érigé au-dessus du portail d'entrée, probablement le même portail qu'on peut encore voir aujourd'hui, rue Saint-Antoine: Joseph-Narcisse Cardinal et Joseph Duquette le 21 décembre 1838; Pierre-Théophile Decoigne, François-Xavier Hamelin, Joseph-Jacques Robert et Ambroise Sanguinet le 18 janvier 1839; et François Chevalier de Lorimier, Amable Daunais, Charles Hindelang, Pierre-Rémi Narbonne, François Nicolas et Charles Sanguinet, le 15 février 1839. Les pendaisons publiques furent interdites à partir de 1869.

Un monument a été érigé à la mémoire des patriotes, dans le triangle formé par les rues Notre-Dame, Saint-Antoine et de Lorimier, sur un emplacement jadis occupé par une balance municipale.

La pendaison de cinq patriotes sur l'échafaud installé au-dessus du portail, selon un dessin d'Henri Julien.

néralement 8 pieds sur 5, hautes de 6 pieds; six quartiers ouverts et 33 chambres à coucher pour débiteurs incapables de rembourser leurs créanciers. Les murs en brique étaient portants*, ce qui causa d'énormes problèmes au moment des transformations.

L'aile arrière était réservée aux femmes, qui partagèrent la prison avec les hommes jusqu'à la construction de la prison des Femmes, rue Fullum, dirigée par les soeurs du Bon-Pasteur et inaugurée en 1876. Cette institution ferma ses portes en 1964, après l'inauguration de la prison Tanguay.

Au fond du terrain de 4,75 acres délimité par un mur d'enceinte en pierre des champs de 13 pieds de hauteur et de deux pieds d'épaisseur se trouvaient

La porte cochère du mur d'enceinte en 1929... et aujourd'hui.

les écuries, les ateliers et les hangars en bois. Un corps de garde situé en bordure de la rue Sainte-Marie permettait de contrôler l'accès à la prison.

Les transformations physiques

Les édifices originaux ont subi de profondes transformations au fil des ans. Relevons les principales : construction d'un corps de garde en 1839 ; réaménagement de la chapelle, lourdement endommagée par un incendie dans la toiture du corps central en 1843 ; démolition de l'intérieur et du mur arrière de l'aile est afin de l'élargir de huit pieds en 1851 ; construction d'un attique* sur le toit de l'aile est par les architectes Ostell et Perrault, et construction d'un atelier en pierre dans la cour arrière par l'architecte Georges-Frédéric Baillargé en 1852 ; recul de 50 pieds du mur, du portail et du corps de garde en 1873 ; construction de la maison du gouverneur par l'architecte montréalais Arthur Gendron, en 1895. Seule la façade de cette maison est en pierre de taille ; par ailleurs, la maison a conservé de nombreux éléments d'origine (galerie, fenêtres, cloisons, portes, cadres moulurés, foyers, etc.)

De nombreuses améliorations furent apportées aux conditions de détention : l'éclairage au gaz et l'apparition de lits dans les cellules en 1839 ; installation de bains et d'un nouveau système d'égout et d'aqueduc en 1840 (auparavant, l'eau provenait de citernes placées aux extrémités des ailes et remplies par une pompe actionnée par dix prisonniers) ; et réaménagement des systèmes de chauffage et de ventilation, en 1851.

L'arrivée de la Commission des liqueurs du Québec

Après le déplacement des prisonniers vers Bordeaux en 1912 et 1913 (le pénitencier de Saint-Vincent-de-Paul existe depuis 1872), l'édifice ne servit à aucune tâche définie jusqu'en 1921, alors que s'y installa la Commission des liqueurs du Québec (future Société des alcools du Québec).

La CLQ effectua d'importants travaux, notamment à l'édifice principal. D'abord, l'aile arrière fut démolie. Puis, après avoir enlevé les toits en croupe des ailes latérales, on haussa la façade d'un étage en brique et en pierre au-dessus de la corniche* et on coiffa tout le bâtiment d'un toit* à terrasse. L'intérieur du cadre des fenêtres a également subi d'importantes modifications. En fait, la partie des murs qui est en pierre de taille et la large corniche en pierre sont tout ce qui reste de l'architecture ancienne, en plus du portail, et de deux courtes sections du mur d'enceinte.

REPÈRES

Nom : prison du Pied-du-Courant.
Adresse : 905, avenue de Lorimier.
Métro : station Papineau, vers l'est jusqu'à l'avenue de Lorimier, puis vers le sud jusqu'à la rue Saint-Antoine.

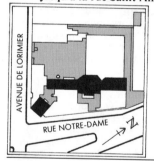

SOURCES :

Ministère des Affaires culturelles : documents divers — Groupe de recherche en art du Québec, sous la direction de Luc Noppen : *La Prison du Pied-du-Courant* — Archives de la Société des alcools du Québec : documents divers — Bastarache, Raoul : *Pied-du-Courant : une prison des patriotes, un siège social* — Revue d'architecture canadienne : *La prison du Pied-du-Courant à Montréal* — Archives de la Ville de Montréal : documents d'archives divers — Fournier, Me Rodolphe : *Lieux et monuments historiques de l'île de Montréal*.

30

L'entrepôt de la Compagnie de la Baie d'Hudson à Lachine

Construction: 1804
Maçons: Jean-Baptiste Boutonne et Joseph Chevalier

Archives de la Compagnie de la Baie d'Hudson
Le vieux hangar de pierre au milieu du siècle dernier.

L'entrepôt de la Compagnie de la Baie d'Hudson, à Lachine, devenu le parc historique national du Commerce de la fourrure, illustre bien les problèmes que rencontrent architectes et historiens lorsqu'ils entreprennent la restauration d'un bâtiment historique sans l'aide de plans ou documents pertinents. Si l'apport ponctuel de l'iconographie ou de la tradition peut à l'occasion éclairer certains points nébuleux, ce n'est malheureusement pas le cas de l'édifice qui abrite ce musée.

En fait, seul un curetage en règle du bâtiment aurait pu suppléer à l'absence de plans et de documents, et éclairer les architectes sur les composantes architecturales avant qu'ils n'entreprennent la restauration. Hélas, un désastreux incendie survenu le samedi 31 mars 1979 a réduit ces espoirs à néant.

La restauration n'est représentative d'aucune époque et comprend des éléments des différentes utilisations, très faciles à identifier par les encastrements* dans les murs de pierre. Au surplus, la restauration fut essentiellement conjoncturale. Même les dimensions du bâtiment à différentes époques sont imprécises; il a fallu se contenter des éléments disponibles.

Entrée de Gordon au dossier

L'histoire du bâtiment commença avec l'acquisition par Alexander Gordon, le 15 juin 1803, d'un terrain en bordure du lac Saint-Louis, à Lachine, jusqu'alors propriété de Duncan Campbell, de Glendaruel, en Écosse, héritier du colonel John Campbell, surintendant des Affaires indiennes pour le Bas-Canada. Signé par Me John A. Gray, mandataire de Campbell, le contrat de vente ne précisait pas les dimensions du terrain, mais faisait mention des achats des cinq lopins de terre qui le formaient et qui, eux, mesuraient globalement sept arpents sur 40 (un arpent équivaut à 191,03 pieds anglais).

De son vrai nom Alexander McTaggart, Gordon naquit vers 1766, dans le Ayrshire, en Écosse, région où vivaient toujours son frère John et sa soeur Isabella, épouse de Thomas Coughtrie, vers 1820. Il aurait emprunté le nom de Gordon à son oncle (et exécuteur testamentaire), Alexander Gordon, marchand à Glasgow.

Arrivé à Montréal en août 1788, il partit presque aussitôt pour le Témiscamingue, où il travailla d'abord pour la compagnie Grant & Campion, puis pour la Compagnie du Nord-Ouest. Au moment où il fit l'acquisition des lots 459 et 460 du terrier des sulpiciens, Gordon était déjà installé à Lachine.

Le contrat de construction

Le 27 septembre 1803, Gordon conclut un «marché» avec Jean-Baptiste Boutonne et Joseph Chevalier, maîtres maçons du faubourg Saint-Laurent, à Montréal. Selon le contrat signé chez le notaire Louis Chaboillez, Boutonne et Chevalier devaient ériger, sur un terrain à proximité du lac Saint-Louis, au sud-ouest de la propriété nouvellement acquise, un hangar en pierre des champs de 60 pieds (pieds français) sur 36, avec des murs de 18 pieds de hauteur et de deux pieds d'épaisseur hors terre.

Le contrat faisait également état d'une certaine impatience chez Gordon, car il stipulait que la construction devait débuter en octobre et se poursuivre «sans interruption jusqu'à ce que le tout soit parachevé autant que la saison le permette». Pour coiffer le bâtiment, Gordon avait opté pour un toit à deux versants* appuyé sur deux murs-pignons* en maçonnerie.

Le bâtiment comportait un sous-sol, un rez-de-chaussée et des combles*. Les ouvertures étaient peu nombreuses. Dans chacun des deux murs long-pan, on retrouvait deux soupiraux* pour le sous-sol et une porte centrale encadrée de deux fenêtres au rez-de-chaussée. Le mur-pignon ouest était percé de deux larges portes conduisant au sous-sol, alors qu'à l'autre extrémité, on ne retrouvait que deux ouvertures, au rez-de-chaussée. S'agissait-il de portes ou de fenêtres? Impossible de le préciser puisque ce mur a subi les épreuves du temps, à cause de la construction d'une poudrière, puis de l'incendie dont le foyer se situait justement dans cette partie du bâtiment.

On ignore également si la toiture comportait des lucarnes*; en revanche, on sait qu'aucune cheminée ne la perçait, ce qui est tout à fait normal étant donné l'utilisation prévue pour le bâtiment.

Photo Communauté urbaine de Montréal

Le vieux hangar «déguisé» en logements, tel qu'il apparaissait au moment de son acquisition par le ministère des Affaires indiennes. L'appentis qu'on aperçoit en partie, à gauche, ne faisait pas partie du bâtiment original.

L'arrière de la maison à l'époque où on y avait aménagé quatre logements.

Photo Communauté urbaine de Montréal

L'entrepôt de la Compagnie de la Baie d'Hudson, tel qu'il apparaît aujourd'hui.

Photo Pierre Côté, *La Presse*

Nombreuses interrogations

Le «marché» de charpente* et de menuiserie étant resté introuvable, on ne sait rien de l'aménagement intérieur; nos connaissances se limitent au mur* de refend en pierre qui séparait la cave en deux dans l'axe est-ouest. Chaque «demi-cave» était accessible par une porte dans le mur-pignon ouest.

Certaines énigmes persisteront sans doute longtemps. Il en va ainsi des grosses pièces de bois, sises à une distance de 15 pouces sous les solives*, et coupées à ras le mur. S'agissait-il d'anciennes solives ainsi coupées afin de hausser les solives du plafond du rez-de-chaussée jusqu'à leur hauteur actuelle (sept pieds et demi)? S'agissait-il plutôt de fiches pour suspendre les peaux comme on le suppose? Rien ne permet de l'affirmer avec certitude. En revanche, on peut présumer que la charpente et la menuiserie furent l'oeuvre de Charles-Simon Delorme et Amable Perrault, les compagnons habituels de Boutonne et Chevalier dans ce type de construction.

On présume, toujours sans pouvoir l'affirmer, que le bâtiment servit d'en-trepôt dès le départ, puisque Gordon était à l'emploi de la Compagnie du Nord-Ouest, et que rien ne l'empêchait d'arrondir ses fins de mois en louant ce hangar à son employeur. Gordon n'était pas riche; au moment de la construction, il dut emprunter 200£ à Daniel McKay, de Berthier.

À la mort de Gordon en 1806, ses fils George et William héritèrent de ses biens. Ses fils étant mineurs, tout fut confié à la curatelle de Thomas Yeoward et Jaspard Tough. Cependant, malgré la clarté apparente du testament rédigé en 1800, le frère et la soeur d'Alexander le contestèrent. Finalement, le jeune William dut, pour résoudre le problème, racheter de John et Isabella McTaggart, et de Thomas Coughtrie (mari d'Isabella), la propriété et les bâtiments, au coût de 1 337£. La transaction fut réglée devant le notaire Thomas Barron le 21 juin 1826.

La Compagnie de la Baie d'Hudson

Le 23 septembre 1833, la Compagnie de la Baie d'Hudson fit l'acquisition, devant le notaire John Blackwood, de la propriété de William Gordon (partie sud de ses terres, de deux arpents et demi de largeur, sises de part et d'autre du canal de Lachine, et comportant une grande maison en bois ainsi que le hangar de pierre sur la jetée du canal), le 23 septembre 1833, dans l'étude du notaire John Blackwood.

Au moment de l'acquisition, la Compagnie de la Baie d'Hudson avait déjà absorbé (en 1821) la Compagnie du Nord-Ouest. Fondée en 1779 par la fusion de neuf sociétés rivales décidées de combattre le monopole de la Compagnie de la Baie d'Hudson, la Compagnie du Nord-Ouest avait repris les routes de traite des Français, abandonnées depuis 1760. Elle fut dirigée par deux Écossais, Simon McTavish et William McGillivray.

La Compagnie de la Baie d'Hudson lui était antérieure de plus de 100 ans, puisque le groupe «Le Gouverneur et la Compagnie des Aventuriers d'Angleterre faisant commerce dans la Baie d'Hudson» avait obtenu sa charte royale en mai 1670. Charles Bayly en fut le premier «gouverneur», mais la compagnie fut en réalité fondée par deux Français, Médard Chouart, sieur des Groseillers, et son beau-frère, Pierre-Esprit Radisson, pour le compte du roi Charles II d'Angleterre.

L'achat des terres de William Gordon fut conclu par l'Écossais James Keath, associé de la Compagnie du Nord-Ouest depuis 1814, «chef facteur» de la Compagnie de la Baie d'Hudson depuis la fusion, puis responsable des opérations de la compagnie à Lachine de 1827 à 1843.

Photo Jean-Yves Létourneau, *La Presse*
Qui régnera? La Compagnie de la Baie d'Hudson ou la Compagnie du Nord-Ouest?

George Simpson était le grand patron de la compagnie depuis 1826. Né à Loch Broom, en Écosse, ce fils illégitime élevé par sa tante Mary Simpson fut initié au commerce par son oncle Geddes Mackenzie Simpson. Remarqué pour ses talents de courtier en sucre, il devint membre de la Compagnie de la Baie d'Hudson et présida à l'intégration de la Compagnie du Nord-Ouest, à titre de gouverneur.

Simpson s'installa d'ailleurs dans la maison de bois sise au nord du hangar de pierre, dont elle était séparée par le canal de Lachine inauguré huit ans plus tôt. Mais dès 1834, il s'était fait construire un manoir digne de son rang. Le manoir Simpson fut démoli en 1888 pour faire place au sanctuaire Sainte-Anne du complexe conventuel qui existe toujours, face au vieux hangar de pierre. Simpson mourut en septembre 1860.

Les premières transformations

Le bâtiment subit ses premières transformations majeures à une date qui se situe entre 1833 et 1848. En premier lieu, la compagnie fit construire une poudrière* de 6 pieds de longueur sur 38 de largeur, prolongeant d'autant le bâtiment. La poudrière comportait deux voûtes de 11 pieds de hauteur. La poudrière était accessible par une double porte percée dans le mur sud, et la ventilation était assurée par deux soupiraux dans le mur est.

On profita de ces travaux pour refaire le toit, en remplaçant le toit à pi-

Photo Association «Les Mil Lieues»
Le coin des Amérindiens.

Photo Jean-Yves Létourneau, *La Presse*
Le coin des pelleteries.

gnon par un toit en pavillon de style géorgien, à revêtement de bardeaux et à quatre versants* reposant sur trois fermes*-maîtresses et huit fermes secondaires, distancées de quatre à cinq pieds. Les murs-pignons des extrémités furent rasés jusqu'à la hauteur de la sablière* du toit. Chacun des deux versants en croupe était percé d'une lucarne*. Deux tirants* joignaient les sablières des deux murs long-pan.

Pourquoi cette nouvelle toiture quand il aurait été si simple de cons-truire un toit en appentis* au-dessus des voûtes? On croit que Simpson avait voulu donner au bâtiment l'apparence des autres entrepôts de la compagnie. La cave nord fut transformée en cave à vin, tandis que la cave sud continua de servir d'entrepôt pour les énormes canots de la compagnie. Ces embarcations mesuraient jusqu'à 36 pieds et pesaient environ 600 livres. Les cargaisons transportées pour le troc avec les Amérindiens pesaient 2,5 tonnes.

L'ère « moderne »

Les soeurs de Sainte-Anne acquirent le domaine le 20 février 1861 devant le notaire J. Gibb. Le bâtiment connut ensuite divers usages jusqu'au moment de sa vente au ministère des Affaires indiennes, le 30 mai 1977.

Lorsqu'elles acquirent le bâtiment, les soeurs l'aménagèrent pour y loger la famille du serviteur dans la partie est du hangar, adjacente à la poudrière. Deux classes et une buanderie complétaient le rez-de-chaussée. Un dortoir occupait le grenier; pour ce faire, on avait dû couper les deux ti-

Photo Association «Les Mil Lieues»
L'entrepôt à la tombée du jour.

Photo Jean-Yves Létourneau, *La Presse*

Le coureur des bois.

rants ainsi que les faux-entraits* des fermes. Et il est vraisemblable de penser que deux des lucarnes du côté nord furent ajoutées à ce moment-là. Enfin, la construction d'une nouvelle buanderie à l'angle sud-ouest eut pour effet de condamner une des portes du mur ouest.

Vers 1888, les religieuses décidèrent de remplacer les deux voûtes par un logement additionnel. Un appentis vint ensuite se fixer au mur est de l'ex-poudrière.

Au moment où les religieuses vendirent l'édifice, le bâtiment logeait quatre familles, ce qui avait entraîné des modifications à chacune des faces de l'édifice. Ainsi, la face nord comportait quatre portes et six fenêtres (y compris la petite fenêtre de l'appentis), et quatre lucarnes à toit en croupe sortaient du toit en tôle* à baguettes. Une grande galerie meublait cette façade à revêtement de papier goudronné.

Aujourd'hui, l'édifice loge un musée consacré au commerce de la fourrure. L'exposition fait revivre les grands moments du commerce de la fourrure grâce aux nombreux tableaux imaginés par les concepteurs. En circulant parmi les pelleteries, les ballots de fourrure, les caisses de marchandise et les barriques de vivres, point n'est besoin de beaucoup d'imagination pour revoir en esprit les canoës remplis de fourrure accoster sur la rive du lac Saint-Louis, à proximité de l'entrepôt, pour y déverser leur chargement. Quels merveilleux souvenirs!

REPÈRES

Nom: entrepôt de la Compagnie de la Baie d'Hudson.

Adresse: 1255, boulevard Saint-Joseph, Lachine.

Téléphone: (514) 637-7433.

Métro: station Lionel-Groulx, prendre l'autobus 191 ouest, descendre à la 12e Avenue, et se diriger vers le canal de Lachine.

Musée: saison d'hiver: ouvert du mercredi au dimanche inclusivement, de 10 h à 12 h, puis de 13 h à 17 h; saison d'été, ouvert de 9 h à 12 h, et de 13 h à 17 h30, sept jours par semaine (lundi matin excepté). Visite autoguidée. Pleine accessibilité aux handicapés. Entrée et stationnement libres.

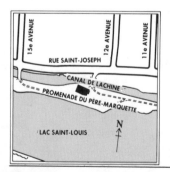

SOURCES:

Parcs Canada: documents divers et *L'entrepôt de la Compagnie de la Baie d'Hudson à Lachine*, par Alain Rainville — Lemire, Jacques: *Entrepôt de la Hudson's Bay Company, à Lachine, étude historique et architecturale* — Communauté urbaine de Montréal, Service de la planification du territoire: documents divers — Documentation de *La Presse*: documents divers.

31

La maison Reid Wilson

Construction: 1882
Architecte: John James Browne
Reconstruction: 1901
Architecte: Richard A. Waite
Monument historique reconnu

Cette photo de la rue Sherbrooke en 1893, tirée de L'histoire du commerce canadien-français de Montréal, 1535-1893, permet de voir la maison telle que construite par John James Browne pour le banquier Thomas Craig. À remarquer, l'oriel érigé en biais avec deux faces de la maison.

L'installation du siège administratif d'une grande entreprise dans un vieil édifice n'est jamais une sinécure. Le plus souvent, ce genre d'immeuble est peu fonctionnel, ses recoins sont nombreux, les puits d'escalier occupent un volume inutilement vaste, et le chauffage et la climatisation engendrent des dépenses incroyablement élevées.

Mais malgré tous ces obstacles, la satisfaction de jouer le rôle de «bon citoyen corporatif» et la fierté d'occuper un bâtiment riche en histoire ou en architecture incitent un nombre grandissant d'entreprises à suivre cette voie.

Il fallait d'ailleurs, lors d'une visite des lieux, voir et entendre Roger Lachapelle, président et chef de la direction des distilleries Corby, parler de la maison Corby pour réaliser que cette distillerie canadienne n'a jamais regretté son acquisition.

La maison Craig

L'édifice situé à l'angle nord-est des rues Sherbrooke et Drummond a porté trois noms au cours de son histoire, ceux de maison Craig, de maison Reid Wilson et de maison Corby.

L'édifice occupe un terrain issu de la propriété du financier William Workman, que les héritiers avaient partagée en lots en 1879. En 1882, le banquier Thomas Craig (il était le beau-frère de Matthew Hamilton Gault, fondateur de la compagnie d'assurances Sun Life) fit l'acquisition des lots s1 et s2 du cadastre 1759 du quartier Saint-Antoine, et fit immédiatement construire une résidence aussi vaste que somptueuse par l'architecte montréalais John James Browne. Premier édifice érigé sur l'ancien domaine Workman, la maison comportait un sous-sol, un rez-de-chaussée et un étage.

Pour l'enveloppe extérieure, Browne choisit la pierre calcaire grise bosselée, entrecoupée de bandeaux en pierre de taille unie, matériau également retenu pour le cadre des fenêtres. Ce traitement architectural était semblable à celui de Morrice Hall, autre oeuvre construite par Browne.

Le portique* d'inspiration gothique proposait des colonnes larges et courtes, surmontées de chapiteaux* sculptés. Un escalier droit conduisait au portique.

Le bâtiment présentait trois oriels* à deux étages montant de fond: un rue Sherbrooke, à toit plat et décoré d'une corniche* à denticules*, à la droite de l'escalier, un deuxième, similaire, au milieu de la face de la rue Drummond, et un troisième — une nouveauté pour l'époque — à angle* tronqué, doté d'une serre à l'étage et surmonté d'un dôme* à trois pans* en métal ouvré. La maison était dotée d'un toit plat et

La maison Reid Wilson, en 1917. Cette photo provient de The Board of Trade of Montreal.

couronnée d'une large corniche à denticules.

Craig n'eut guère le temps d'apprécier la chaleur de sa nouvelle demeure. Impliqué dans la faillite de la Banque d'Échange du Canada, Craig dut s'enfuir aux États-Unis dès l'année suivante, et en 1884, sa femme loua la maison à James Baxter. Puis, tour à tour, James N. Greenshields, en 1887, Baxter lui-même, en 1889, et James Reid Wilson, en 1900, achetèrent la maison.

Engagement de Waite

Le nouveau propriétaire était un homme d'affaires influent de Montréal. Il était président et directeur administratif de la Thomas Robertson Limited (locataire d'un édifice situé sur l'emplacement actuel du quotidien

The Gazette, rue Saint-Antoine), directeur de la Dominion Coal Co., et un des plus riches propriétaires fonciers de la ville.

Dès qu'il fit l'acquisition de la maison, Wilson décida de la transformer radicalement. À cette fin, il engagea Richard A. Waite, architecte de Buffalo, qui venait tout juste de terminer l'édifice du Grand Tronc, au 360, rue McGill, après avoir conçu l'édifice Canada Life, au 275, rue Saint-Jacques, l'Assemblée législative de l'Ontario, à Queen's Park (Toronto), et l'édifice Standard Life, qui s'élevait jadis rue Saint-Jacques à Montréal.

Waite redessina complètement l'édifice, mais recycla tous les matériaux et les principaux éléments décoratifs tout en conservant le vocabulaire architectural adopté par Browne pour la pierre de l'enveloppe extérieure. Il ne fait pas l'ombre d'un doute que le bâtiment actuel porte plus l'empreinte de Waite que celle de Browne.

Description de la façade

Waite commença par ajouter un étage dissimulé sous un toit* mansardé à versants* aigus, recouvert d'ardoise rouge brique, et percé de deux lucarnes* individuelles et de jeux de trois ou quatre lucarnes.

Puis il recomposa complètement les deux principales faces par deux transformations majeures: élimination de

Photo Jean Goupil, *La Presse*
La maison telle qu'elle apparaît aujourd'hui.

L'oriel montant de fond de la rue Drummond, coiffé d'une calotte demi-circulaire.

Photo Jean Goupil, *La Presse*

Le portique de la rue Sherbrooke.

deux des trois oriels, et déplacement de l'entrée principale vers l'est de la façade asymétrique de la rue Sherbrooke.

Cette entrée principale se trouve au fond du portique supporté par une des colonnes massives à chapiteau sculpté provenant du portique de Browne. L'entrée est accessible par un escalier rayonnant décoré d'une magnifique balustrade* en fer forgé, et sous lequel se trouve une des pièces du sous-sol.

À la gauche de l'entrée se trouve un exhaussement* continu sur trois étages, se terminant par un jeu de quatre lucarnes encadrées de quatre pilastres sculptés et surmontés d'un linteau* et d'une toiture à trois versants excédant la mansarde. L'enseigne «Corby» est fixé au trumeau* de cet exhaussement.

Le langage architectural de la face Drummond est sensiblement le même, exception faite de l'oriel à deux étages montant de fond. Cet oriel demi-circulaire a la particularité de présenter ce qui fut jadis une serre surmontée d'un dôme surbaissé en métal ouvré. Au-dessus de l'oriel, on retrouve un jeu de deux lucarnes, encadrées de pilastres* sculptés comme sur la rue Sherbrooke.

Des faces est et nord, il y a peu à dire ; on se contentera d'attirer l'attention sur le balcon accroché au mur nord, à proximité de l'escalier imposé par le modernisme.

La propriété est délimitée à l'avant par un muret*, déjà évident sur une photo de 1893 et aujourd'hui surmonté d'une clôture en fer forgé. À l'arrière, un mur en pierre bosselée relie la maison à un bâtiment où se trouvaient jadis une écurie au rez-de-chaussée et la maison des serviteurs à l'étage. Trois des murs de ce bâtiment sont en pierre calcaire, et le quatrième, du côté nord, est en brique.

Wilson occupa la maison jusqu'en 1936, alors qu'il la vendit à Ernest Latrémouille. Ce dernier transforma les deux édifices en maison de pension pour étudiants, et ajouta même un deuxième logement à l'étage de l'écurie. Cette utilisation causa évidemment certains dommages à l'intégrité architecturale de l'intérieur de la maison, mais heureusement rien d'irréparable ne fut commis.

Les distilleries Corby Limitée acquirent le domaine en 1951. Fondée en 1859 par Henry Corby, à Corbyville, près de Belleville, en Ontario, où se trouve d'ailleurs son usine principale, cette entreprise est installée à Montréal depuis 1907. La maison de la rue Sherbrooke fut acquise au coût de

Un édifice qui n'a plus rien de l'écurie d'antan.

Foyer remarquable pour son linteau sculpté.

Magnifique verrière, à l'étage. Les boiseries sculptées abondent dans la maison.

250 000 $ et, selon Roger Lachapelle, le nouveau propriétaire dut dépenser quelque 800 000 $ pour la restauration. Le siège administratif de l'entreprise y emménagea le 15 septembre 1951.

L'intérieur de la maison

L'intérieur de la maison est tout simplement étourdissant. Dès l'entrée accessible par une lourde porte sculptée en bois, on remarque la qualité des boiseries en acajou du plafond et les banquettes en marbre.

Le hall principal s'ouvre sur un impressionnant escalier largement éclairé par un puits de lumière qui s'ouvre sur les combles et le puits de lumière extérieur. Un vitrail sans doute importé d'Europe anime le pied de l'escalier conduisant au deuxième étage.

Les panneaux de boiseries, les couvre-calorifères en bois sculpté, les cadres moulurés et les moulures importées des États-Unis abondent partout. Il est indéniable que rien n'a été négligé au moment d'habiller l'intérieur de la maison.

Installé dans ce qui fut jadis la salle de séjour, le bureau du président se singularise par son plafond en métal repoussé. Les lustres sont aussi impressionnants que variés, mais hélas, à l'exception d'un seul, tous ont perdu leurs clés pour l'éclairage au gaz.

Si les boiseries sculptées sont impressionnantes, les plus belles pièces décoratives demeurent les foyers qu'on retrouve dans toutes les pièces, et qui sont sculptés dans le marbre, le bois ou le plâtre, et tous étaient prévus pour le chauffage au gaz.

Deux foyers sont tout particulièrement remarquables, le premier dans la salle du conseil d'administration, taillé d'une seule pièce dans un morceau de marbre découvert au pied du Vésuve, et l'autre, dans le bureau du président, pour la beauté de ses boiseries.

Au surplus, ce gigantesque écrin qu'est la maison Corby dissimule plusieurs dizaines de peintures d'artistes canadiens, une partie seulement des 400 oeuvres acquises par l'entreprise et ses filiales.

Quant à «l'écurie», son intérieur a été transformé en salle de réception inaugurée en 1976, à l'occasion des Jeux olympiques de Montréal, après le déménagement du service des ventes à l'île des Soeurs. Les deux appartements à l'étage ont été rénovés.

REPÈRES

Nom : maison Reid Wilson.
Adresse : 1201, rue Sherbrooke ouest.
Métro : station Peel, direction rue Sherbrooke.

SOURCES :

Distilleries Corby : documents divers — Communauté urbaine de Montréal, Service de la planification du territoire : documents divers — Groupe de recherche sur les bâtiments en pierre grise de Montréal : *Analyse architecturale* — Université Laval : *Dictionnaire biographique du Canada*.

32

Le « vieux » palais de justice

Construction : 1851-56
Architectes : John Ostell et
H.-Maurice Perrault
Monument historique reconnu

Dessin du premier palais de justice, inauguré en 1800, du côté sud de la rue Notre-Dame, entre les rues Saint-Gabriel et Saint-Vincent. Dessin tiré de Montréal, Recueil iconographique, *de Charles De Volpi et P.S. Winkworth.*

L'administration de la justice a toujours soulevé beaucoup de passions à Montréal à cause des nombreux démêlés qui ont marqué l'histoire des différents palais de justice depuis le début du XIXe siècle. Et le gouvernement n'a guère aidé sa cause en négligeant de consulter juges, avocats et fonctionnaires, en plus d'empiéter avec persistance sur leur territoire pour loger les gestionnaires de ministères autres que celui de la Justice.

Le résultat? L'histoire de l'administration de la justice à Montréal ne manque pas de rebondissements, et le fait que la ville ait conservé trois des quatre édifices spécifiquement construits pour servir de palais de justice tient presque du miracle.

Le rôle des jésuites

Les jésuites ont joué un rôle prépondérant — quoique à leur corps défendant — dans le choix de l'emplacement du palais de justice, car on peut raisonnablement se demander où les palais de justice auraient été construits si le pape Clément XIV n'avait pas décidé d'abolir la Compagnie de Jésus, le 21 juillet 1773, car le tout premier palais de justice fut érigé sur une propriété littéralement « volée » aux jésuites.

Au milieu du XVIIIe siècle, donc vers la fin du régime français, la Justice occupait deux bâtiments; les cours civi-les et criminelles étaient installées dans un édifice jouxtant la première prison de Montréal, du côté nord de la rue Notre-Dame, à l'est de la place d'Armes, tandis que le greffe logeait à l'angle nord-ouest des rues Notre-Dame et Saint-François-Xavier.

À cette époque-là, les jésuites possédaient un immense terrain, actuellement occupé par le « vieux » palais de justice, la place Vauquelin, l'hôtel de ville et le champ de Mars. Ils avaient acquis cette propriété de Jean-Vincent

Le « vieux » palais de justice en 1856. Dessin tiré de Montréal, Recueil iconographique, *de Charles De Volpi et P.S. Winkworth.*

Le « vieux » palais de justice en 1873. Dessin tiré de Montréal, Recueil iconographique, *de Charles De Volpi et P.S. Winkworth.*

Une des plus anciennes photos du palais de justice, vers 1880, avant qu'on ajoute un étage et la coupole.

Philippe de Hautmesnil par contrat de vente signé chez le notaire Bénigne Basset, le 28 avril 1692, avec l'autorisation du père Claude Dablon, supérieur de la Compagnie de Jésus. Paul Chomedey de Maisonneuve, Lambert Closse et Gabriel Souart, curé de Notre-Dame et oncle de Hautmesnil, avaient possédé ce terrain avant ce dernier.

Peu après cette acquisition, les jésuites construisirent une résidence, une chapelle particulière et une église ; ces bâtiments formaient un « U » ouvert sur la rue Notre-Dame, l'église se trouvant sur l'emplacement de l'actuelle place Vauquelin.

Profitant de l'abolition de la Compagnie de Jésus, le nouveau gouvernement britannique la déposséda de ses biens, condescendant toutefois à laisser aux jésuites demeurés au pays la pleine jouissance de leurs propriétés. Le R.P. Jean-Joseph Casot, mort à Québec le 18 mars 1800, fut le dernier à en profiter.

Il fallut attendre plus d'un siècle pour que cette injustice soit corrigée ; le 5 novembre 1889, le Premier ministre Honoré Mercier, et le R.P. Adrien-T. Turgeon, recteur du collège Sainte-Marie et procureur de la Compagnie de Jésus, signaient chez le notaire Cyrille Tessier un acte de cession et de règlement qui, précisait-on, répondait à une obligation « morale » du gouvernement et à rien d'autre. Conformément à cet acte, les jésuites reçurent en compensation la commune de La Prairie et une indemnité de 400 000 $... dont ils ne purent conserver que 40 p. cent ! On peut facilement s'imaginer ce que vaudrait actuellement le rectangle concerné si les jésuites n'en avaient pas été dépossédés...

Le premier palais de justice

En 1764, l'administration de la Justice se transporta donc à la résidence des jésuites et y demeura jusqu'à la construction du premier palais de justice, le seul qui n'existe plus.

Le contrat de construction fut octroyé le 5 novembre 1799 aux maîtres entrepreneurs montréalais François Daveluy dit Larose et Basile Proulx.

Le bâtiment prévu par le « marché » comportait un sous-sol, un rez-de-

Le palais de justice tel qu'il apparaît aujourd'hui.

Une des salles d'audience où on a siégé pour la dernière fois en 1960.

Photo de l'annexe du palais de justice, à l'ouest et en retrait de ce dernier.

chaussée et un étage sous un toit* en croupe coupé par le toit* à pignon du corps central exhaussé. L'édifice en pierre mesurait 140 pieds (français) de longueur sur 54 dans la partie la plus large. Chaque aile mesurait 40 pieds de longueur.

Le corps central surmonté d'un fronton* décoré d'armoiries et d'un clocheton* comportait un fenêtrage* cintré, par opposition au fenêtrage rectangulaire des ailes. Les murs atteignaient jusqu'à six pieds d'épaisseur au sous-sol. Des salles spacieuses et six chambres fortes voûtées pour documents précieux distinguaient plus spécialement l'intérieur.

Le bâtiment fut terminé au coût de 25 000 $ le 20 décembre 1800 (six mois avant le délai prévu) par Larose, même si Proulx, son associé, avait obtenu l'autorisation notariée de se retirer du marché le 24 avril 1800.

Un mur surmonté d'une grille de fer entourait l'édifice. La grille fut fabriquée par un dénommé Gosselin qui, pour la couler, aurait créé la première fonderie de l'histoire de Montréal.

Cet édifice fut utilisé jusqu'au 17 juillet 1844, alors qu'un violent incendie causa des dégâts considérables pendant la nuit du 17 au 18.

Tandis que les politiciens palabraient sur l'opportunité de construire un nouvel édifice, il fallut se loger ailleurs. Dans les jours qui suivirent le désastre, les militaires qui occupaient l'ancienne prison du Champ-de-Mars durent céder leur place aux tribunaux.

À l'automne de 1849, il devint nécessaire de démolir l'aile ouest de l'an-

Dessin d'une deuxième annexe, qu'on avait songé, au début des années 20, de construire en bordure de la rue Notre-Dame et devant la première annexe. Ce projet a été abandonné.

cienne prison afin de préparer la reconstruction en plus grand. Il fallut encore une fois trouver un local temporaire aux cours, qui déménagèrent au château Ramezay, où elles restèrent jusqu'en 1856.

Le « vieux » palais de justice

Pendant qu'on déblayait le terrain pour le futur palais de justice, le gouvernement institua un concours d'architecture, gagné par John Ostell et H.-Maurice Perrault. Ostell réalisa de grandes oeuvres à Montréal ; on lui doit notamment le Grand Séminaire, l'église Saint-Jacques, l'ancienne maison de la Douane et les tours de l'église Notre-Dame. Quant à Perrault, son neveu, il dessina les plans de l'hôtel de ville de 1878 et la succursale postale de la place d'Armes, en 1873.

Les travaux commencèrent au printemps de 1851, mais les demandes de changements répétées de la Magistrature et du Barreau, avec Antoine-Aimé Dorion et George-Étienne Cartier comme têtes d'affiche, entraînèrent de nombreux retards dans l'exécution des travaux, de sorte que le palais de justice ne fut disponible qu'en mai 1856, et parachevé en février 1857.

Construit en pierre de taille au coût de 400 000 $, le bâtiment mesure 295 pieds (anglais) de longueur sur 106 dans sa partie la plus large. Cet édifice de style ionique était un parfait modèle d'architecture victorienne jusqu'à ce qu'on le transformât en 1890, comme on le verra plus loin.

Ces modifications n'ont heureusement pas impliqué l'entrée principale, qui a conservé toute sa splendeur originale. On y accède toujours par deux majestueux escaliers à palier, en pierre, conduisant à un portique* de 75 pieds de longueur sur 22 de largeur, surmonté d'un imposant fronton reposant sur six colonnes ioniques formant un impressionnant péristyle*. Chaque aile comportait deux frontons similaires à celui du corps principal (dont un plus petit), et des colonnes ioniques identiques à celles de la façade meublaient les extrémités latérales du bâtiment.

Le fenêtrage était rectangulaire, à l'exception des fenêtres à arc* surbaissé du sous-sol. Le toit* à pignon à versants* multiples était couvert de fer blanc. La façade comportait peu d'éléments décoratifs, si on excepte la corniche*, les·entablements* qui démarquaient les étages, les chaînages* des angles et les pilastres* dissimulés par les colonnes cannelées en pierre de taille.

Jusqu'en 1859, on travailla à améliorer les abords du palais de justice ; on démolit le reste de la prison désaffectée, puis le mur pour faciliter l'élargissement de la rue Notre-Dame ; ensuite, on érigea la fontaine Neptune (elle sera en place jusqu'en 1902) et on planta des arbres.

Mais à peine s'était-on installé dans le nouvel édifice que surgirent des problèmes de ventilation et d'hygiène. On alla même jusqu'à imputer à l'atmosphère malsaine des pièces sombres, humides et mal ventilées, la mort de Mᵉ J.A. Perkins, en 1875.

Construction de la coupole

Le premier projet sérieux d'agrandissement (un édifice de sept étages en pierre blanche polie) surgit en 1887, et en vue de cette éventualité, le gouvernement fit l'acquisition de l'église Saint-Gabriel, sur la rue du même nom, au coût de 17 790 $. Ce projet fut cependant abandonné, et trois ans plus

Photo Pierre McCann, *La Presse*
Le remarquable escalier du hall d'entrée.

190

Photo Pierre McCann, *La Presse*
La cage d'ascenseur aujourd'hui disparue.

tard, on décidait d'ajouter un étage et une coupole* au bâtiment existant.

Pendant que la Ville installait le cordon de pierre qui ceinture le parterre du palais, et que les tribunaux déménageaient encore une fois au château Ramezay, en 1889, l'architecte Maurice Perrault, de la firme Perrault & Mesnard, complétait les plans d'agrandissement. Cet architecte était le fils de H.-Maurice Perrault mentionné plus haut. Les travaux furent confiés à Charles Berger, de Montréal, en septembre 1890. Lorsqu'ils débutèrent, le 3 décembre 1890, le gouvernement Mercier croyait s'en tirer avec 200 000 $.

Tandis que juges et avocats s'évertuaient encore une fois à proposer des modifications importantes aux plans originaux, les travaux s'arrêtèrent du 19 janvier 1891 jusqu'à l'automne, avec le résultat qu'en novembre on avait à peine complété l'érection des murs extérieurs.

Pendant cet arrêt, l'entrepreneur découvrit que la charpente* et les murs* de refend ne pourraient jamais supporter le poids d'un étage additionnel en pierre et celui du dôme* en bois. Il devint aussi évident que le budget initial ne tiendrait pas.

En février 1892, les travaux s'arrêtèrent de nouveau à la demande du nouveau Premier ministre Charles-B. de Boucherville, qui avait succédé à Mercier en décembre 1891. Les travaux ne reprirent qu'en septembre 1892, après que l'architecte Alphonse Raza eut repris les plans.

La faiblesse du bâtiment avait entraîné la construction de nouvelles fondations, et on en profita pour remplacer le bois par de la brique, du ciment et du fer partout où la chose était possible. Il en résulta qu'à la fin des travaux, en octobre 1894, il ne restait plus du bâtiment original que les murs extérieurs, et la note s'élevait à 915 500 $.

Construction de la première annexe

Se retrouvant de nouveau à l'étroit, le ministère de la Justice se résigna dès 1897 à louer l'édifice Pérodeau, situé du côté ouest de la rue Saint-Gabriel, entre les rues Notre-Dame et Saint-Jacques. Une passerelle vitrée (enlevée en 1927) relia cet édifice au palais de justice dès 1898.

191

Le 25 août 1902, la décision fut prise de construire une annexe sur l'emplacement de l'église Saint-Gabriel. Les démolisseurs s'attaquèrent à l'église dès le 2 juin 1903. Construite en bordure de la rue Saint-Jacques (ce segment de rue est aujourd'hui disparu) et en retrait du bâtiment principal, cette annexe fut érigée en deux ans, au coût de 200 000 $ par les entrepreneurs Prénoveau et Martineau, selon les plans des architectes des Travaux publics révisés par N.-A. Cantin, jeune architecte canadien vivant à New York.

Cette annexe se marie fort mal avec le bâtiment principal. En outre, elle est dotée d'une façade au langage architectural pompeux, dont il faut surtout remarquer le fenêtrage et l'entrée principale inutilement majestueuse pour une «annexe».

Mais encore une fois, à cause de l'envahissement des lieux par divers ministères, il devint évident que l'annexe ne suffirait pas, pas plus que les bâtiments acquis par le gouvernement à partir de 1907 à l'intérieur du quadrilatère délimité par le boulevard Saint-Laurent et les rues Saint-Jacques, Saint-Gabriel et Notre-Dame. Il fallait voir «plus grand», comme la suite le montrera.

Abandonné en 1971 à la suite de l'ouverture du palais ultra-moderne qui le côtoie, le palais de justice a de nouveau connu son heure de gloire de 1972 à 1976, alors qu'il logea le Comité organisateur des Jeux olympiques. L'édifice abrite aujourd'hui des services municipaux.

Son intérieur a évidemment subi d'importantes modifications à cause de son utilisation actuelle. Il a notamment perdu ses cages d'ascenseur qui faisaient son charme. Mais l'escalier à balustrade de l'entrée principale, les boiseries et les corniches en plâtre ont tous gardé leur charme d'antan.

REPÈRES

Nom: «vieux» palais de justice.
Adresse: 155, rue Notre-Dame est.
Métro: station Champ-de-Mars, direction rue Notre-Dame.

SOURCES:

Les cahiers des dix: *Le Palais de justice de Montréal et ses abords*, par Maréchal Nantel — Archives de la Ville de Montréal: documents divers — Ministère des Affaires culturelles du Québec: documents divers — Parcs Canada, Inventaire des bâtiments historiques du Canada: documents divers — Archives nationales du Québec: documents divers — Ministère des Travaux publics du Québec: *Palais de justice* — Comité organisateur des Jeux olympiques: documents divers — Communauté urbaine de Montréal, Service de la planification du territoire: documents divers — De Volpi, Charles P. et Winkworth, P.S · *Montréal, Recueil iconographique* — Documentation de *La Presse*: documents divers.

Photo Pierre McCann, *La Presse*

Les couloirs voûtés.

33

Le «nouveau» palais de justice

Construction: 1922-25
Architectes: L. A. Amos, Charles J. Saxe et Ernest Cormier

Il arrive trop souvent que sans un malheur qui ouvre brusquement les yeux des gouvernants, un problème pourtant grave resterait éternellement sans solution au nom des sacro-saintes priorités.

Au début des années 1910, on savait qu'il fallait un nouveau palais de justice à Montréal, mais rien ne bougeait. Même si des commissions d'études recommandaient depuis longtemps déjà la construction d'un nouvel immeuble vaste et moderne, il fallut un court-circuit dans le système électrique du «vieux» palais de justice, le 11 mars 1915, pour avoir finalement raison de la résistance des politiciens... cinq ans plus tard !

Photothèque *La Presse*

Cette photo du 18 mai 1921 montre le pâté de vieilles maisons qu'il fallut démolir pour construire le «nouveau» palais de justice. Ces maisons sont celles de la rue Notre-Dame.

L'incendie de 1915

L'incendie prit naissance au dernier étage de l'aile ouest et se répandit aux combles* avec la rapidité de l'éclair. Évalués à 100 000 $, les dégâts furent considérables, particulièrement aux archives et dans les chambres des juges. Comble de malheur, l'incendie causa la mort d'un huissier audiencier, Patrick D. Gleason.

Le 14 février 1920, le gouvernement québécois sanctionnait enfin la loi autorisant la construction d'une «nouvelle annexe au palais de justice» et l'acquisition, de gré ou de force, des immeubles du quadrilatère délimité par les rues Notre-Dame, Saint-Vincent, Sainte-Thérèse et Saint-Gabriel, le tout pour un montant n'excédant pas «deux millions de piastres». (Ce montant fut porté à 3 millions de dollars le 15 mars 1924, et le coût final fut de 5 millions de dollars.) Et il s'agissait bien d'une «annexe», non d'un édifice indépendant; d'ailleurs, un tunnel de 190 pieds était prévu sous la rue Notre-Dame pour relier l'«annexe» au palais.

Un emplacement historique

L'emplacement choisi provoqua beaucoup de remous, d'abord à cause de la spéculation immobilière qui permit à certains de s'enrichir outrageusement (l'expropriation coûta 660 000 $), ensuite parce que s'y trouvaient des maisons des XVIIIe et XIXe siècles qu'il fallut forcément démolir.

Le terrain fit d'abord partie du fief de 100 arpents concédé le 2 février 1658 à Raphaël-Lambert Closse, sergent-major de la Garnison de Montréal, par Paul Chomedey de Maisonneuve. Il commençait à 10 perches (une perche équivaut à 368 pi[2]) du Saint-Laurent et s'étendait sur une largeur de 40 perches. Closse s'y fit construire une maison fortifiée qui se situerait aujourd'hui à l'angle nord-est du boulevard Dorchester et de la rue Saint-Dominique. Vers la fin de 1659, Closse vendit la partie sud de son fief à l'abbé Gabriel Souart, curé de Notre-Dame, qui acquit l'autre moitié trois ans plus tard, à la mort de Closse aux mains des Iroquois.

Aucun moyen mécanique ne fut utilisé pour l'excavation. C'est à force de bras qu'elle fut réalisée.

Photo du « nouveau » palais de justice vers la fin des travaux.

Le 4 janvier 1676, Souart vendit une partie de huit arpents, entre la rue Saint-Paul et le nord de la rue Craig (actuelle rue Saint-Antoine), à son neveu Jean-Vincent Philippe de Hautmesnil, qui la subdivisa pour revente. Le contrat de vente stipulait que l'acquéreur devait « bâtir dans l'an et le jour ».

L'acquéreur acceptait aussi de « porter la terre à la mare à Bouchard » (sans doute s'agit-il d'Étienne Bouchard, chirurgien bien connu à l'époque). Cette mare se trouvait dans sa partie sud, entre les rues Saint-Sulpice et Saint-Denis (actuelle rue de Vaudreuil). Le remplissage ne suffit pas; il fallut, pour l'assécher, construire deux canaux, un en 1708 parallèle à la rue Saint-Paul, dans l'axe de l'actuelle rue Sainte-Thérèse, et un deuxième en 1734 qui atteignait le fleuve en traversant de biais la rue Saint-Paul.

De nombreuses personnalités

Le terrain était riche en histoire, et de grands noms y ont vécu. Mentionnons notamment: Madeleine de Roybon d'Alonne, une vieille demoiselle qui vécut ses 28 dernières années à Montréal; Gédéon de Catalogne, arpenteur, cartographe et ingénieur, constructeur des fortifications du roi; Constant Le Marchand de Lignery, écuyer et militaire qui s'illustra contre les Amérindiens, mais qui avait tendance à confondre les affaires militaires avec son commerce de la fourrure; John Richardson, dont on a largement parlé dans les chapitres sur la Banque de Montréal et du canal de Lachine; Ludger Duvernay, imprimeur, journaliste, homme politique et patriote, propriétaire et éditeur de plusieurs jour-

Le « nouveau » palais de justice, tel qu'il apparaît aujourd'hui.

194

naux, dont *La Minerve* (publiée à l'angle des rues Notre-Dame et Saint-Gabriel), initiateur de la Fête nationale du 24 juin et de la fondation de la société Saint-Jean-Baptiste de Montréal; Édouard-Raymond Fabre, libraire, patriote et homme politique, dont on a parlé dans le chapitre sur la maison de La Sauvegarde; James Ferrier, marchand, homme politique, promoteur de chemin de fer, et philanthrope, un des Montréalais les plus riches du milieu du XIXᵉ siècle, dont on a parlé dans le chapitre sur le club des Ingénieurs; Louis Perrault, libraire, imprimeur et éditeur du *Vindicator*; André Ouimet, brillant avocat, président de l'aile politique des Fils de la Liberté, emprisonné puis libéré en 1838, et conseiller municipal du Quartier-Est de Montréal; George-Paschal Desbarats, éditeur des journaux du Conseil législatif, imprimeur de Sa Majesté, et actionnaire de mines et du chemin de fer St. Lawrence and Atlantic Railroad; Honoré Beaugrand, fondateur de *La Patrie*, auteur de plusieurs ouvrages et un des rares journalistes à accéder à la mairie de Montréal.

À ces noms, on pourrait ajouter le fourreur A. Bresler, J.A. Quesnel, Alex Crawford, J.-M. Jobin, le boulanger François Blot (ou Bleau), la compagnie Gillespie, Moffat & Co., et l'hôtel du Canada, situé à l'angle des rues Sainte-Thérèse et Saint-Gabriel, dans un édifice jadis propriété de la Compagnie du Nord-Ouest.

Les problèmes de l'excavation

Le bâtiment fut conçu par une commission d'architectes comprenant Louis A. Amos, Charles J. Saxe et Ernest Cormier.

La démolition des vieilles maisons dont certaines avaient des murs de quatre pieds d'épaisseur fut confiée à la compagnie Major Cie Ltée, et se déroula de 1920 à l'automne de 1922.

Deux raisons expliquent ce long délai: en premier lieu, un des baux de location ne prenait fin qu'en juillet 1922, ce qui heureusement n'empêcha pas les travaux d'excavation et de fondation de se poursuivre ailleurs sur l'immense terrain de 52 200 pieds car-

Photo Robert Nadon, *La Presse*

L'entrée principale à l'arrière, utilisée par les prisonniers et leurs gardiens.

rés; en deuxième lieu, afin de stimuler l'emploi, le gouvernement interdit à la société Foundation Co. l'utilisation de tout moyen mécanique pour l'excavation.

Jouant son rôle à merveille, la compagnie assura du travail à des milliers d'hommes à raison de 250 à la fois, pour des périodes de deux à trois semaines. Le travail se poursuivit jour et nuit. On excava 4 300 verges cubes de terre et de matériaux divers, y compris

Photo Robert Nadon, *La Presse*

Un des anciens cachots.

195

Photo Robert Nadon, *La Presse*

Les portes monumentales sont ouvertes, au fond de l'exèdre. Quant au tambour qui débouchait dans la grande salle, il a été remplacé par de grandes portes à deux vantaux.

2 000 verges cubes de maçonnerie et de morceaux de bois provenant des maisons démolies. L'excavation et les fondations furent terminées à la fin de novembre 1922.

On creusa jusqu'à une profondeur de 30 pieds, rue Notre-Dame, et de 16 pieds, rue Sainte-Thérèse. L'excavation confirma les craintes qu'on entretenait quant à la nature du sol : la glaise bleue, incapable de supporter de lourdes charges concentrées, couvrait le tiers de l'implantation au sol du futur édifice, et comble de malheur cette partie se trouvait à l'endroit où l'édifice serait le plus lourd.

Pour résoudre le problème, la compagnie utilisa notamment 15 lourds piliers en béton, enfouis jusqu'à une profondeur moyenne de 63 pieds sous le niveau moyen de la rue Notre-Dame.

Au deuxième sous-sol, on construisit un couloir périphérique de trois pieds de largeur pour contrôler l'infiltration des eaux afin de protéger les pièces voûtées remplies de documents importants contre l'humidité. Ce corridor existe toujours ; il éloigne la paroi intérieure du mur extérieur, et l'eau accu-

mulée est chassée vers l'égout au moyen d'une pompe.

La construction

Pour la construction, le gouvernement eut recours aux entreprises les plus prestigieuses comme Atlas Construction et Alphonse Gratton (entreprise générale), Dominion Bridge Co. Ltd. (structure d'acier), Lepage Marble Works (terrazzo et tuiles), Quinlan Cut Stone Ltd. (pierre), Robert Mitchell Co. Ltd. (ouvrages en bronze), pour ne mentionner que celles-là.

L'édifice a la forme d'un trapèze irrégulier mesurant 223 pieds en façade rue Notre-Dame, 218 rue Saint-Vincent, 225 rue Sainte-Thérèse, et 246 rue Saint-Gabriel. La hauteur de l'édifice varie de 70 à 80 pieds.

L'édifice comprend un nombre irrégulier d'étages à cause de la dénivellation prononcée des deux rues latérales.

Examinons la façade principale. L'entrée et le rez-de-chaussée surplombent de 12 pieds le niveau de la rue Notre-Dame. Deux étages surmontent le rez-de-chaussée et un troisième vient s'ajouter dans la partie centrale, entre les deux espaces à ciel ouvert formant des cours intérieures.

Le premier sous-sol, rue Notre-Dame, devient le rez-de-chaussée des trois autres rues. Le deuxième sous-sol se retrouve à la grandeur de l'édifice,

Un des magnifiques lampadaires de l'exèdre.

Photo Robert Nadon, *La Presse*

et l'entrée des prisonniers, rue Sainte-Thérèse, se trouve entre ces deux sous-sols. Un troisième sous-sol, limité à la partie centrale, abritait jadis la chaufferie.

Des matériaux de choix

Construit en acier enrobé de béton, et doté de planchers en béton armé, l'édifice à l'épreuve du feu comporte des cloisons en brique dont le revêtement a varié avec l'usage prévu pour chaque pièce.

Reposant sur une base en granite, les murs furent érigés en pierre calcaire taillée provenant d'une carrière de Laval (plus précisément dans l'ancienne ville de Cap-Saint-Martin).

Toujours en façade, on retrouve 14 colonnes de style dorique français, en granite, mesurant 66 pouces de diamètre, coiffées d'un entablement* majestueux et généreusement décoré, puis d'une large corniche* à denticules*. L'entablement propose la maxime latine *Frustra legis auxilium quaerit qui in legem committit*. On a longtemps épilogué sur la traduction la plus appropriée, mais la plus répandue est la suivante: Il invoque en vain le secours de la loi, celui qui la viole.

Quant au fenêtrage, il est dépouillé tout autour de l'édifice, et les architectes ont privilégié les fenêtres insérées dans des enfoncements dans le mur.

L'intérieur de l'édifice

L'escalier de granite conduit à une exèdre* semi-circulaire, au fond de laquelle on peut apercevoir deux monumentales portes en bronze de 12 pieds sur 25 de hauteur. Dessinées par Cormier, ces portes de 10 tonnes furent coulées dans le bronze aux ateliers Brandt de Paris. Jadis actionnées par des moteurs spéciaux, ces lourdes portes présentent six bas-reliefs visant à glorifier le Droit et la Justice.

Une fois la porte franchie, on arrive dans l'immense salle des pas perdus de 100 pieds de longueur sur 34 de largeur et 50 de hauteur. À noter les murs en travertin jusqu'à une hauteur de 25 pieds, les trois magnifiques coupoles* vitrées du plafond à caissons* en plâ-

Photo Robert Nadon, *La Presse*

Un des plafonds à caissons richement sculptés.

tre, et les lampadaires stylisés en bronze.

Les portes latérales à encadrement en marbre de Sainte-Geneviève à veinures dorées conduisent à un couloir qui ceinture l'édifice et mène aux sept cours du rez-de-chaussée, remarquables pour leurs boiseries en noyer, leurs murs en pierre de Caen et en plâtre ainsi que leurs plafonds à caissons richement décorés.

Devant soi, sous l'arche* immense surmontée d'une horloge et conduisant à l'aile centrale, se trouve la porte du greffe, encadrée par deux escaliers à doubles paliers en travertin conduisant à la principale cour, précédée d'un balcon remarquable pour sa balustrade. L'ex-salle de la Cour des sessions est éclairée par six grandes fenêtres donnant sur les deux cours intérieures. Sa décoration est très intéressante.

Parmi les autres éléments architecturaux à observer, il faut mentionner les escaliers circulaires en marbre de Missisquoi, avec murs en pierre de Caen et rampes coulées dans le bronze comme le sont les portes des ascenseurs, les cages des caissiers, les grilles des radiateurs et certaines grilles d'éclairage. Les planchers sont en marbre, en ter-

Photo René Picard, *La Presse*

Les portes de bronze, au fond de l'exèdre, témoignent du talent d'Ernest Cormier.

razzo, en carreaux de linoléum ou en bouleau selon les endroits.

Rien ne fut négligé pour donner beaucoup d'élégance à cet édifice. Même les quartiers du jury et des prisonniers ont été soignés, tandis que les voûtes du sous-sol impressionnent toujours le visiteur.

Une tour moderne

Inauguré en octobre 1926, après quatre années de construction, cet édifice a rempli ses fonctions jusqu'en 1971 alors qu'il fut remplacé par un édifice moderne de 30 étages, à l'angle des rues Notre-Dame et Saint-Laurent.

Photothèque *La Presse*

Photo prise pendant la construction, en avril 1923.

Le «nouveau» palais de justice est aujourd'hui connu sous le nom d'édifice Ernest-Cormier et il abrite le Conservatoire de musique et le Conservatoire d'art dramatique.

Quant à l'édifice moderne, il a été dessiné par David et Boulva, et construit, de 1965 à 1971, au coût de 38 millions de dollars. C'est une tour de verre sans doute moderne, mais qui n'a rien du cachet des édifices qui l'ont précédée.

REPÈRES

Nom: «nouveau» palais de justice.
Adresse: 100, rue Notre-Dame est.
Métro: station Champ-de-Mars, direction rue Notre-Dame.

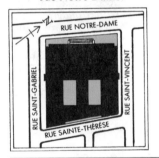

SOURCES:

Construction Magazine: *The Court House Annex, Montreal* — The Contract Record: *Montreal's Handsome Court House Annex* — Revue du Barreau (1944): *Le Palais de justice de Montréal* — Revue du Barreau (1948): *Le Palais et ses abords* — Parcs Canada, Inventaire des bâtiments historiques du Canada: documents divers — Archives nationales du Québec: documents divers — Les cahiers des dix: *Le Palais de justice de Montréal et ses abords*, par Maréchal Nantel — Tremblay, Yves-Jean: *Le quadrilatère* — Archives de la Ville de Montréal: documents divers — Ministère des Affaires culturelles du Québec: documents divers — Ministère des Travaux publics du Québec: *Palais de justice* — Communauté urbaine de Montréal, Service de la planification du territoire: documents divers — Documentation de *La Presse*: documents divers.

34

Le siège social de la Banque Royale du Canada

Construction: 1926-28
Architectes : York & Sawyer

Le siège social de la Banque Royale en 1935. Cette photo permet d'apprécier les trois parties (socle, tour et édicule) et même d'entrevoir la lanterne octogonale qui couronne l'édifice.

*L*e hasard fait bien les choses, dit le proverbe. Il vient d'ailleurs spontanément à l'esprit quand on regarde l'histoire de la construction de l'ancien siège social de la Banque Royale du Canada, rue Saint-Jacques. En voici les grandes lignes.

Selon un règlement municipal de la Ville de Montréal adopté en 1924, pour qu'un édifice puisse s'élever à plus de 130 pieds de hauteur, il était essentiel que sa partie supérieure soit en retrait d'au moins 23 pieds par rapport à sa base, et que la superficie de plancher n'excède pas la superficie d'un édifice de 11 étages qui occuperait le même lot. Les architectes du projet, le cabinet York & Sawyer, de New York, n'eurent d'autre choix que de s'y soumettre.

On ne saura évidemment jamais si, sans cette contrainte, York & Sawyer auraient conçu le même édifice. Toujours est-il que le résultat fut heureux, car contrairement aux craintes manifestées, le siège social de la Banque Royale s'inséra parfaitement dans l'ensemble architectural de cette rue du quartier des affaires, grâce surtout à l'unité architecturale de l'édifice, qui permet de mieux accepter sa hauteur et son gros volume.

Le cinquième siège social

Cet immeuble fut le cinquième à loger le siège social de la banque. Les deux premiers se trouvaient à Halifax, où la banque fut fondée en 1864 sous le nom de Banque des Marchands

Édifice où se trouvait le siège social de la Banque Royale en 1889, à l'angle sud-est des rues Notre-Dame et Saint-François.

d'Halifax (elle adopta le nom de Banque Royale en 1901). En 1907, le siège social déménagea à Montréal, où la banque avait ouvert sa première succursale en 1887, rue Saint-François-Xavier, avant de la déménager deux ans plus tard un peu plus au nord, à l'angle sud-est des rues Notre-Dame et Saint-François-Xavier.

Le siège social de 1907 se trouvait au 244 rue Saint-Jacques ouest, mais dès l'année suivante il déménagea à quelques portes de là, au 221, dans un immeuble qui abrita plus tard la Banque Provinciale du Canada (il sera bientôt transformé en hôtel).

Installé au 360 en 1928, le siège social y demeura jusqu'en 1962, alors qu'il déménagea une dernière fois vers l'édifice cruciforme de la Place Ville-Marie. L'édifice du 360 rue Saint-Jacques est aujourd'hui la propriété de la société Trizec.

L'emplacement choisi

Délimité par les rues Saint-Jacques, Saint-Pierre, Notre-Dame, et la ruelle

Détail de l'entrée principale. À noter plus particulièrement la magnifique lanterne suspendue et les anciennes armoiries de la banque coulées en bronze, au-dessus de la porte.

Cette photo de 1959 permet d'apprécier le socle. À noter la colonnade, les ouvertures cintrées, les écussons et les clés de voûte en relief.

Dollard, l'emplacement faisait partie de la toute première concession accordée sur l'île de Montréal par le gouverneur Paul Chomedey de Maisonneuve, le 4 janvier 1648, au « laboureur » Pierre Gadoys.

Sur ce territoire, se trouvaient à un moment ou à un autre la maison du Dr André Rapin, chirurgien du régiment de Carignan, érigée en 1669, une poudrière* construite en 1676 à l'angle des actuelles rues Saint-Jacques et Saint-Pierre, et la résidence d'Étienne Rocbert de la Normandie, administrateur des magasins du Roi, construite en 1748.

Au moment de l'acquisition du terrain de 28 567 pieds carrés par la Banque Royale, réalisée à la pièce et complétée en 1919 au coût de 1,24 million de dollars, s'y trouvaient plusieurs bâtiments, notamment l'immeuble de 10 étages de la Banque d'Ottawa et l'édifice du Mechanics' Institute, construit sur un terrain de 62 pieds de largeur, rue Saint-Jacques, sur 107 pieds de profondeur, rue Saint-

Photo Paul-Henri Talbot, *La Presse*
Une des ailes latérales remarquables par leur plafond voûté.

Pierre. Précisons que le Mechanics' Institute fut vendu en 1911 au prix de 400 000 $. L'institut y resta comme locataire jusqu'en janvier 1920, alors qu'il déménagea dans son nouvel immeuble de la rue Atwater, aujourd'hui connu sous le nom de bibliothèque Atwater.

La construction

Le déblaiement du terrain commença le 1er mai 1926 et fut terminé quelques semaines plus tard. L'emplacement mesurait environ 181 pieds rue Saint-Jacques, 173 rue Saint-Pierre, 157 rue Notre-Dame, et 171 le long de la ruelle Dollard.

Les architectes York et Sawyer travaillèrent conjointement avec S. G. Davenport, architecte résident de la banque. Spécialisé dans la construction d'édifices bancaires modernes, le cabinet new-yorkais avait réalisé l'édifice de la Federal Reserve Bank, à New York, et celui de la First National Bank, à Boston.

L'entrepreneur général, George S. Fuller Co. Ltd., s'entoura des meilleures entreprises connues, comme Dominion Bridge pour la structure, Wallace Sandstone Quarries Ltd. pour le mar-

bre et la pierre, et Robert Mitchell Co. pour les articles en bronze.

Il fallut se rendre jusqu'à 80 pieds sous le niveau de la rue Saint-Jacques pour atteindre le roc. Et des 62 piliers fichés dans le sol, seulement quatre atteignent le sommet du toit, les autres s'arrêtant au sommet de chacune des trois parties de l'édifice.

Les dalles* des planchers furent coulées en béton léger, composé d'une partie de ciment, de quatre parties de sable très fin, et de 75 drachmes (ou 132,75 g) d'aluminium finement moulu.

Trois parties distinctes

L'édifice présente une architecture dépouillée, érigé dans l'esprit de Piranesi : le volume est massif mais avec une modeste ornementation limitée à quelques détails comme les arcs des ouvertures et les colonnades qu'on retrouve à deux paliers.

Haut de 393 pieds (415 à partir de la dalle du sous-sol), l'édifice fut construit au coût de 6,5 millions de dollars. Il comprend trois parties distinctes : le socle* de 103 pieds de hauteur comportant deux sous-sol, un rez-de-chaussée à double palier, une mezzanine et deux étages ; la tour à bureaux de 207 pieds de hauteur contenant les étages numérotés de 3 à 18 (il n'y a pas de 13e étage), et un édicule* incorporant deux étages et un « penthouse » pour la mécanique. L'édicule est coiffé d'une toiture pyramidale à quatre versants*

Photo archives Banque Royale
La grande salle, vers 1930.

Photo Paul-Henri Talbot, *La Presse*

La grande salle de la banque, remarquable pour son arche de style Palladio, son plafond à caissons et la mosaïque de son plancher en marbre.

revêtue de cuivre et surmontée d'une lanterne* de faîte octogonale à toit en plomb.

Le socle est habillé de granite de Stanstead et de pierre calcaire de Queenston. Vu de l'extérieur, les premiers 60 pieds du socle représentent en quelque sorte un stéréobate* supportant une colonnade d'ordre dorique toscan. Aux deux extrémités des 11 colonnes, on trouve deux pilastres* encadrant les armoiries d'une province canadienne. Une corniche* à mutules* surmontée d'un parapet* complètent le socle. À noter, le jointoiement* à sillons profonds qui donne beaucoup de caractère à l'ensemble de l'immeuble.

La tour est décalée de 23 pieds de chaque côté par rapport au socle, comparativement à 15 pieds pour l'édicule par rapport à la tour. Habillée de pierre calcaire de Deschambault, elle propose une architecture dépouillée jusqu'au 16e étage. Reposant sur un bandeau* en pierre rustiquée, les 17e et 18e étages de la tour proposent un jeu de pilastres. Une frise* à triglyphes* et une corniche à mutules couronnent la tour, et cette caractéristique est reprise au sommet de l'édifice, sous l'avant-toit* à corbeaux*.

Le fenêtrage

Le fenêtrage* est rectangulaire pour l'ensemble du bâtiment, exception faite des fenêtres cintrées du rez-de-chaussée. Il n'existe aucun exhaussement* pour les ouvertures, et les petites fenêtres du socle contribuent à accentuer encore davantage l'arc* en plein cintre des grandes ouvertures.

Quelques mots de l'entrée principale, rue Saint-Jacques. D'une hauteur de 40 pieds et d'une profondeur de 10 pieds, l'embrasure* voûtée est ceinturée d'une moulure sculptée. L'entrée principale est encadrée d'une ouverture cintrée d'un plus petit rayon et de deux fenêtres rectangulaires surmontées d'une clé de voûte en forme de tête sculptée. Les deux faces latérales comportent quatre grandes fenêtres (dont deux jumelées), comparativement à cinq pour la face de la rue Notre-Dame.

L'accès à l'intérieur s'effectue par l'entrée principale dotée de deux tambours* en bronze, encadrés par un bandeau de grosses pièces de monnaie sculptées dans le bronze. Des panneaux de verre ferment le voile* entre le chambranle* des portes et le haut de l'arc. Une lanterne en bronze suspendue éclaire l'entrée.

L'intérieur

L'intérieur traduit merveilleusement les raffinements du détail classique romain de l'architecture de la Renaissance italienne. Dès l'entrée, les plafonds voûtés à caissons* richement décorés de reliefs captent l'oeil par leur mélange de rose, de bleu et de feuilles d'or.

Dans les couloirs latéraux, on peut remarquer les détails ciselés des magnifiques portes en fer forgé installées au pied des escaliers, les portes des ascenseurs en bronze, ornées chacune de cinq panneaux allégoriques illustrant les activités de la banque.

Droit devant soi, sous une arche* impressionnante se trouve un large escalier en marbre conduisant à l'immense salle bancaire. Cette pièce de

150 pieds sur 45 de largeur et 45 de hauteur est remarquable à plusieurs égards. Les planchers en travertin forment une agréable mosaïque de marbre taillé à la main, couronnée par les armoiries de la banque en bronze encastrées au centre de la salle. Le plafond à caissons est le seul à ne pas être voûté (ce qui contraste énormément avec le plafond voûté qui donne une allure de cathédrale aux ailes latérales des deux extrémités). Une frise où alternent les dessins de chimères et d'urnes décore le sommet du mur, sous la corniche à denticules. Et les caissons peints comportent des armoiries en relief dans les cercles des tympans.

Les comptoirs de marbre laventin sont surmontés de très belles grilles en cuivre éclairées par des lampes en verre ambre. Sur le mur nord, on peut apprécier le motif d'arche Palladio, le plafond en forme de dôme* de l'entrée principale, et deux grands panneaux de marbre foncé dans lequel on a gravé les noms des 325 employés de la banque morts au champ d'honneur pendant la Première Guerre mondiale. Sculpté dans le marbre blanc, le tympan* de l'arc qui surmonte chaque panneau illustre la foi et le courage.

La lumière provenant des immenses fenêtres de teinte ambre égaie la pièce, même par temps gris. Les candélabres en bronze comportent 150 ampoules. Ils ont été fabriqués par les studios Lincoln G. Morris, tout comme les candélabres à 36 ampoules des ailes latérales et les lampes murales. Les grilles des ventilateurs et les structures des tables sont en bronze.

Pour le revêtement des murs et des arches, les architectes ont choisi la pierre calcaire et la pierre de grès Briarhill, passant du chamois rougeâtre au gris froid, le tout sur une plinthe de marbre gris Napoléon.

Les bancs des corridors latéraux, les escaliers conduisant aux deux mezzanines, les balustrades et les parapets à balustres* sont tous taillés dans le marbre.

La salle de réception

La salle de réception a été décorée dans le style jacobéen. Des panneaux de noyer d'Amérique couvrent le mur entre les pilastres cannelés, jusqu'à

Photo Paul-Henri Talbot, *La Presse*
Le hall voûté venant de l'entrée principale.

Photo archives Banque Royale
Le majestueux escalier conduisant à la grande salle.

Photo Paul-Henri Talbot, *La Presse*

Les portes en bronze d'un ascenseur.

une frise décorative sur laquelle vient s'appuyer le plafond à demi voûté et décoré de quatre-feuilles* et de rosettes* en arabesques*. L'entrée s'effectue par une arche Tudor en pierre rustiquée avec moulures à chanfrein*. Un foyer d'inspiration Tudor en marbre blanc est surmonté d'un manteau* décoré d'une carte du Canada dessinée par Adam Sheriff Scott, et couronné d'un fronton interrompu par un panier de fruits en relief.

La salle du conseil d'administration est remarquable par ses merveilleux panneaux en chêne anglais et son gros globe terrestre sur piédestal.

Un mot enfin des chambres fortes au sous-sol. Qualifiées d'imprenables par leurs concepteurs, ces chambres sont formées par des plaques d'acier trempé d'un demi-pouce. Les portes de 30 tonnes qui les ferment sont dotées d'un dispositif qui permet de les ouvrir de l'intérieur en cas de fermeture accidentelle. Un système de microphones permet de surveiller le moindre bruit à l'intérieur après la fermeture.

Enfin, tout près, se trouvait jadis l'incinérateur au gaz dans lequel on brûlait les billets de banque trop usés, à raison de 500 000 $ par jour à certains moments, à l'époque où la banque émettait ses propres billets.

REPÈRES

Nom: siège social de la Banque Royale du Canada.
Adresse: 360, rue Saint-Jacques.
Métro: station Square-Victoria, sortie rue Saint-Jacques, direction est.

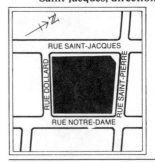

SOURCES:

Banque Royale du Canada: *The Royal Bank Building (1929)* — Heron, John. R: *Les premiers cent ans de la Banque Royale du Canada (1969)* — Construction: *The Royal Bank of Canada, Montreal*, par James Blomfield (1929) — Ministère des Affaires culturelles du Québec: documents divers — Archives de la Ville de Montréal: documents divers — Communauté urbaine de Montréal, Service de la planification du territoire: documents divers.

35

La maison Shaughnessy

Construction: 1874-75
Architecte: William Titus Thomas
Monument historique classé

La partie est de la maison en 1914.

Au milieu du XIX⁰ siècle, les hommes d'affaires opulents résidaient dans le «Mille carré doré», un secteur très particulier de Montréal dont il fut question précédemment dans ce livre. À ce quartier se greffaient des îlots résidentiels où l'on trouvait de vastes demeures dignes de ce nom de «Golden Square Mile», l'expression ayant été utilisée en anglais à l'époque.

Le district Lincoln-Tupper, au sud-ouest, était un de ces îlots ouverts au développement immobilier. Il était traversé par deux grandes voies, la rue Sherbrooke, qui en 1846 s'arrêtait à la rue Guy, et la rue Dorchester, transformée en boulevard dans les années 1950.

Formée initialement de deux habitations séparées par un mur mitoyen, formant un seul immeuble, la maison Shaughnessy doit son nom au troisième propriétaire de la partie est de l'édifice (la maison est, si l'on veut) Thomas G. Shaughnessy, dont le nom fut relié à l'épopée de la société ferroviaire Canadien Pacifique. Mais avant de parler des hommes qui ont animé ce secteur au fil des décennies, voyons l'histoire du quadrilatère.

Histoire de l'îlot Shaughnessy

Délimité par le boulevard Dorchester et les rues Saint-Marc, Baile et du Fort, l'îlot de la maison Shaughnessy faisait jadis partie du domaine de la montagne, cédé aux sulpiciens en 1663, et dont ils étaient encore propriétaires en 1860. En 1676, ils y avaient installé, à l'intérieur du fort de la montagne, une mission, déménagée 20 ans plus tard au Sault-au-Récollet. Situé en bordure du prolongement de la rue Sherbrooke, à la lisière d'un immense verger, le bâtiment fut ensuite utilisé comme résidence d'été.

Au milieu du siècle dernier, une allée traversait le domaine du nord au sud, entre cette résidence et une autre grande propriété de la rue Dorchester, la Villa Rosa, résidence de Charles Wilson, qui fut maire de Montréal. Cette allée est indiquée en pointillé sur une carte tracée en 1846 par James Cane, qui la situait dans l'axe de l'actuelle rue du Fort.

Le premier morcellement majeur du domaine des Sulpiciens survint au milieu du siècle dernier, alors que les religieux décidèrent d'offrir des lots à bâtir dans sa partie sud, délimitée par les rues Sherbrooke, Guy, Dorchester et Atwater.

La maison Shaughnessy se trouve sur un lot portant le numéro 1630 au cadastre du quartier Saint-Antoine. La première transaction survint en 1868 par la vente du lot à Christopher C. Abbott. John McLennan, en 1871, et Duncan McIntyre, vice-président du Canadien Pacifique, en 1873, acquirent respectivement ce terrain. En 1874, McIntyre le partagea en deux et vendit la partie est à Robert Brown, richissime marchand de bois de Montréal.

Entre les rues du Fort et Saint-Marc qui apparaissaient déjà sur une carte de 1872 tracée par les arpenteurs F.W. Blaiklock et Charles Lionais, on no-

La maison Shaughnessy en 1971, alors qu'elle était habitée par la communauté anglophone connue sous le nom de « Sisters of Service ».

tait, d'est en ouest, les propriétés suivantes : la maison d'Augustin Cantin, construite en 1870 pour John McLennan ; une propriété vacante (où s'élevèrent par la suite les maisons dites « semi-détachées » qui forment la maison Shaughnessy) ; puis la maison de Donald Smith, Lord Strathcona and Mount Royal, initialement construite pour Jean-Baptiste Auger en 1870.

La construction

En 1873, l'architecte William Titus Thomas (il en fut longuement question dans le chapitre consacré au club des Ingénieurs) se vit confier la tâche de construire deux maisons jumelées pour McIntyre et Brown.

Les « marchés » de construction furent signés le 3 février 1874. Edward Maxwell, père des architectes montréalais Edward et William, fut engagé pour la charpente, et l'entrepreneur Charles Lamontagne pour la maçonnerie. La construction fut complétée en 1875.

Thomas arrêta son choix sur le style Second Empire, si populaire au milieu du siècle dernier pour les résidences des bourgeois montréalais. Lancé en France par l'empereur français Napoléon III, le style fit un bond outre-Manche d'abord, puis s'implanta graduellement en Amérique du Nord, qui lui emprunta notamment les oriels*.

À l'origine, les deux maisons formaient un ensemble parfaitement symétrique de 120 pieds sur 60, séparé par un mur mitoyen en son milieu, sur la ligne de séparation des deux terrains du lot 1630. Cette séparation est facile à distinguer par le chaînage* jumelé de la façade et le bandeau* de pierre qui le prolonge dans le toit* mansardé. Comme on le verra plus loin, les transformations apportées aux deux maisons au fil des ans ont déséquilibré la symétrie originale.

Il ne reste à Montréal que très peu d'exemples de maisons jumelées de style Second Empire. Mentionnons l'ensemble « The Towers » au 4130-4140, boulevard Dorchester ouest, à Westmount, et le château Dufresne, rue Sherbrooke est, à proximité du Stade olympique.

La partie ouest en 1971.

La restauration de l'édifice implique la démolition des ajouts à la maison est, mais la serre contiguë à la maison ouest sera conservée.

Description du bâtiment

Construit en moellons* de calcaire gris accentué par la pierre de taille, l'ensemble présente les principales caractéristiques du style Second Empire : jumelage de deux pavillons ; symétrie très précise ; fenêtrage très varié à encadrement décoré et proéminent ; corniche* à denticules* en pierre taillée et frise* décorative à l'avant-toit* ; toit mansardé percé de lucarnes* variées, qui vont de l'oeil-de-boeuf* au regroupement de trois fenêtres ; enfin, riche crête* de fer forgé. Ajoutons bien sûr les deux oriels montant de fond de la façade principale, qui « nord-américanisait » le style Second Empire, et le panorama magnifique sur le fleuve et la montagne qui s'offrait aux yeux des occupants.

Le fenêtrage mérite quelques commentaires additionnels tellement il est varié : à arc* surbaissé au sous-sol et au rez-de-chaussée, avec clé* de voûte dé-corative et proéminente, à arc* cintré surmonté d'un motif décoratif au premier étage, en oeil-de-boeuf cintré ou rectangulaire dans la mansarde* du deuxième étage. L'ensemble est très agréable à regarder.

La maison ouest

Les deux maisons jumelées méritent d'être étudiées séparément. Commençons par la maison ouest, celle qui a subi le moins de transformations, à l'intérieur comme à l'extérieur.

L'intérieur est demeuré presque intact malgré ses utilisations variées au fil des ans. On peut encore y admirer de riches boiseries sculptées, des moulures en plâtre d'inspiration classique et des foyers en marbre d'une rare beauté.

Le seul ajout apporté à cette maison survint vers 1890 lorsqu'on jouxta une serre d'un étage au mur ouest. Il est malheureux qu'on ne connaisse pas le nom de l'architecte car cet ajout à toiture semi-conique confère un air d'élégance au bâtiment.

En 1901, Donald Smith (Lord Strathcona and Mount Royal), qui avait acheté la maison en 1888 pour y loger ses invités (il était déjà propriétaire de la maison tout juste à l'ouest, sur le lot 1631), confia aux architectes Edward et William Maxwell le soin de joindre par un corridor couvert la ser-

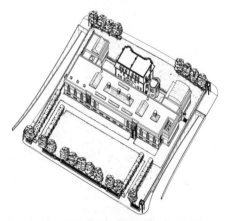

Vue axonométrique du bâtiment du Centre canadien d'architecture. La maison Shaughnessy est à la partie supérieure du complexe.

207

re de la maison ouest à la serre de sa propre maison, située à l'angle nord-est des rues Dorchester et du Fort. Cette construction était nécessitée pour la venue prochaine du duc (le futur roi George V d'Angleterre) et de la duchesse de York.

Ce fut la seule transformation jusqu'en 1963, alors que les deux maisons furent reliées de l'intérieur par deux ouvertures pratiquées dans le mur mitoyen.

La maison est

La situation fut bien différente dans la maison est. Les premières transformations furent apportées dès 1897, alors que l'architecte Edward Maxwell fut mandaté pour ajouter une salle de billard, un peu en retrait, à l'est du bâtiment. Aux autres paliers, le même volume fut transformé en chambres additionnelles.

En 1899, quelques mois après qu'un incendie eut endommagé une partie de la maison, Maxwell se voyait confier le mandat d'agrandir quelque peu le corps principal du bâtiment vers l'arrière, à l'avantage de plusieurs pièces du sous-sol, du rez-de-chaussée et du premier étage.

En 1906, un autre architecte, David Spence, du cabinet Finley & Spence, obtint le mandat d'ajouter une bibliothèque au rez-de-chaussée, au nord des deux rallonges antérieures. Cet ajout permit d'ajouter des chambres au sous-sol et au premier étage.

La dernière modification survint entre cette date et 1923 et se limita à l'agrandissement de l'entrée principale, à l'extrémité est de la façade.

Les propriétaires

Comme on l'a vu précédemment, le premier propriétaire de la maison ouest, McIntyre, était une des figures dominantes du Canadien Pacifique, avec Donald Smith, George Stephen et R. B. Angus. En 1884, il quitta l'entreprise et fut remplacé par William Van Horne à la vice-présidence. Smith résidait déjà dans la maison près de la rue du Fort, et Van Horne avait acheté la maison est en 1882. On peut donc

Photo ministère des Affaires culturelles
L'escalier conduisant à l'étage de la maison est.

s'imaginer dans quel contexte vécut McIntyre entre 1884 et 1888, année où il vendit la maison ouest à Smith, pour déménager dans le «Mille carré doré».

La famille de Smith (devenu Lord Strathcona and Mount Royal) resta

Photo ministère des Affaires culturelles
Une des pièces du rez-de-chaussée de la maison est avait été transformée en chapelle par les religieuses.

Un foyer de la maison Shaughnessy.

propriétaire de la maison jusqu'en 1927, alors que Lord Atholstan, propriétaire du *Montreal Star*, acheta la maison ouest et la maison du lot 1631 pour les transformer en résidence pour personnes âgées sous le nom de «My Mother's Home».

En 1941, les Sisters of Service, communauté religieuse fondée à Toronto en 1922, achetèrent les deux propriétés de Lord Atholstan; la maison de la rue du Fort fut démolie la même année à cause de son mauvais état, et l'empla-

cement fut transformé en parc pour les pensionnaires.

Venons-en à la maison est. Construite pour le marchand de bois Robert Brown, elle fut vendue à Van Horne en 1882, puis à Thomas Shaughnessy en 1892. Shaughnessy était devenu vice-président du Canadien Pacifique en 1888, lors de la promotion de Van Horne à la présidence. Shaughnessy demeura dans la maison est jusqu'en 1914, alors qu'il la vendit à l'hôpital St.Mary's. Les Sisters of Service l'achetèrent en 1939, deux ans avant d'acheter la maison ouest.

L'environnement

L'élargissement de la petite rue Dorchester d'alors, dans les années 50, puis la construction de voies d'accès à l'autoroute Bonaventure, quelque 15 ans plus tard, entraînèrent la démolition de quatre maisons à logements multiples qui avaient remplacé la maison d'Augustin Cantin sur le lot 1629, au début des années 30. Avec le résultat que la maison Shaughnessy se re-

Une des pièces remarquables. À noter les boiseries, la bordure décorative en plâtre et le plafond à caissons.

La partie est de la maison en 1914.

Le nouvel édifice s'inscrira dans la tradition architecturale de Montréal puisqu'il sera construit en pierre grise. Et les architectes ont veillé à ce que la maison Shaughnessy demeure le plus beau joyau du nouvel ensemble.

trouva seule au milieu d'un quadrilatère convoité par les promoteurs immobiliers, un peu à la manière des villas entourées de grands parcs qui fourmillaient au milieu du XIXᵉ siècle.

Tel était le contexte en 1973 lorsque les religieuses décidèrent de vendre leur propriété. On peut se demander ce qui serait advenu de la maison Shaughnessy si elle n'avait pas été acquise par l'architecte montréalaise Phyllis Lambert.

La maison Shaughnessy connaîtra une nouvelle vocation très noble puisqu'elle sera incorporée au nouveau complexe du Centre canadien d'architecture, fondé à Montréal en 1979 par Mme Lambert. Un bâtiment neuf de 120 000 pieds carrés conçu par l'architecte Peter Rose avec le concours de Mme Lambert à titre d'architecte-conseil (l'architecte Erol Argun s'est joint à l'équipe une fois la conception réalisée) et un jardin public en bordure de la rue Baile complètent le projet de 23,6 millions de dollars. L'ensemble sera ouvert au public, qui pourra apprécier la restauration de l'intérieur comme en 1874.

REPÈRES

Nom: maison Shaughnessy.
Adresse: 1923, boulevard Dorchester ouest.
Métro: station Guy, direction boulevard Dorchester, puis vers l'ouest, boulevard Dorchester.

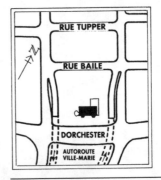

SOURCES:

Centre canadien d'architecture: documents divers et *La maison Shaughnessy, historique de l'îlot et de la maison* — Parcs Canada, Inventaire des bâtiments historiques du Canada: *La maison Shaughnessy* — Archives de la Ville de Montréal: documents divers — Ministère des Affaires culturelles du Québec: documents divers — Lieux historiques canadiens: *Le style Second Empire dans l'architecture canadienne*, par Christina Cameron et Janet Wright.

36

Le siège social de Bell Canada

Construction : 1928-29
Architecte : E. I. Barrott

Photo Bell Canada

L'église St. Andrew, après l'incendie de 1869.

Imaginons un instant que nous sommes au tout début du XIXᵉ siècle. Même si elles n'ont jamais servi, les fortifications de Montréal sont toujours en place et, tout juste au-delà du mur nord, coule la petite rivière Saint-Martin que franchissent des ponts qui correspondent aux portes des fortifications.

Au nord-ouest se dresse une énorme maison de bois au sommet d'un monticule, à la limite occidentale des constructions de Montréal. Cette maison s'appelle Beaver Hall.

La réalité est tout autre. Au cours des 187 dernières années, l'environnement a subi de nombreuses transformations. Le chemin de terre sinueux qui reliait le pont de la rue McGill au sommet de la butte est devenu une rue : la côte du Beaver Hall. La maison elle-même a disparu, tout comme l'église St. Andrew of Scotland qui occupa l'emplacement pendant 76 ans. À la place, on trouve le siège social de la société Bell Canada.

Histoire de l'emplacement

Lorsque le fondateur de Montréal, Paul Chomedey de Maisonneuve, fit don de cette colline et du terrain environnant à Simon Richomme, en 1648, il ne se doutait pas que s'y dresserait un jour un gratte-ciel abritant le siège social d'une société dont le mandat consiste à assurer le bon fonctionnement d'une invention diabolique d'un certain Alexander Graham Bell, le téléphone.

L'emplacement demeura propriété française jusqu'en 1800. Parmi ses propriétaires, on retrouve le nom d'un certain Blaise Juillet qui, dit-on, serait mort au Long-Sault en compagnie de Dollard des Ormeaux, en 1660.

Joseph Frobisher acquit le terrain en 1800 et fit immédiatement construire une immense résidence d'été en rondins, de 88 pieds de longueur sur 36 de largeur, entourée de vastes terrains, qu'il nomma Beaver Hall. La résidence comportait une salle de séjour, une salle à manger, un parloir, deux cuisines avec cellier, et pas moins de 14 chambres. Un hangar à bois, une remise à voitures et une écurie pour huit chevaux complétaient l'ensemble.

On comprend mieux l'immensité des lieux quand on sait que Frobisher

Photo Bell Canada

Les fondations à la mi-février de 1928.

211

était un fin gourmet et un hôte populaire. Il a donné à son domaine le nom de Beaver Hall parce que ce sont surtout les peaux de castor (*beaver*, en anglais) qui ont assuré la prospérité de la Compagnie du Nord-Ouest, la sienne, puisqu'il en était un des principaux dirigeants. Il faut aussi savoir que Frobisher était un des membres du Beaver Club dont il fut question dans le chapitre consacré au club des Ingénieurs.

À la mort de Frobisher, Thomas Phillips se porta acquéreur de Beaver Hall. Après avoir tenté sans succès de vendre la résidence et ses dépendances, Phillips la loua à James Belden, qui y installa l'Académie de Montréal, en 1848. La même année, un incendie la détruisit pendant qu'on la restaurait, et elle ne fut jamais reconstruite.

L'arrivée de Bell Canada au sommet de la côte du Beaver Hall ne tient pas du hasard. À cette époque, en 1927, le siège social de la compagnie connue sous la raison sociale de Bell Telephone Company of Canada avait pignon sur rue dans le Vieux-Montréal, à l'angle sud-est des rues Notre-Dame et Saint-Jean, depuis juillet 1895. Pendant les 15 années précédant sa fondation en 1880 par Charles Fleetford Sise, qui était venu au Canada un an plus tôt à l'instigation de l'American Bell Telephone Company afin de réaliser la fusion de plusieurs compagnies de téléphone, la compagnie avait loué plusieurs édifices dans le Vieux-Montréal.

L'église St. Andrew

En 1927, il était évident depuis longtemps que le siège social du Vieux-Montréal et les édifices loués (Insurance Exchange, Castle, Mayor, British Mercantile) pour y installer une partie du personnel étaient devenus insuffisants. La Bell Telephone acheta alors

Photo Bell Canada

Le siège social pendant la construction.

Photo Bell Canada

L'édifice peu après la fin des travaux.

Photo Jean-Yves Létourneau, *La Presse*

Le siège social tel qu'on peut le voir aujourd'hui.

Photo Bell Canada

Le siège social la nuit.

le terrain sur lequel se trouvait l'église St. Andrew of Scotland, de même que les terrains avoisinants en prévision de son expansion.

Le temple était le deuxième de cette communauté fièrement rattachée à l'Église d'Écosse. Le premier avait été érigé entre 1805 et 1807, rue Saint-Pierre. Le deuxième fut construit de 1850 à 1851, selon des plans de la cathédrale de Salisbury. C'était, dit-on, l'une des plus belles églises du Dominion, et sa flèche était remarquable par sa symétrie, la plus parfaite au Canada, répétait-on. Presque complètement détruite par un incendie en 1869, l'église fut reconstruite et améliorée.

La congrégation continua d'y pratiquer le culte jusqu'en 1918, alors qu'elle fusionna avec l'Église St. Paul, pour former l'Église St. Andrew et St. Paul, dont le temple existe toujours, rue Redpath, près de la rue Sherbrooke. Le temple de la côte du Beaver Hall était donc inutilisé depuis près

d'une décennie lorsque la société Bell en fit l'acquisition.

Construction de l'édifice

Le nouveau siège social de Bell fut dessiné par E. I. Barrott, du cabinet d'architecture Barrott & Blackader, et le marché de construction fut accordé à George A. Fuller Co. of Canada Ltd.

Dès juin 1927, on s'attaquait à la démolition de l'église St. Andrew, de sorte qu'on put entreprendre l'excavation dès le 1er octobre 1927 et la compléter six mois plus tard, jusqu'à une profondeur de 42 pieds sous le niveau de la rue Belmont.

La construction comme telle commença le 16 mars 1928. Les premiers employés s'installaient au nouveau siège social un peu plus d'un an plus tard, le 23 mars 1929, même si l'inauguration officielle n'eut lieu que le 21 octobre de la même année. Depuis 1897, le chiffre d'affaires était passé de 3 747 000 $ à 144 millions de dollars, le nombre d'appareils avait augmenté de 31 400 à 739 000, et le nombre d'employés, de 1 796 à 19 200.

Cet édifice de 20 étages et trois sous-sols s'élève à 322 pieds au-dessus du niveau du trottoir. Inspiré par le style Renaissance du XVe siècle, cet édifice allie le fonctionnel et la solidité à la beauté architecturale. Construit en acier, avec dalles et piliers d'appui en béton, il est habillé de calcaire de Deschambault et de Queenston, cette dernière provenant de la carrière du même nom, près de Niagara et du village de St. David, immortalisé par le capitaine John Secord et sa femme Laura.

Un style dépouillé

Les retraits par palier (retrait de 20 pieds au-dessus du 9e étage, et de 15 pieds au-dessus du 16e) ont été prévus par les architectes pour satisfaire au règlement municipal de construction expliqué dans le chapitre consacré au siège social de la Banque Royale du Canada. Le fenêtrage* est rectangulaire partout, exception faite des ouvertures voûtées* du rez-de-chaussée et des fenêtres surmontées d'une clé* de voûte proéminente, à l'arrière. Le style dépouillé est toutefois rehaussé par les pilastres* (de style dorique au sommet) qui encadrent les fenêtres des 8e et 9e étages, puis du 17e au 20e étage, les balustrades* à plusieurs niveaux, le parapet* qui entoure la terrasse du 17e étage et le toit* en pavillon à huit versants* surmonté d'une lanterne*.

L'entrée s'effectue par deux escaliers parallèles à la côte du Beaver Hall; cependant, le nombre de marches est inégal pour compenser la pente du chemin.

Description de l'intérieur

La porte d'entrée franchie, on se trouve dans un vestibule voûté et habillé de pierre calcaire polie de Sainte-Geneviève.

On pénètre dans le hall principal par un tambour* en acier brun et en verre sous une arche* avec voile* en verre. En entrant, on pouvait jadis apercevoir dans la mosaïque du plancher le symbole de l'entreprise. Mais on est toujours frappé par l'harmonie qui se dégage des plafonds voûtés et richement décorés et des murs revêtus de pierre calcaire polie provenant de Cizeville, en France.

Là où se trouvaient jadis les bureaux commerciaux de l'entreprise, on a installé le Centre d'information spécialisée (la bibliothèque de Bell Canada). Des portes modernes en acier et en verre ont remplacé les entrées voû-

Photo Bell Canada

Photo de 1930 montrant le siège social et les maisons de la rue Beaumont qui feront subséquemment place aux annexes.

Photothèque *La Presse*

La première annexe, construite au début des années 30.

Photothèque *La Presse*

Cette photo de 1959 montre le prolongement de 1949 (jusqu'à la rue University) surmonté de la tour de sept étages ajoutée en 1959.

Cette magnifique murale en relief sur fond de marbre noir de Belgique a été sculptée dans le marbre blanc de Rome à Pietrasanta, en Italie, à partir d'un dessin du sculpteur Walter Hancock.

tées* avec grilles en fer forgé. Toutefois, il reste encore des portes voûtées ornées de fer forgé à l'intérieur de la bibliothèque.

À l'extrémité du couloir, on aperçoit encastrée dans un arc* en plein cintre une magnifique murale taillée dans le marbre blanc de Rome sur fond de marbre noir de Belgique. Cette oeuvre illustre les méthodes de communications d'hier et d'aujourd'hui. L'oeuvre a été réalisée à Pietrasanta, en Italie, à partir d'une maquette dessinée par le sculpteur Walter Hancock. Depuis 1984, le hall principal loge une exposition sur l'histoire de la société.

Parmi les autres pièces dignes de mention et toutes situées au 19e étage, soulignons le bureau du président pour ses boiseries, la salle du conseil pour son foyer en marbre, ses boiseries et son lustre comportant une centaine de lampes ambrées, ainsi que les corri-

dors des ascenseurs, recouverts de marbre aux couleurs variées.

Les annexes

Depuis, les besoins grandissants de Bell ont forcé la compagnie à occuper la totalité du quadrilatère délimité par le chemin de la côte du Beaver Hall et les rues de La Gauchetière, University et Belmont.

En 1930 et 1931, la société Bell fit construire une annexe de huit étages, à l'ouest du siège social, connue sous le nom d'annexe de l'Interurbain (Toll Annex).

Cet édifice fut d'abord agrandi de 1947 à 1949 par son prolongement jus-

La salle du conseil d'administration.

Les anciens bureaux commerciaux. À noter les embrasures en plein cintre et le plafond à caissons voûté.

qu'à la rue University. Puis le nombre d'étages de l'annexe fut porté à 14 en 1959.

Dans les trois cas, l'architecte Barrott fut impliqué directement, quoique avec des partenaires différents. Cette façon de faire a permis de garantir l'intégrité architecturale de l'ensemble, notamment par le choix de la pierre calcaire pour le revêtement extérieur.

La dernière addition survint peu avant 1967, alors qu'on combla, par un édifice de huit étages, l'espace vide entre le siège social et l'annexe. La société Bell y logea le premier grand central électronique au Canada, afin d'assurer les télécommunications d'Expo 67.

On ne peut mettre le point final à ce chapitre sans exprimer un certain regret que Bell Canada ait décidé, il y a quelques années, de fermer le Musée du téléphone qui occupait jadis le 20e étage. Ceux qui ont eu la chance de le visiter avant sa fermeture ont pu apprécier la qualité exceptionnelle de la collection d'appareils téléphoniques de Bell.

Photo Bell Canada
Une des magnifiques grilles des portes qui conduisaient aux bureaux commerciaux.

REPÈRES

Nom: siège social de Bell Canada.
Adresse: 1050, côte du Beaver Hall.
Métro: station Square-Victoria, direction côte du Beaver Hall.

SOURCES:

Bell Canada: documents divers et *The Beaver Hall Building* — Blue Bell Magazine: *Montreal Outgrows its Toll Facilities*, par E.H. Dewis; *Long Distance Headquarters*, par Frank J. Cavanaugh; *Men of Vision* et *Queenston Stone Work*, par John Walder — Archives de la Ville de Montréal: documents divers — Communauté urbaine de Montréal, Service de la planification du territoire: documents divers.

37

La bibliothèque Saint-Sulpice

Construction: 1912-14
Architecte: Eugène Payette

Photo Jean-Yves Létourneau, *La Presse*

Aquarelle d'Eugène Payette pour illustrer son troisième projet. La photo actuelle permet de vérifier que rien n'a été négligé à l'époque et que rien n'a changé depuis.

Nous sommes au début des années 20. Le Quartier latin bourdonne d'activités. La présence à proximité de l'Université de Montréal (à l'angle sud-est des rues Sainte-Catherine et Saint-Denis), de l'École polytechnique, de l'École des hautes études commerciales et de bistrots populaires attire les professionnels et les intellectuels. C'est un milieu propice à l'installation d'une première bibliothèque francophone digne de ce nom, et c'est l'endroit, rue Saint-Denis, au pied de la Côte-à-Baron, que choisissent les sulpiciens pour y construire leur bibliothèque Saint-Sulpice, joyau de l'influence «Beaux-Arts» dans l'architecture de Montréal.

Depuis ce moment, le secteur a connu deux revirements spectaculaires. À peine un demi-siècle plus tard, les trois institutions l'avaient quitté pour aller s'installer sur le mont Royal. Puis, dans un de ces retours imprévisibles de l'histoire imputables à la construction de l'Université du Québec à Montréal et au regain de vie des bistrots de la rue Saint-Denis, le secteur renaquit, de sorte que l'institution aujourd'hui connue sous le nom de Bibliothèque nationale du Québec hérite d'un formidable second souffle, après avoir frôlé la disparition lors du krach de 1929.

L'édifice en hiver.

Photo Jean-Yves Létourneau, *La Presse*

217

Entrée principale remarquable, surmontée d'un cartouche.

Un carrefour de trois dossiers

La Bibliothèque nationale du Québec, c'est en fait un carrefour: c'est l'histoire d'une institution, celle d'un homme, et celle d'un édifice remarquable.

La bibliothèque Saint-Sulpice existe à cause du désir de l'intelligentsia montréalaise de se doter d'un centre culturel francophone comparable à celui de l'Université McGill. Comme le dit avec justesse Jean-René Lassonde, dans *La Bibliothèque Saint-Sulpice, 1910-1931*, les bibliothèques francophones alors en existence étaient incomplètes, trop spécialisées et inaccessibles.

Et pourquoi l'initiative vint-elle des sulpiciens? Parce que ceux-ci, investis d'une mission d'éducateurs dès le début de la colonie, devaient naturellement jouer un tel rôle.

Histoire de la bibliothèque

La bibliothèque Saint-Sulpice prit ses racines dans l'Oeuvre des bons li-

vres, fondée le 28 juillet 1844 par le sulpicien Arraud. L'oeuvre fut d'abord logée dans l'ex-chapelle du cimetière qui occupait l'emplacement de l'actuelle église Notre-Dame, puis dans une des salles de l'Hôtel-Dieu, à l'angle nord-est des rues Saint-Paul et Saint-Joseph (aujourd'hui Saint-Sulpice), et enfin dans l'ex-chapelle méthodiste de la rue Saint-Joseph, connue sous le nom de *News Room* puisqu'on pouvait y lire les journaux et les périodiques.

Cette oeuvre fut remplacée en 1857 par le Cabinet de lecture de la Bibliothèque paroissiale de Notre-Dame, une initiative du sulpicien Regourd qui, deux ans plus tard, l'installait dans un édifice construit à cette fin, à l'angle nord-est des rues Notre-Dame et Saint-François-Xavier. Cet édifice fut démoli en 1911 pour faire place à l'édifice Transportation (lui-même remplacé par l'actuelle tour de la Banque Nationale). Le Cabinet de lecture fut absorbé en 1884 par le cercle Ville-Marie.

En 1910, l'exiguïté de l'édifice de la rue Notre-Dame devenait évidente. Le nombre des livres ne cessait d'augmenter, et les locaux étaient délaissés par une population en mutation, au profit de nouveaux quartiers. De sorte que dès janvier 1903, les sulpiciens avaient décidé d'offrir l'édifice en vente, mais sans brusquer les choses.

D'ailleurs, ils avaient commencé dès 1906 à acheter des propriétés, rue Saint-Denis, si bien qu'en 1911, ils avaient remembré un terrain de 136 pieds de largeur sur 161 de profondeur en acquérant les maisons Lévesque,

Le hall d'entrée.

218

Une des magnifiques torchères.

Pelletier et Charlebois, du côté ouest de la rue, au sud de la rue Ontario.

Aegidius Fauteux

Le succès que connaîtra la bibliothèque Saint-Sulpice auprès des Montréalais est dû au flair du sulpicien Wilfrid Hébert, procureur des prêtres de Saint-Sulpice, qui confia le poste de bibliothécaire à Aegidius Fauteux. L'abbé Hébert prit cependant un risque, car Fauteux, quoique érudit, innovateur et dynamique, ne possédait aucune formation en bibliothéconomie.

Après ses études au collège de Montréal, puis au séminaire de philosophie, Fauteux étudia le droit à l'Université Laval. Admis au Barreau de Montréal en 1903, il ne pratiqua jamais le droit. Il aboutit plutôt dans le journalisme où il grimpa les échelons jusqu'au poste de rédacteur en chef de *La Presse*, de 1909 à 1912, qu'il quitta en décembre de cette année-là pour aller superviser la construction et l'aménagement de la nouvelle bibliothèque. Fauteux dirigea la bibliothèque de son ouverture à la fermeture temporaire de 1931, ce qui le força à accepter un poste similaire à la bibliothèque municipale de Montréal en juin 1932.

Pour la construction de l'édifice, les sulpiciens décidèrent de procéder par voie de concours, lancé le 22 mars

1911. Les principales conditions étaient les suivantes: limite de coût de 150 000 $; édifice à l'épreuve du feu; une grande salle de lecture pour hommes et une autre pour femmes; une salle de conférences d'une capacité d'au moins 800 personnes; des rayons de rangement pour au moins 200 000 volumes; et une salle des chaudières indépendante de l'édifice principal.

Une quarantaine d'architectes demandèrent un exemplaire du programme — réservé aux architectes catholiques du Québec! — et 11 soumirent un projet avant la date limite du 15 juin. Les projets furent classés de la façon suivante: le projet d'Eugène Payette, d'inspiration néo-classique, reçut 98 points, contre 93 pour le projet de style mauresque de J.-O. Marchand, concepteur du Grand Séminaire entre autres édifices remarquables, et 75 pour le projet de style victorien du cabinet d'architectes Venne et Labelle.

Malgré des pressions exercées en faveur du projet de Marchand, les sulpiciens acceptèrent la recommandation du comité de sélection et choisirent Eugène Payette.

Né le 13 février 1874 dans la même paroisse (Sainte-Cunégonde) que Marchand et Fauteux, Payette était architecte depuis 1896, d'abord comme dessinateur au bureau de Joseph Venne, puis à titre d'associé de J.-E. Huot jusqu'en 1907. Il était à son compte au moment du concours. Il a aussi réalisé la bibliothèque municipale de Montréal, l'église Sainte-Clothilde de Montréal, le refuge Meurling et le collège André-Grasset.

Un projet différent

L'édifice construit n'a rien à voir avec le projet initial de Payette. En effet, le premier projet de Payette prévoyait une façade remarquable par ses colonnes* de style corinthien formant un imposant péristyle* surmonté d'un fronton* à modillons* et flanqué de décrochements*. Plus dépouillé que le premier, le deuxième ne fut guère mieux accueilli.

Soumis à la fin de 1911, le troisième projet conduisit à la construction de l'édifice d'inspiration «Beaux-Arts» que nous pouvons apprécier aujourd'hui. À remettre ainsi son travail sur le métier, Eugène Payette accoucha d'un véritable chef-d'oeuvre d'architecture, considéré comme étant l'exemple le plus raffiné du style «Beaux-Arts» en territoire montréalais. Les dimensions hors tout de l'édifice sont de 108 pieds de largeur sur 144 de profondeur et 67 de hauteur.

Le contrat de construction fut confié à l'entrepreneur général Magloire Humberdeau, qui confia en sous-traitance à la Structural Steel Co. Ltd. la tâche d'ériger la charpente d'acier noyée de béton armé de lattes métalliques, de terre cuite et de brique.

Trois matériaux recouvrent essentiellement l'extérieur: le granite gris de Stanstead pour la base des murs, le perron et les murets* de bordure; la pierre de grès de l'Ohio pour les murs de la façade, le chaînage* des autres murs et les allèges* de fenêtres; et la brique pour les murs autres que la façade.

L'édifice se divise en trois parties: la première, coiffée d'un toit plat, longe la rue Saint-Denis; la deuxième, com-

Le monogramme «BSS» sculpté dans la pierre.

portant la salle de conférences à l'entresol et la grande salle de lecture à l'étage et surmontée d'un toit* à pignon, est parallèle à la rue; enfin la partie arrière, également coiffée d'un toit plat, abrite le rayonnage des livres et les locaux de service.

La façade comporte trois travées* verticales, avec deux avant-corps* surmontés d'un fronton à modillons qui encadrent la majestueuse travée centrale de l'entrée.

À l'horizontale, les étages sont nettement démarqués. Le rez-de-chaussée est remarquable par son jointoiement* des pierres à rainures profondes et ses fenêtres à arc* surbaissé formé par des pierres en parpaing*. La porte d'entrée principale est encadrée de pilastres* surmontés d'un corbeau* et d'un entablement* qui supporte un imposant cartouche* portant un livre ouvert.

Séparé du rez-de-chaussée par un bandeau* de pierre, l'étage est remarquable par son jeu de colonnes* et de pilastres qui encadrent les fenêtres de forme rectangulaire. Les fenêtres de l'étage et l'entrée principale sont ceinturées de colonnettes* illustrées de grappes de fruits. Un parapet* en pierre couronne l'édifice. Enfin, deux torchères* de bronze, dessinées par l'architecte, encadrent l'escalier conduisant à la porte à deux vantaux* décorée de fer ornemental de l'entrée principale.

L'intérieur

Conformément au style «Beaux-Arts», l'architecte a nettement privilé-

La grande salle de lecture. À noter qu'à l'exception de rares interventions modernes, tout l'ameublement date de l'ouverture officielle de l'édifice et qu'il a été admirablement bien protégé contre le vandalisme.

gié les salles publiques dans la décoration intérieure. Les murs de ces salles proposent une surface en pierre de Caen, tandis que les pièces réservées au personnel offrent une finition de brique vitrifiée.

Pour les planchers du hall et de certaines autres pièces, le grand escalier, les bordures des planchers, les plinthes, les chambranles et la base des meubles fixes, l'architecte a préconisé l'usage du marbre gris de Missisquoi, d'un marbre plus foncé et du marbre blanc. Ailleurs, les planchers de l'époque étaient en liège (salles de lecture), en tuile de céramique (pièces du soussol) ou en chêne (salle d'exposition et salon de réception). Il est dommage qu'ils soient aujourd'hui recouverts de tapis.

Le chêne a été privilégié pour les boiseries et le mobilier. La quincaillerie et le luminaire (gigantesque lanterne du foyer principal, lustres et lampes de table, en sus bien sûr des torchères extérieures) sont en bronze. Enfin, on notera que le fer ornemental abonde à l'intérieur et porte le monogramme BSS (bibliothèque Saint-Sulpice) bien en vue.

Le clou de l'édifice demeure évidemment ses vitraux réalisés par la maison Henri Perdriau, qui méritent tous d'être examinés attentivement. On en trouve cinq en façade, trois de chaque côté, à l'avant, et neuf dans les caissons* du plafond de la grande salle, protégés par le toit à pignon en grande partie vitré.

Dans l'entrée, une majestueuse lanterne éclaire le grand escalier en marbre blanc à parapet sculpté qui conduit à la salle de lecture, judicieusement isolée des bruits de la rue. Cette salle mesure 108 pieds sur 55, sur 24 de hauteur sans aucun pilier. Deux salles dans les ailes et des cabinets de travail, aménagés en alcôves* à l'étage ou sur la mezzanine, s'offrent au public.

Il est difficile de ne pas remarquer les trumeaux* encadrés de cordons décoratifs de guirlandes, de feuilles et autres motifs décoratifs du genre. Ces grands espaces vides devaient loger des tableaux de maîtres, mais les fonds ont manqué.

Photo Jean-Yves Létourneau, *La Presse*
Horloge offerte par l'architecte Eugène Payette.

La zone de conservation comporte les rayons de livres en acier répartis sur quatre étages et installés sur un parquet de marbre selon un principe révolutionnaire conçu par l'Américain Bernard Richardson Green et réalisé par la maison Snead & Co. Iron Works Ltd., de Jersey City.

Enfin, la salle de conférences de 450 places (959 à l'origine), à l'entresol, est entièrement indépendante de la bibliothèque puisqu'on y accède par des entrées latérales.

Commencé en 1912, l'édifice fut terminé en mai 1914, et ouvert au public le 12 septembre 1915. L'aventure a coûté 324 343 $, plus du double de ce qui avait été prévu, sans tenir compte du coût d'acquisition des terrains.

La bibliothèque Saint-Sulpice cessa

ses activités en 1931, victime, comme tant d'autres, de la crise économique. Acquise par le gouvernement du Québec en 1942, elle rouvrit ses portes à un public restreint en 1944, et il faudra attendre 1964 avant qu'elle ne retrouve sa vocation première.

Au début des années 40, le sous-sol de l'édifice abrita le premier Conservatoire de musique du Québec, fondé par le grand Wilfrid Pelletier, avec la collaboration de Claude Champagne (premier directeur) et de Jean Vallerand (premier secrétaire). La salle de conférences devint salle de concert, avec orgue; diverses petites salles, y compris certaines cages d'escalier, devinrent studios d'enseignement ou de pratique pour les apprentis musiciens devenus instrumentistes de nos grands orchestres d'aujourd'hui.

Le conservatoire quitta la bibliothèque Saint-Sulpice dans les années 60, s'installa pendant quelque temps aux étages supérieurs du palais du commerce de la rue Berri, puis trouva ses quartiers permanents depuis lors dans le «nouveau» palais de justice, rue Notre-Dame, aujourd'hui connu sous le nom d'édifice Ernest-Cormier.

Utilisé par la Bibliothèque nationale du Québec depuis 1967, le majestueux édifice est redevenu le refuge des chercheurs et des étudiants, comme le désirait ardemment Aegidius Fauteux.

Ce dernier mourut en avril 1941. Entre-temps, il avait fondé, en 1937, l'École des bibliothécaires, affiliée à l'Université de Montréal, après avoir inauguré, en 1932, les cours de bibliothéconomie à l'Université McGill... en français! Mais il mourut avant que la bibliothèque n'ait rouvert ses portes pour de bon, à l'abri de toutes contraintes financières. Sa mémoire est aujourd'hui perpétuée par l'annexe installée dans l'ex-bibliothèque juive qui porte son nom, rue de l'Esplanade.

REPÈRES

Nom: bibliothèque Saint-Sulpice.
Adresse: 1700, rue Saint-Denis.
Métro: station Berri-de-Montigny, direction rue Saint-Denis.

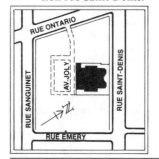

SOURCES:

Lassonde, Jean-René: *La Bibliothèque Saint-Sulpice, 1910-1931* — Bibliothèque nationale du Québec: documents divers — *Bibliothèque Saint-Sulpice, Montréal*, dans la revue *Construction* de novembre 1917 — Archives municipales de Montréal: documents divers — Communauté urbaine de Montréal, Service de la planification du territoire: documents divers — Marsan, Jean-Claude: *Montréal en évolution*.

Photo Jean-Yves Létourneau, *La Presse*
La salle de conférences à l'entresol.

38

La maison Wilson

Construction: c. 1750
Architecte: inconnu
Monument historique classé

Il n'est jamais facile pour les responsables du patrimoine historique de donner un nom à un des bâtiments historiques.

Cette remarque vient à l'esprit en étudiant le dossier d'une maison à pignon du milieu du XVIIIe siècle située à Pointe-aux-Trembles. Le ministère des Affaires culturelles avait le choix entre deux noms: «maison Beaudry», du nom de la famille de Louis Beaudry, propriétaire du terrain pendant près 200 ans, pionnière, avec les Desroches et les Gervais, de l'histoire de cette petite municipalité aujourd'hui annexée à la Ville de Montréal; et «maison Wilson», en souvenir d'un de ses propriétaires les plus importants, le sénateur Marcelin Wilson.

Le ministère a choisi cette dernière appellation, qui a été retenue pour ce livre afin d'éviter toute confusion chez d'éventuels chercheurs.

Un vieux fief

Louis Beaudry (ou Baudry) était propriétaire de ce terrain situé face à l'île Sainte-Thérèse, tout près de la coulée Saint-Jean, lorsqu'il en fit don à son fils Anthoine, en 1730, à l'occasion de son mariage avec Hélène Pigeon. Ce terrain faisait partie du fief de Pointe-aux-Trembles, accordé à Jean Oury dit Lamarche vers 1670, à une époque où les sulpiciens étaient les grands seigneurs de l'île de Montréal de par la volonté de Paul Chomedey de Maisonneuve, fondateur et premier gouverneur de Montréal.

Au fil des ans, les sulpiciens entreprirent de partager leurs terres dans le but de favoriser le peuplement de l'île et d'assurer sa défense par des avant-postes fortifiés.

Lorsqu'Anthoine hérita du terrain, s'achevait le parachèvement du chemin du Roy (il fut inauguré en 1734), construit sous la surveillance du maître de poste Nicolas Lanouiller, qui avait reçu l'ordre de tracer une route entre Montréal et Québec pour le courrier royal. Construit en bordure du fleuve, le chemin du Roy a depuis longtemps été emporté par l'érosion qui a rongé une bonne partie de la rive. Il ne faut donc pas le confondre, du moins dans cette partie de son tracé, avec la rue Notre-Dame qui passe beaucoup plus au nord.

Le sénateur Wilson

La famille de Louis Beaudry et de ses descendants a été une des familles pionnières de Pointe-aux-Trembles. Les Beaudry, de Louis à Zacharie, parfois par gendre interposé, ont gardé la mainmise sur la terre jusqu'en 1922.

Pour sa part, le sénateur Wilson a laissé sa marque dans les hautes sphères financières, industrielles et sociales de Montréal. Wilson naquit le 26 décembre 1859 à l'île Bizard, sur la ferme de son père. Il était le fils de John, de la deuxième génération des Wilson nés au pays, et de Marguerite Lavigne. Son éducation secondaire se limita à sept années d'études à l'Académie commerciale de l'école Le Plateau de Montréal, et il avait à peine 17 ans lorsqu'il entra au service des grossistes en épicerie Dufresne et Mongenais.

Sa véritable carrière d'homme d'affaires commença en 1888 quand Léonard Irenée Boivin l'invita à se joindre à lui pour acquérir la totalité des actions de l'entreprise, alors connue sous le nom de Mongenais, Boivin et Cie. Spécialisée dans l'importation des vins et spiritueux, cette dernière en étonna plus d'un en construisant, en 1896, la distillerie Melchers Gin and Spirits Distillery Co., à Berthierville, la seule au Canada à produire un gin hollandais. En fait, le gin Red Cross s'avéra

Photo de 1977, avant les modifications à la toiture.

plus populaire que les produits importés!

La création de la Commission des liqueurs de la province de Québec, en 1922, amena Wilson à abandonner l'importation des boissons alcoolisées et à se concentrer sur la haute finance. Wilson fut président de la Banque Canadienne Nationale, du Trust général du Canada et de l'hôtel Windsor, et fut directeur d'entreprises majeures comme la Montreal Tramways Co., la Montreal Light, Heat and Power Co., la Detroit United Railways Co., et la Canada Publishing Co., pour ne nommer que celles-là.

Parmi ses gestes de philanthropie les plus remarquables, on peut mentionner son don de 100 000 $ à l'Université de Montréal lors de la construction du nouvel édifice, et sa contribution de 600 000 $ à la Maison des étudiants canadiens, à l'Université de Paris, en 1926, geste qui lui valut la Légion d'honneur de la France.

Wilson fut appelé au Sénat par Sir Wilfrid Laurier en 1911. Marié le 11 janvier 1887 à Alexina Geoffrion, de Terrebonne, Wilson eut 11 enfants, et seulement six filles lui survécurent (son dernier garçon mourut à l'âge de 14 ans). Le sénateur Wilson mourut en 1940 à l'âge de 81 ans.

La maison

La maison qui nous intéresse aujourd'hui a été construite entre 1730 et 1777. Le document de cession du terrain à Anthoine Beaudry, signé le 10

Croquis en plan des quatre faces de la maison Wilson.

224

Photo de l'avant de la maison à l'hiver de 1987.

Photo de l'arrière.

août 1730 devant le notaire N. Senet, fait état d'une « vieille maison » et d'une grange neuve, tandis que l'acte de donation d'Anthoine Beaudry à son gendre Pierre Beauchamp, le 2 octobre 1777 devant le notaire Sanguinet, fait état d'une « maison de pierre » et non plus d'une « vieille maison ». Elle est donc antérieure à 1777, et comme elle comporte certaines caractéristiques du régime français, il est vraisemblable de situer sa construction aux environs de 1750.

Cette maison fut construite sur un remembrement de terrains de six arpents de front en bordure du Saint-Laurent, sur 28 arpents de profondeur. Mais lorsque le sénateur Wilson en fit l'acquisition, devant le notaire J. A. Pérodeau, le 21 septembre 1922, la propriété s'étendait du fleuve jusqu'à la rue Notre-Dame, entre les 60e et 64e Avenue.

Le terrain résiduel mesure 1 750 pieds de front sur 410 de profondeur, mais il est actuellement morcelé. Ce morcellement heureusement temporaire de la propriété s'est fait au détriment de l'environnement immédiat de la maison, actuellement masquée par des roulottes qui occupent des emplacements locatifs en bordure de la rue Notre-Dame.

La maison Wilson est formée de deux bâtiments adjacents : un bâtiment de pierre vraisemblablement construit vers 1750, et un en bois vraisemblablement construit fin XVIIIe, début XIXe siècle.

Le bâtiment en pierre des champs avec chaînage* en pierre de taille occupe un espace au sol presque carré de 35 pieds sur 36. L'épaisseur des murs s'établit à 30 pouces, atteignant 33 pouces et demi dans les deux murs-pignons.

225

Les deux murs longs, et plus particulièrement celui de la façade, sont largement masqués par la toiture à pente douce de 45 degrés qui atteint presque les deux tiers de la hauteur.

Le fenêtrage* caractérise la maison Wilson lorsqu'on le compare à celui d'autres vieilles maisons de l'extrémité est de l'île de Montréal. La façade avant comporte une porte et deux fenêtres percées d'une manière arythmique et asymétrique, par opposition aux trois fenêtres asymétriques mais rythmiques du mur arrière, et aux deux fenêtres symétriques et rythmiques du mur-pignon* ouest. À noter que ce mur est sans fenêtre à l'étage et dans les combles*.

La toiture à deux versants* a subi une importante modification en façade puisqu'on a prolongé le larmier* de manière à couvrir la galerie ajoutée vers la fin du XIXᵉ siècle. Le recouvrement en tôle* à baguettes (depuis rem-

Photo de la cuisine, dans la partie en bois.

placée par des bardeaux) et les lucarnes*, à l'avant comme à l'arrière, sont des interventions du XXᵉ siècle. Une cheminée double également partagée entre les deux versants perce la toiture à chaque extrémité.

Le bâtiment de colombage* de bois de 20 pieds sur 22 pieds et demi occupe un volume similaire, mais d'échelle réduite, par rapport au bâtiment en pierre, et il repose sur une fondation en béton. Les murs sont construits en planches à déclin* sur colombage de bois. La toiture en tôle à la canadienne (également remplacée par des bardeaux) est probablement plus ancienne que celle du bâtiment de pierre. Quant à la cuisine d'été transformée en pièce de rangement, elle ne présente aucun intérêt particulier sur le plan architectural. Et comme le mode de construction et les matériaux utilisés à l'intérieur sont les mêmes que dans le bâtiment de pierre, on peut supposer que les réaménagements intérieurs de ce dernier datent de la fin du XVIIIᵉ siècle.

L'intérieur du bâtiment

Passons maintenant à l'intérieur. De façon générale, il faut dire que l'intérieur a subi de nombreuses transformations au fil des décennies, de sorte que seul un curetage approfondi permettrait de redonner au bâtiment de pierre son apparence originale. On sait avec certitude qu'il existait au rez-de-chaussée deux foyers* aujourd'hui dissimulés par des cloisons. On peut présumer que le curetage permettrait

Détail de l'entrée principale.

Photo de la charpente du toit, sous les combles.

cloison qui partage la superficie parallèlement aux deux murs longs n'est pas d'époque puisqu'elle aboutit en plein centre des foyers aux deux extrémités. Et la cuisine, aujourd'hui logée dans la partie en bois, où se trouvait-elle à l'origine?

Des chambres occupent l'étage accessible par un escalier dans les deux parties de la maison, mais on peut affirmer qu'elles ne sont pas d'origine dans la partie en pierre, puisque traditionnellement, ce volume servait de grenier.

Parlons maintenant des revêtements intérieurs. Les planchers sont construits en madriers embouvetés* posés perpendiculairement sur les solives* ou les poutres*. Ces planchers sont recouverts de bois franc au rez-de-chaussée et de linoléum à l'étage. Les cloisons sont formées d'une simple épaisseur de planches embouvetées posées à la verticale. Les plafonds sont également construits en planches embouvetées.

de découvrir aussi des armoires encastrées dans les murs de pierre.

Commençons par la cave. Un mur de pierre divise le sous-sol parallèlement aux murs-pignons, aux deux tiers de la distance à partir du mur ouest. Ce mur n'a aucune fonction structurale et ne sert qu'à cloisonner la partie (plus petite) creusée (à 6 pieds et demi de profondeur) et chauffée (comme le confirme la présence d'un foyer encore visible) de la cave (le reste du sous-sol n'a que 39 pouces de profondeur).

La cave creusée était accessible de l'intérieur par un escalier de meunier conduisant à une trappe dans la grande pièce. De l'extérieur, on y accédait par une porte, qui pourrait bien être la porte conduisant à la cave sous la maison de bois. Aujourd'hui, on y accède par une porte recouverte d'un cabanon et ouverte du côté du fleuve, à l'endroit jadis occupé par un soupirail.

Il est difficile de présumer de l'aménagement original du rez-de-chaussée. En revanche, on peut affirmer que la

Fenêtre de la maison. À noter l'épaisseur des murs.

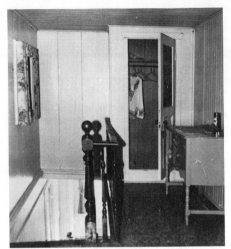

L'étage à la tête de l'escalier.

tauration du bâtiment, et se contente d'en assurer un entretien rigoureux, en attendant qu'une décision finale soit prise à son sujet.

Les fenêtres, à panneaux plats ou à battants* à six carreaux, ne sont pas d'époque, pas plus que les portes, à l'exception d'une seule, à panneaux soulevés, et qu'on retrouve à l'étage. Il en va de même pour la quincaillerie.

Une maison à conserver

La maison Wilson possède plusieurs des caractéristiques qui permettent de distinguer les maisons rurales construites au XVIIIe siècle, sous le régime français: pierre des champs; implantation au sol presque carrée; toit à pente douce; fenêtrage asymétrique; cave; vaste grenier, etc. Ces caractéristiques permettent de situer l'époque de la construction avec assez de précision.

Le ministère des Affaires culturelles a reconnu la valeur historique indiscutable de cette maison en la classant comme monument historique, en 1979. Son emplacement privilégié au milieu d'un vaste terrain, qu'on pourrait facilement transformer en parc régional, et l'excellente condition de sa structure sont autant d'atouts qui plaident en faveur d'une restauration.

Malheureusement, l'actuel propriétaire, la Ville de Montréal, qui l'a acquise au coût de 485 000$ en 1983, n'envisage pas pour le moment la res-

REPÈRES

Nom: maison Wilson.
Adresse: 14678, rue Notre-Dame est.
Métro: station Honoré-Beaugrand, autobus 86 jusqu'à la 60e Avenue.

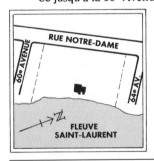

SOURCES:

Ministère des Affaires culturelles: documents divers — Groupe de recherches sur l'architecture et les sites historiques de l'École d'architecture de l'Université de Montréal: *Maison Wilson*, par Anne-Marie Faugère — Gouger, Normand: *La maison Wilson* — CIDEM-Communications: Collection *Pignon sur rue* — Archives de la Ville de Montréal: documents divers — Archives nationales du Québec: actes de vente — Canadian Press: *Joseph Marcelin Wilson* — Canadian Press Syndicate: *An Encyclopaedia of Canadian Biography* — Bélisle, Louis-Alexandre: *Références biographiques Canada-Québec* (Les éditions de la Famille canadienne Limitée).

39

La maison Du Calvet

Construction: c. 1770
Maçons : Jacques Roy et
Charles-Esprit Genest

Les uns le considèrent comme un traître à son pays, les autres comme un héros et un patriote, en expliquant sa « collaboration » avec l'envahisseur américain par son rêve de dégager ses concitoyens du joug de l'envahisseur britannique.

Pierre Du Calvet, traître ou héros ? L'homme fut trop énigmatique, aventurier, étrange, en même temps qu'attachant, innovateur et imbu de justice pour que se fasse l'unanimité chez les historiens.

Dans un tel contexte, il était presque inévitable que la vieille maison de pierre qui porte aujourd'hui son nom soit elle aussi l'objet d'une polémique. Une plaque à l'entrée fixe l'année de sa construction à 1725, sans que rien

ne permette de vérifier cette date. On baigne dans l'incertitude la plus totale quoique — on le verra plus loin — il est probable que la maison fut construite après 1770.

Un Huguenot de France

Mais qui est ce Du Calvet qui suscite tant d'intérêt ?

Calvet (la particule « nobiliaire » viendra plus tard) est né en 1735 à Caussade, dans le Tarn-et-Garonne, dans le Sud-Ouest de la France, à proximité de Toulouse. Il était l'aîné de la famille huguenote du « bourgeois » Pierre Calvet et d'Anne Boudet. Les cinq enfants (c'est un minimum, car on ne connaît pas le nombre exact) furent baptisés à l'Église catholique afin de calmer le voisinage.

Du Calvet quitta Bordeaux en 1758 à bord d'un navire chargé de marchandises, dans l'espoir de s'enrichir en Nouvelle-France. Ô malheur, le navire fit naufrage durant la traversée ; Du Calvet s'en tira, mais à son arrivée à Québec, en juin 1758, il était sans le sou.

De juillet 1758 à septembre 1759, il fut responsable, au nom de Louis XV, de pourvoir aux besoins urgents d'Acadiens déportés en 1755. Sa renommée dans ce coin du pays nouvellement conquis était telle qu'elle incita James

Reconstitution de la maison de Marie Brazeau en 1692, par Jacques Tougas, architecte, à partir de données techniques et d'un isométrique établis par Rémi Tougas, ingénieur.

Photo magasin Ogilvy

La maison Du Calvet avant la restauration.

Murray, nouveau gouverneur militaire du Canada, à l'y envoyer de nouveau après la conquête, pour s'occuper du relogement des Acadiens.

En 1762, Du Calvet arriva à Montréal pour un premier séjour (il y avait brièvement vécu de septembre 1759 à janvier 1760) pour deux ans au cours desquels il établit son premier commerce, rue Saint-Paul, vraisemblablement dans l'édifice de «La Friponne», près de la chapelle Notre-Dame-de-Bonsecours.

En 1764, il se rendit à Londres, où il passa deux ans à régler la succession de son père, mort en France en 1763. Il affirma plus tard qu'il dût «sacrifier la plus grande partie de son patrimoine» à cause de sa fidélité à sa foi protestante et au conquérant anglais. En revanche, son voyage en Angleterre lui permit d'établir d'importants contacts qui le servirent dès son retour en Amérique puisqu'il fut nommé juge de paix.

Sa passion pour la justice, sa rigueur intellectuelle, son honnêteté et son zèle à combattre les abus de pouvoir, même au sein de la magistrature, lui valurent la reconnaissance du gouverneur Guy Carleton (futur Lord of Dorchester) et les louanges du juge en chef

William Hey. Mais ses virulentes dénonciations lui valurent bien des inimitiés tant chez ses confrères que chez les militaires comme John Fraser, capitaine dans le 60e régiment d'infanterie de Sa Majesté, promu juge de la Cour des plaids communs.

L'achat de la maison

En 1770, il acheta les propriétés de feu Pierre Jussaume et, le 3 octobre 1771, il épousa devant le pasteur Chabrand Delisle, Marie-Louise Jussaume, à l'église protestante Christ Church. Sa femme mourut prématurément (elle avait 24 ans) le 16 décembre 1774, après lui avoir donné trois fils dont un seul, John, survécut.

Au moment de l'invasion américaine de 1775 par les armées des généraux Richard Montgomery et Benedict Arnold, Du Calvet assura leur ravitaillement car il souhaitait secrètement — un étonnant revirement! — que le Canada fasse partie des États-Unis d'Amérique. D'ailleurs, c'est dans son jardin, derrière sa maison de la rue Saint-Paul, que le jésuite John Carroll (il devint le premier évêque catholique

Photo Pierre McCann, *La Presse*

La restauration a redonné tout son charme à la maison.

L'arrière de la maison avant la restauration.

américain) rencontra en secret le clergé catholique montréalais. Le père Carroll avait accompagné l'envoyé spécial du Congrès américain, Benjamin Franklin, à Montréal, dans le but de convaincre le Canada de se joindre à la révolution américaine.

Et ce fut à cette époque que Du Calvet se lia d'amitié avec Fleury Mesplet, fondateur récent de *La Gazette littéraire pour la ville et le district de Montréal* (ancêtre de l'actuel quotidien *The Gazette*).

Au départ des Américains, ces derniers négligèrent de payer la note qui s'élevait à 56 394 £. Les efforts de Du Calvet pour obtenir le paiement de cette dette serviront ses ennemis, qui n'attendaient que l'occasion de se venger.

Son emprisonnement et sa mort

Acquitté d'une première accusation de libelle portée par deux juges, grâce au talent du jeune procureur William Dummer Powell, Du Calvet fut arrêté pour trahison le 27 septembre 1780, sur l'ordre du général de brigade Allan MacLean.

Le gouverneur de l'époque, Frederick Haldimand, un Suisse naturalisé anglais, se préparait à accéder à la demande de François Lévesque, conseiller législatif du Bas-Canada — il avait même demandé au lieutenant-gouverneur Hector Theophilus Cramahé de préparer les documents requis — et à libérer Du Calvet quand il prit connaissance d'une lettre de Du Calvet blessante à son égard, au point de surseoir à la mise en liberté.

Deux jours plus tard, Du Calvet fut transporté à bord du *Canceaux*, dans le port de Québec, avant d'être déménagé, le 14 novembre, au monastère des Capucins de Québec, transformé en geôle pour prisonniers politiques; il y fut enfermé pendant trois ans.

Avant comme après sa libération, le 2 mai 1783, il s'attaqua à la tâche d'obtenir justice, auprès du gouvernement d'Angleterre pour emprisonnement illégal, et auprès du gouvernement américain pour remboursement de dette. Il écrivit deux volumes à ces fins: *Le cas de Pierre Du Calvet* et *Appel à la justice de l'État*. En plus de plaider sa cause auprès du prince de Galles et de Lord of Sidney, ministre responsable des Colonies, il se rendit à Paris afin de soumettre ses griefs à Franklin, alors ambassadeur des États-Unis en France. Il se rendit également aux États-Unis où il rencontra le président George Washington et Gilbert Motier, marquis de La Fayette. Ses efforts lui obtinrent un remboursement de 5 352,50 dollars espagnols, rien de plus!

Du Calvet mourut peu après le 15 mars 1786, dans le naufrage du *Shelburne*, qui le transportait de New York à Londres. À sa mort, Du Calvet possédait plusieurs propriétés, rue Saint-

La galerie qui coiffait la rallonge au nord.

Paul, rue Saint-Jean, place du Marché (l'actuelle place Jacques-Cartier), en plus du fief de Rivière-David (Yamaska) et d'arrière-fiefs à La Prairie et dans la seigneurie de Yamaska. Un inventaire de ses biens dressé par le notaire Joseph Papineau établit ses avoirs à 87 000 £, mais il laissait des dettes de 94 000 £. Théoriquement, il était donc en faillite.

Sur le plan administratif, Du Calvet a suggéré plusieurs visions d'avenir. Parmi les plus bouleversantes, on peut souligner la limitation des pouvoirs du gouverneur, la formation d'une Assemblée législative, le pouvoir de taxation, l'entrée libre au Canada des prêtres romains (est-il nécessaire de rappeler qu'il était protestant!), la nomination de six Canadiens au Sénat britannique, la naturalisation des Canadiens, le rétablissement du Conseil supérieur comme tribunal militaire, la formation d'un régiment autochtone, l'institution des collèges pour l'éducation de la jeunesse et... la liberté de la presse!

La maison Du Calvet

La maison Du Calvet est considérée depuis longtemps comme un des plus beaux exemples d'architecture vernaculaire du régime français, construit vers 1725. Pourtant, d'après une série de documents notariés assemblés par Yves-Jean Tremblay, des Archives nationales du Québec, la construction de la maison se situerait entre 1770 et 1786, donc sous le régime anglais. Mais rien dans la documentation ne

Photo Gaétan Trottier

L'épicerie du rez-de-chaussée en 1929.

Photo Robert Nadon, *La Presse*

Gaétan Trottier et Ronald Dravigne, les propriétaires de la maison Du Calvet, dans l'épicerie restaurée au rez-de-chaussée.

permet d'étayer la thèse qui fixe la construction à 1725!

Trois faits peuvent expliquer la persistante confusion qui règne dans ce dossier: Du Calvet a été à la fois propriétaire de La Friponne et d'autres immeubles; il a aussi acquis la maison (aujourd'hui occupée par le restaurant *Les Filles du Roy*) sise à l'est de la sienne, du côté nord de la rue Saint-Paul. Les documents sont rédigés d'une manière telle qu'on passe, souvent sans avertissement, d'une propriété à l'autre.

La chaîne des titres

Aucun doute ne subsiste quant aux différents propriétaires du terrain. Établissons la chaîne des titres:

— juillet 1690, cession de François Dollier de Casson à Silvain Guérin et à sa femme Marie Brazeau: un lopin de terre de 50 pieds de largeur, rue Saint-Paul;

— avril 1695, achat par Nicolas Brazeau père du lopin de terre «avec la Maison quy est sur Led Emplacement de vingt deux pieds de long sur dix huit pieds de large. La Cave de massonne. Le surplus de pièces sur pièces. Le planché de haut et bas enbousvettés. Couvertes de planches avec une Cheminée de pierre... », lors d'une vente à l'enchère de la propriété de sa fille Marie, saisie pour dettes impayées;

— mai 1696, ensaisinement de la vente à Nicolas Brazeau et à Anne Pinsonneau: le même emplacement avec maison en «pierre à chaux et sable» (pierre calcaire et pierre de grès);

— février 1699: achat par Marie Brazeau et Guillaume Tougard (ou Tougas, qu'elle avait épousé en secondes noces le 10 novembre 1698), du même emplacement, toujours propriété de Nicolas Brazeau père;

— mars 1700: réacquisition de la propriété par Nicolas Brazeau père;

— août 1705: lors du décès de Nicolas Brazeau père, son fils Nicolas et Anne Pinsonneau héritent de la propriété;

— mars 1739, cession de la veuve Pinsonneau à Joseph Brazeau: le même terrain avec maison en «pierre à chaux et sable», à deux étages en plus d'une cave et d'un grenier (donc un étage de moins que l'actuel bâtiment!), d'environ 36 pieds (français) sur 29 (ou l'équivalent de 39 pieds anglais sur 31,5, les dimensions exactes de l'actuelle construction);

— février 1743, vente de Brazeau à Jean-Baptiste Celoron, sieur de Blainville: la propriété ci-dessus décrite;

— juin 1757, vente du sieur de Blainville à Pierre Jussaume dit Saint-Pierre: toujours la même propriété;

— avril 1770, vente de Louise Boulay, veuve Jussaume, à Pierre Du Calvet: toujours la même propriété;

— décembre 1789, vente du shérif à Louis Cavilhe: la propriété avec maison à trois étages (donc l'édifice actuel);

— juin 1798: vente de Cavilhe à Frederick Gonnerman;

— septembre 1825: vente de Mary Riss, veuve Gonnermann à Jacques Viger;

— septembre 1825: vente de Viger à Dominique Mondelet.

Les propriétaires subséquents sont faciles à retracer et n'ont guère influencé le dossier à l'exception des deux derniers: John McMillan (1862); Thomas Tiffin (1874); James S. Kelly (1882); Wilfrid S. Kelly (1899); Stephen Vallée (1899); succession du révérend Marie Hercule Bédard, prêtre (1911); Joseph Wilfrid S. Kelly (1918); A. F. Feldman (1963); Bonsecours Building Inc. (1963); Jos. A. Ogilvy Ltd. (1963); Bernard, Gaétan et Yvan Trottier, ainsi que Ronald Dravigne (1984).

La date de construction

Examinons maintenant les hypothèses quant à la date de construction de la maison sur ce terrain. Trois se présentent à nous: 1692, 1725 et 1770.

Écartons d'abord 1725, la plus répandue, et qui apparaît hélas sur la plaque apposée lors de sa restauration par la maison Ogilvy en 1966. Comme on le disait précédemment, rien dans la documentation ne permet de comprendre — et encore moins de justifier historiquement — cette date.

L'hypothèse 1692 est avancée dans l'Inventaire des bâtiments historiques du Canada (IBHC), et elle remonte à 1975. Cette hypothèse repose sur le «marché de massonne» conclu le 25 janvier 1692, devant le notaire Antoine Adhémar, entre Marie Brazot (ou Brazeau, femme de Guérin) et le maçon Jean Mars. Par ce contrat, Mars s'engageait à reconstruire, avant la fin de mai, une cheminée «en la maison de ladite Brazot seize *(sise)* près la chapelle Notre-Dame-de-Bonsecours, de pierre à chaux et sable». Donc, dit-il, la maison a été construite entre le 20 juillet 1690, date de l'acquisition du terrain par le couple Guérin-Brazeau, et le 25 janvier 1692, date de la signature de ce marché.

Cependant, l'examen des différents plans rédigés au XVIIIᵉ siècle soulève certains doutes, car aucun plan antérieur à celui de Chaussegros de Léry, en 1717, ne montre un bâtiment à cet endroit.

Rien ne prouve que cette hypothèse soit fausse, mais les doutes subsistent.

L'hypothèse de 1770

L'hypothèse de 1770 est avancée par A. J. H. Richardson, jadis directeur de la section recherches à la Division des sites historiques canadiens, au sein de l'ex-ministère du Nord canadien et des Ressources nationales, par le ministère des Affaires culturelles du Québec et par le Service de la planification du territoire de la CUM.

Cette thèse ne détruit pas nécessairement l'hypothèse précédente car elle ne nie pas l'existence au même emplacement d'une maison antérieure à 1770; elle se contente d'affirmer que la maison actuelle n'est pas antérieure à 1770!

Cette hypothèse repose sur l'inventaire des biens de feu Pierre Jussaume dit Saint-Pierre, déposé par Pierre Du Calvet, tuteur des enfants du défunt, chez le juge John Fraser — toute une coïncidence! — afin d'obtenir l'autorisation de vendre les biens de l'héritage «parce que la maison est en mauvais état, qu'elle a besoin de fortes réparations qui coûteraient des sommes considérables et que les mineurs — les enfants Jussaume — ne sont point en état de payer». Le mauvais état de la maison pourrait s'expliquer par un incendie qui, en 1765, détruisit plusieurs maisons dans le secteur. Une note manuscrite ajoutée au document de l'IBHC soulève d'ailleurs cette possibilité.

Une fois la maison acquise, le 28 avril 1770, Du Calvet la fit reconstruire, possiblement sur les mêmes fondations (les dimensions sont les mêmes), au prix de 4 500 £, comme il le précisa dans *Le cas de Pierre Du Calvet*. Une telle somme permet d'affirmer qu'il

Photo magasin Ogilvy

Une pièce restaurée.

s'agissait d'une reconstruction et non d'une simple réparation, et que cette reconstruction s'est déroulée entre le 28 avril 1770 et octobre 1771, cette dernière date étant celle où il s'y installa. Elle comprenait alors (et comme aujourd'hui) une cave, le rez-de-chaussée où il tenait commerce, deux étages et un grenier.

Évidemment, on en saurait plus long sur les travaux et leurs responsables si on avait trouvé le «marché de construction» (le contrat). Cependant, il n'est pas nécessairement faux de croire que le menuisier Joseph Dufort et les maçons Jacques Roy et Charles-Esprit Genest, qui avaient évalué l'état de la maison en 1770, aient été chargés de la reconstruction.

Soulignons que la chaîne des titres soulève quelques questions pertinentes quant aux dimensions de la maison et au nombre d'étages, ce qui ne contribua guère à atténuer la confusion chez les historiens, d'où l'absence d'unanimité.

Maison française du régime anglais?

Il reste une énigme à éclaircir: comment les tenants de l'hypothèse 1770 expliquent-ils le fait que la maison comporte toutes les ordonnances de construction du régime français: murs extérieurs en maçonnerie* pleine, en pierre des champs, murs* coupe-feu, toiture à pente aiguë en tôle* à baguettes, pièces de charpente* massives, et absence de toutes saillies extérieures? Pas facile en effet. L'hypothèse la plus plausible qu'on puisse évoquer serait le fait que Du Calvet avait voulu garder un «visage français» à sa maison, mais c'est évidemment une supposition.

La maison mesure 39 pieds de largeur sur 31 et demi de profondeur sur 46 pieds et 9 pouces de hauteur. Elle comporte une cave, un rez-de-chaussée, deux étages et un grenier.

Parmi ses éléments architecturaux les plus remarquables, outre les détails déjà mentionnés, on peut souligner les chaînes* d'angles et l'encadrement des ouvertures en pierre de taille, le nombre élevé de portes et de fenêtres, les embrasures* profondes, les murs coupe-feu avec cheminées asymétriques qui surpassent la ligne du toit de six pieds, les corbeaux* galbés en forme de «S» en pierre taillée, les esses* (ou «S») en fer qui ornementent les faces, les fenêtres à deux battants* et la porte d'esprit XVIIIe à carreaux vitrés.

La maison comporte une rallonge à l'arrière, ajoutée à une date indéterminée et construite en couvrant la cour arrière. Même si cette rallonge n'est pas d'époque, il a été décidé de la restaurer.

· L'intérieur de la maison est remarquable à plusieurs égards. Les murs portants* sont en moellons* et contiennent plusieurs placards. La charpente et les fermes* sont en bois. La plupart des énormes poutres* en cèdre du sous-sol sont d'époque, mais certaines d'entre elles ont été écourtées à cause de la pourriture. Les planchers en larges planches de pin reposent sur des traverses taillées en «V», et ces entailles entre les traverses sont remplies de ciment. Les plafonds sont en bois. La magnifique cheminée à jambages en pierre de taille du rez-de-chaussée était cachée derrière une accumulation de plâtre. On trouve une autre cheminée dans le mur ouest du premier étage et une à chaque extrémité au deuxième étage. Mises à nu, les fermes* du grenier sont à examiner de près, et plus particulièrement le remarquable poinçon*.

À chaque étage, on peut remarquer de nombreuses traces de l'époque où cette maison et celle des Filles du Roy communiquaient entre elles. La cour arrière témoigne également des nombreux usages faits de cet espace restreint. Un balcon intérieur a remplacé la galerie d'autrefois.

La maison est aujourd'hui la propriété de Gaétan Trottier et Ronald Dravigne. Ces derniers ont redonné au bâtiment sa vocation première en installant une épicerie au rez-de-chaussée afin de servir la population du quartier.

Pour le reste, à part de rares moments d'utilisation pour une exposition ou une conférence, la maison reste vide la plupart du temps. M. Trottier aimerait bien lui donner une vocation digne de ce monument, et il se dit prêt à écouter les suggestions.

Mais il faudra faire vite, car ces «citoyens ordinaires» pourraient bien se lasser d'investir dans une caisse enregistreuse sans fond...

REPÈRES

Nom: maison Du Calvet.
Adresse: 401, rue Bonsecours.
Métro: station Champ-de-Mars, direction Notre-Dame, tourner vers l'est rue Notre-Dame, puis vers le sud rue Bonsecours.

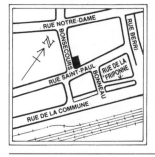

SOURCES:

Parcs Canada, Inventaire des bâtiments historiques du Canada: *Étude sur divers bâtiments anciens de Montréal*, par André Giroux — Archives nationales du Québec: documents notariés divers — Ex-ministère du Nord canadien et des ressources nationales, Direction des ressources naturelles et historiques: documents divers et *Pierre Du Calvet and his St. Paul Street House*, par J. I. Richardson — Papineau, Joseph (notaire): *Inventaire des biens de feu Sr Pierre Du Calvet* (1787) — Communauté urbaine de Montréal, Service de la planification du territoire: documents divers — Université Laval: *Dictionnaire biographique du Canada* — Extraits de *The Case of Peter Du Calvet* — Ministère des Affaires culturelles du Québec: documents divers — Magasin Ogilvy: documents divers — Archives de la Ville de Montréal: documents divers — CIDEM-Communications: *Le Vieux Montréal à pied* — Notes de Rémi Tougas, ingénieur.

40

La caserne centrale des pompiers

Construction: 1903
Architectes: Joseph Perrault et
Simon Lesage

Charles De Volpi et P.S. Winkworth
*Dessin du marché Sainte-Anne en flammes, réalisé par Sommerville et publié dans l'*Illustrated London News *du 19 mai 1849.*

L'époque de la pompe à vapeur traînée par un puissant attelage de quatre ou six chevaux est évidemment révolue. Pourtant, lorsque fut construite la caserne centrale des pompiers, en 1903, c'était la méthode qu'on utilisait pour combattre les incendies à Montréal et dans le monde.

Cette caserne fut érigée en plein coeur de la place d'Youville, emplacement jadis occupé par le marché Sainte-Anne qui, après avoir logé le Parlement canadien pendant cinq ans, de 1844 à 1849, fut détruit par les flammes pas moins de deux fois en moins de 50 ans. C'est là une des périodes les plus sombres de l'histoire de Montréal.

Montréal décimé par les incendies

Lorsque le «Département du feu», ancêtre de l'actuel Service de préven-

Charles De Volpi et P.S. Winkworth
Le marché Sainte-Anne, siège du parlement canadien au milieu du siècle dernier.

tion des incendies de Montréal, fut fondé, en 1863, sa création répondait à un problème majeur, celui des conflagrations qui ont dévasté Ville-Marie, puis Montréal au cours de son histoire.

Depuis le tout premier feu survenu en 1651 (neuf ans après la fondation de Ville-Marie), Montréal avait déjà connu plus d'une dizaine d'incendies majeurs: le couvent des Soeurs de la congrégation Notre-Dame en 1683; l'Hôtel-Dieu de la rue Saint-Paul en 1695; 160 édifices dans le Vieux-Montréal en 1721; tout le secteur ouest de la ville en 1725; l'Hôtel-Dieu une deuxième fois en 1734; plusieurs édifices sis à l'est de la rue Bonsecours en 1765; le château de Vaudreuil (au pied de l'actuelle place Jacques-Cartier) en 1803; le parlement et l'hôtel Donegana de la rue Notre-Dame en 1849; le quartier Sainte-Anne en 1851. Et l'année 1852 avait été particulièrement éprouvante: destruction de plusieurs magasins et maisons de la rue Saint-Pierre le 7 juin; conflagration dans le faubourg Saint-Laurent le 8 juillet, suivie d'une propagation des flammes jusqu'au square Dalhousie, puis au faubourg Québec. Ces deux incendies laissèrent quelque 15 000 personnes sans abri.

Pourtant, les autorités multipliaient les mesures destinées à assurer à la population une meilleure protection contre cet élément destructeur. C'est ainsi qu'elles avaient édicté de nombreux règlements afin de prévenir ou tout au moins ralentir la propagation des flammes: tracé des rues, alignement des maisons, interdiction «de bâtir au-

La caserne, peu de temps après sa construction.

cune maison autrement qu'en pierre... », etc. Cette réglementation se traduisit par des déplacements de population vers les faubourgs hors les murs, et plus particulièrement vers la rue Sherbrooke dans le cas de la bourgeoisie.

Le Service d'incendie

Le premier corps de sapeurs-pompiers volontaires fut instauré en 1734 par l'intendant Gilles Hocquart. Les pompes n'existaient même pas; accourus à l'appel du tocsin, les volontaires puisaient l'eau dans le Saint-Laurent ou à la rivière Saint-Martin, et l'acheminaient dans des seaux jusqu'au lieu du sinistre en faisant la chaîne. L'inauguration du premier aqueduc en 1816 et l'achat de la première pompe à bras en 1824 facilitèrent évidemment la lutte contre le feu. La première «brigade du feu» toujours formée de volontaires vit le jour en 1841.

L'histoire du Service de prévention des incendies (on a dit «Service d'incendie» jusqu'en janvier 1984) remonte au 1er mai 1863 alors que le règlement municipal 288 annonça la formation du «Département du feu», avec sapeurs-pompiers professionnels et permanents placés sous l'autorité du chef Alexander Bertram, dont la tâche fut immédiatement facilitée par l'acquisition d'un premier télégraphe d'alarme.

Les grandes dates du service à retenir sont les suivantes: première pompe à vapeur en 1870; premiers véhicules motorisés (pompe, échelle et voiture à tuyaux) en 1911; création du «Service d'incendie» en 1928; et abolition de la voiture à cheval en 1936.

Les casernes

La toute première caserne fut construite en 1863 selon des plans de H.-Maurice Perrault. Elle se trouvait rue Craig, à un emplacement proche de celui de l'actuelle caserne n° 20 récemment restaurée, au 181 rue Saint-Antoine ouest. Il s'agissait d'une bâtisse en pierre et en brique de trois paliers remarquable par ses piliers*, ses bandeaux* de démarcation, sa corniche* à denticules* et son toit* mansardé ponctué de lucarnes* et de cartouches* cintrés.

Choisie comme emplacement de la construction de la caserne centrale, la place d'Youville fut le théâtre d'événements marquants dans l'histoire de Montréal.

Jusqu'au début du XIXᵉ siècle, la ville fortifiée était coincée entre la petite ri-

La caserne en 1930.

237

vière Saint-Martin, au nord, et la rivière Saint-Pierre, au sud.

La rivière Saint-Pierre et le fleuve Saint-Laurent encadraient une presqu'île où débarquèrent Paul Chomedey de Maisonneuve et ses compagnons de voyage, le 18 mai 1642, jour de la fondation de Montréal.

Par la suite, le terrain fut principalement occupé par les propriétés des Soeurs Grises. Cette communauté fut fondée en 1747 par Marie-Marguerite Dufrost de Lajemmerais, veuve d'Youville, dans l'Hôpital général érigé en 1692 par François Charon de la Barre. Au fil des ans, trois ponts furent construits au-dessus de la rivière Saint-Pierre, dans l'axe des rues Sant-François-Xavier, du Port et Saint-Pierre.

Après la démolition des fortifications, la rue des Commissaires, qui longeait le port dans l'Est, fut prolongée vers l'ouest sur la rive nord de la rivière, tandis que la rue des Enfants-Trouvés longeait la rivière sur la rive sud.

Avec le temps, on en vint à canaliser et à recouvrir la rivière Saint-Pierre, créant ainsi une immense place. En 1823, l'entreprise privée construisit le premier marché Sainte-Anne, dans l'axe de la rivière Saint-Pierre, entre

Photo Jean Goupil, *La Presse*
La caserne en 1986. On remarquera qu'elle a retrouvé ses lucarnes originales.

les rues McGill et Saint-Pierre. La Ville de Montréal acquit le marché le 14 juin 1842. Deux ans plus tard, le 24 juin, le Parlement canadien s'y installait.

L'incendie de 1849

Montréal ne fut pas longtemps la capitale du pays, puisque le siège du Parlement fut incendié le 25 avril 1849. Les circonstances de cet incendie méritent d'être rappelées. Gouverneur général du Canada depuis 1847, James Bruce, Lord of Elgin, venait de sanctionner une loi d'indemnisation valable pour tous les citoyens qui avaient perdu leur maison ou d'autres biens dans la rébellion de 1837. Cette loi avait été adoptée à l'instigation des Réformistes de Robert Baldwin et Louis-Hippolyte LaFontaine.

Même si la loi d'indemnisation excluait les exilés et tous les citoyens reconnus coupables de rébellion, les *Tories* de Sir Charles Metcalfe se soulevèrent contre le total de 100 000 £ prévu en indemnités. Et lorsque le Gouvernement refusa d'abroger cette loi, quelque 1 500 *Tories*, très majoritairement anglophones, descendirent vers la place du Marché.

Photo Pierre McCann, *La Presse*
La caserne en 1973.

238

Photo Jean Goupil, *La Presse*
Détail des lucarnes.

Comble d'ironie, les mutins étaient menés par le chef des pompiers volontaires, Alfred Perry. Mais ses hommes refusèrent de le suivre. Malheureusement, tous les tuyaux d'incendie furent coupés et leurs efforts furent vains : le marché Sainte-Anne brûla de fond en comble.

Peu après l'incendie, la Ville reprit possession du terrain et des ruines, et entreprit de faire reconstruire le marché Sainte-Anne. L'appel d'offres pour la reconstruction fut lancé le 21 août 1851 et la construction fut complétée en 1852.

En 1871, toujours place d'Youville, on ajouta un marché aux poissons, du côté est de la rue Saint-Pierre, à l'emplacement exact où s'élèvera en 1903 la caserne de pompiers qui fait le sujet de ce texte.

Le marché Sainte-Anne fut à nouveau détruit par un incendie le 11 août 1893, et en 1901, les deux édifices furent complètement démolis, créant ainsi une grande place publique à laquelle le Conseil municipal donna le nom de place d'Youville le 16 décembre 1901.

D'abord valorisée par un aménagement paysager, la place a depuis été transformée en parc de stationnement. Son côté sud a été amélioré grâce à la construction de la maison de la Douane, inaugurée en 1936, et la restauration de l'ex-Hôpital général.

D'architecture « Queen Anne »

La caserne fut construite en 1903 selon les plans des architectes Joseph Perrault et Simon Lesage. L'excavation et la maçonnerie furent confiées aux entrepreneurs Latreille et Frères ; Précourt et Cie furent responsables des travaux de charpente, et la toiture, la plomberie, le chauffage et l'éclairage furent réalisés par Pierre Leclair et Fils. La caserne fut fermée le 16 avril 1972.

Sur le plan architectural, l'édifice présente un mélange de plusieurs inspirations. Nul doute que les architectes se sont inspirés du style «Queen Anne» popularisé en Angleterre par Richard Norman Shaw, et caractérisé par la façade étroite, la ligne de toit bien définie, les pignons chantournés* et le contraste marqué entre les deux matériaux principaux, pierre de taille de couleur chamois et brique rouge. En revanche, l'arcade* cintrée* appuyée sur des colonnes* massives et la tour de séchage carrée surmontée d'un toit à quatre versants* et agrémentée d'une petite arcade* sur chaque face sont plutôt d'inspiration italienne.

Parmi les autres attributs de la façade, mentionnons les hauts-reliefs* de l'arcade, les linteaux* ciselés au-dessus des fenêtres rectangulaires de l'étage,

Photo Jean Goupil, *La Presse*

Détail de la tour de guet et de séchage des tuyaux d'arrosage.

Photo Ville de Montréal
Photo d'une pompe à incendie devant la caserne.

239

Photo Ville de Montréal
Une pompe à incendie du début du siècle.

les corbeaux* qui supportent la crête* chantournée des murs-pignons, le fenêtrage* des deux murs latéraux, le toit à deux versants en cuivre étamé recouvert d'une feuille de plomb et les fleurons* qui ornent le faîte du toit. La très belle lucarne à deux fenêtres et les oeils-de-boeuf* ont été replacés au cours de la restauration, car ils avaient été démolis à une époque indéterminée.

Le centre d'histoire de Montréal

Le recyclage du bâtiment a évidemment entraîné d'importantes modifications à l'intérieur. Et à quoi pouvait-il ressembler ? Au rez-de-chaussée se trouvaient les voitures d'incendie avec rails de guidage pour faciliter leur remisage à reculons, les stalles à chevaux à l'arrière (avec fenil au-dessus), le bureau du capitaine et le poste de l'homme de garde. Aux étages supérieurs, on trouvait les chambres des officiers et les dortoirs des pompiers, qui utilisaient la perche pour descendre au rez-de-chaussée.

L'édifice restauré a été recyclé en centre d'histoire de Montréal, inauguré le 18 novembre 1983. Géré par la Société d'archéologie et de numismatique de Montréal, le centre propose une exposition qui vise à présenter une vue d'ensemble de l'histoire de Montréal et de son évolution.

Partagée entre 11 salles (une 12e propose des expositions temporaires), l'exposition relate les faits marquants de trois grandes périodes : de la fondation à l'industrialisation ; l'industrialisation comme telle ; et enfin le présent et l'avenir.

Quand le dernier pompier a quitté les lieux en 1972, on entretenait de sérieuses craintes sur l'avenir du bâtiment. Qu'on ait choisi de raconter l'histoire de Montréal dans cet édifice implanté au beau milieu d'une place profondément marquée par le développement de la ville représente un juste retour des choses. Et on peut regretter à voix haute que la Ville de Montréal n'ait pas choisi, lors du réaménagement de la place en 1983, de lui redonner sa vocation de parc en exploitant les ruines mises à jour du premier marché Sainte-Anne.

REPÈRES

Nom : caserne centrale des pompiers.
Adresse : 335, rue Saint-Pierre.
Métro : station Square-Victoria, direction rue McGill, vers le sud jusqu'à la place d'Youville, et vers l'est sur la place.

SOURCES :

CIDEM-Communications : *La maison des pompes*, *Un tour à pied du Vieux-Montréal* et *Vieux-Montréal, Cité administrative* — Parcs Canada, Inventaire des bâtiments historiques du Canada : documents divers et *Projet de la Place d'Youville*, par Barbara Humphreys et Meredith Sykes — Centre d'histoire de Montréal : documents divers assemblés par Sylvie Dufresne, interprète en chef — Association canadienne des automobilistes : *Héritage du Canada* — Ministère des Affaires culturelles : documents divers — Archives de la Ville de Montréal : documents divers — Marsan, Jean-Claude : *Montréal en évolution* — Communauté urbaine de Montréal, Service de la planification du territoire : documents divers — Pinard, Guy : *Les circuits pédestres*.

41

La maison Simon McTavish

Construction : 1785
Architecte : inconnu

Photo ministère des Affaires culturelles
La maison Simon McTavish, en 1885, d'après une peinture de H. Burnett.

La démolition de bâtiments laisse de profondes cicatrices dans la trame immobilière d'une rue et transforme radicalement son visage.

La rue Saint-Jean-Baptiste en est une bonne illustration. À la fin du XVIIIe siècle, cette rue bourdonnait d'activités. Sur le côté ouest s'élevait la maison-mère des Soeurs de la congrégation Notre-Dame. Du côté est se trouvaient divers établissements, dont la magnifique propriété de Simon McTavish, considéré par certains comme l'homme d'affaires le plus important de la seconde moitié du XVIIIe siècle.

Ouverte en 1684 sous le règne du magistrat Jean-Baptiste Migeon de Branssat, dont elle perpétue la mémoire, cette rue était à l'époque le premier lien entre les rues Notre-Dame et Saint-Paul à l'est de la rue Saint-Joseph (aujourd'hui Saint-Sulpice) puisque la rue de la Côte-Saint-Lambert (actuel boulevard Saint-Laurent) s'arrêtait à la rue Notre-Dame. Il fallut attendre à 1912 avant que le boulevard Saint-Laurent ne soit prolongé jusqu'à la rue des Commissaires (aujourd'hui rue de la Commune), au détriment des installations de la communauté religieuse.

Au fil des ans, on retrouvait, rue Saint-Jean-Baptiste, des établissements et des personnes qui ont laissé leur marque dans l'histoire de Montréal, comme les ateliers d'imprimerie de John Jones, où furent publiés les pre-

miers exemplaires de *La Minerve*, le 9 novembre 1826 ; James McGill et son fils John (ils habitèrent un temps la maison Simon McTavish) ; les bureaux de la compagnie d'omnibus « Red Line », qui assurait le service entre Montréal et Québec (le « Voyageur » du temps quoi !) ; l'Académie de danse de Mme Hill ; une salle de danse ; l'apothicaire Romuald Trudeau, seul pharmacien canadien-français du temps, futur président de la Banque Jacques-Cartier (future Banque Provinciale) et de la société Saint-Jean-Baptiste de Montréal ; de petites entreprises d'ébénisterie et de produits chimiques et pharmaceutiques ; des maisons de pension ; une société secrète, le club Saint-Jean-Baptiste, fondée vers 1865 par Ludger Labelle et Médéric Lanctôt, qui aurait elle aussi utilisé la maison McTavish ; et bien sûr le commerçant de fourrures Simon McTavish.

Un homme d'affaires habile

Simon McTavish naquit vers 1750 dans le Strath Errick, en Écosse. Issu d'une famille pauvre, il était le fils de John McTavish of Gartbeg, qui était lieutenant dans le 78e régiment de Highlanders. En 1763, au moment de la signature du traité de Paris, son père était cantonné à Louisbourg.

Une fois son père démobilisé, Simon McTavish partit pour New York en 1764. C'est là qu'il s'initia à l'art difficile du commerce.

Les premières traces de sa première compagnie remontent à 1771, et dès

La maison en 1910, en regardant vers la rue Notre-Dame.

lors, il entreprit d'étendre le territoire de son commerce de pelleteries. On le retrouva donc à Detroit, New York et Albany notamment, puis à Montréal en 1775.

Fondée en 1779, la Compagnie du Nord-Ouest — future grande rivale de la Compagnie de la Baie d'Hudson fondée en 1670 — regroupait, outre McTavish, les frères Benjamin et Joseph Frobisher, James McGill, Isaac Todd et plusieurs autres, propriétaires de neuf entreprises au total. William McGillivray, neveu de McTavish, joua également un rôle de premier plan dans le succès de ce consortium.

Pour McTavish, 1787 fut une année charnière. La mort de Benjamin Frobisher lui permit de se hisser à la tête du consortium et de fusionner sa firme et celle des Frobisher pour former la McTavish, Frobisher et Cie. Cette compagnie détenait 7 des 20 actions du consortium.

La présence de deux grandes sociétés comme la Compagnie du Nord-Ouest et la Compagnie de la Baie d'Hudson engendra de nombreux problèmes, notamment celui des territoires de chasse de plus en plus éloignés à cause du dépeuplement des bêtes à fourrure à proximité. Ainsi, de 1764 à 1786, on avait exporté, du seul port de Québec, pas moins de 10 258 350 peaux, dont 2 556 236 peaux de castor.

Fondation d'une 3e compagnie

La situation se compliqua encore à partir de 1798 avec la fondation par John Ogilvie de la Nouvelle Compagnie du Nord-Ouest, surnommée la «XY Company». Malgré des dépenses de quelque 70 000 £ pour tenter de supplanter sa rivale quasi homonyme, cette compagnie ne vivota que jusqu'en 1804, alors qu'elle fusionna avec la Compagnie du Nord-Ouest. Cette fusion concrétisée, McTavish contrôlait désormais 75 des 100 actions de la Compagnie du Nord-Ouest (laquelle sera à son tour absorbée par la Compagnie de la Baie d'Hudson en 1821, après la mort de McTavish).

Outre ses intérêts dans la Compagnie du Nord-Ouest, McTavish possédait une terre maraîchère de 11 500 acres dont il tirait d'intéressants profits. Il avait également acquis, pour une somme de 25 000 £, la seigneurie de Terrebonne, où il exploitait un magasin, deux moulins à farine, une boulangerie et une scierie. Et en 1799, il racheta le domaine ancestral des McTavish, à Dunardary, dans l'Argyllshire, en Écosse.

Sur le plan de la vie publique, McTavish joua un rôle effacé. Ses seules implications furent la milice (il avait le grade de lieutenant à son départ en 1794), deux mandats de trois ans comme juge de paix, et une participation à la section montréalaise de la Société d'agriculture.

McTavish épousa, en octobre 1793, Marie-Marguerite Chaboillez, fille âgée de 18 ans du marchand de fourrures Charles-Jean-Baptiste Chaboillez. Le couple eut quatre enfants, mais tous moururent avant la vingtaine.

La maison en 1910, en regardant vers la rue Saint-Paul.

La maison en 1979, avant les travaux de réno-vation.

L'édifice après les travaux de rénovation.

En 1803, McTavish fit mettre en chantier une imposante demeure de quatre paliers, au sommet de la rue qui porte actuellement son nom. Mais miné par le chagrin que lui occasionna le refus de sa femme de rentrer d'Angleterre avec ses enfants, McTavish mourut le 6 juillet 1804, laissant une fortune de plus de 125 000 £.

La maison resta inachevée. Un dessin de James Duncan tracé en 1830 montre d'ailleurs la maison barricadée. Après qu'on l'eût crue hantée pendant des années, elle fut finalement démolie en 1867.

La chaîne des titres

La maison McTavish ne fut pas la première construite sur le terrain qu'elle occupe aujourd'hui. Les «aveux et dénombrements» témoignent de la présence en 1731 de la maison en bois de Catherine Desermont et de la maison en pierre de Bertrand Truteau.

Charles Cabazié fut le premier propriétaire du terrain, qu'il céda à Bertrand Truteau en 1713. Truteau et sa succession furent propriétaires jusqu'en 1780, alors que Françoise Truteau, épouse d'Urbain Texier, céda le terrain «avec la mesure d'une maison incendiée» à Charles Dobie, pour «3 500 anciens chelins».

Dobie vendit la propriété le 26 février 1795 à Simon McTavish (représenté par Joseph Frobisher lors de la signature du contrat), son locataire depuis près de neuf ans. La signature eut lieu chez le notaire J. G. Beck.

La succession McTavish conserva la maison jusqu'en 1835 alors qu'elle la céda à la (John) McDowell, (James) Holmes and Co., qui la revendit la même année à John Donegani, propriétaire de 1835 à 1858. La chaîne des titres contient deux autres propriétaires marquants, soit Étienne Guy, de 1858 à 1880 (sa succession la conserva ensuite jusqu'en 1908); et la National Drug and Chemical Co. of Canada Ltd. (1908 à 1940).

La maison originale

La maison originale fut construite entre le 3 juillet 1780, date à laquelle Dame Truteau vend «la mesure d'une maison incendiée» au spéculateur immobilier Richard Dobie, et le 27 avril 1786, date à laquelle Dobie loua à Simon McTavish, chez le notaire Edward W. Gray, «une nouvelle maison non encore occupée... avec toutes les dépendances... et commodités». Il ne fait pas de doute que la maison a été construite entre ces deux dates, mais comme elle n'avait pas été occupée au moment de la signature du bail de location, on peut présumer que la construction était très récente, probablement vers 1785. La découverte du

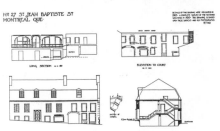

Croquis de la maison effectué en 1905.

Le mur nord ne comprend aucune fenêtre.

marché de construction aurait permis d'éclaircir ce point et de découvrir le nom de l'architecte.

Conçue dans le style géorgien, la maison originale mesurait 80 pieds de façade sur 40 pieds de profondeur. Elle comportait un sous-sol/rez-de-chaussée (à cause de la dénivellation de la rue), un étage principal et des combles* sous un toit* mansardé à revêtement métallique, percé de trois cheminées et de quatre lucarnes* à l'avant comme à l'arrière. Ses murs furent érigés en pierre de taille rustique liée par un mortier abondant.

La maison comprenait deux parties jouxtées mais différentes du point de vue structurel. La résidence (partie de gauche) présentait cinq travées* verticales, une pour la porte principale, et quatre délimitées par des fenêtres symétriques. Les trois lucarnes étaient disposées symétriquement entre les fenêtres. Une cheminée marquait la limite de la «résidence» au centre.

La partie «dépendances» (à droite) comportait la porte* cochère voûtée* à arc* surbaissé, et deux travées délimitées par les fenêtres symétriques (seule la lucarne du toit étant asymétrique). Cette partie abritait une remise, les logements des domestiques et les écuries du côté de la cour intérieure, au fond de laquelle se trouvaient la glacière et les latrines.

De style géorgien

Typiquement géorgienne, la porte d'entrée principale à carreaux rectangulaires, surmontée d'une imposte* semi-circulaire segmentée, était encadrée d'une architrave* et de deux pilastres* striés de style dorique qui supportaient l'architrave. Seul manquait le fronton* triangulaire habituel.

Notons que le style géorgien proposait des proportions massives, des murs lisses et la sobriété dans les détails. Il a été popularisé par l'architecte Robert Adam avant d'être exporté en Amérique, où il était souvent associé à la bourgeoisie.

On aura remarqué que le mur nord, construit en moellons* après la démolition du bâtiment adjacent, ne comporte aucune fenêtre puisqu'il s'agissait d'un mur mitoyen. Ce mur est délimité par une chaîne* d'angle harpée en pierre de taille.

L'observateur notera que le bâtiment a évidemment subi d'importantes transformations au fil des ans. La

La cour avant les travaux.

La même cour, après les travaux.

La porte cochère à arc surbaissé débouche sur la cour arrière.

porte principale a été murée (on peut reconnaître son alignement grâce à une fenêtre cintrée) en 1931, le fenêtrage* a été grandement modifié au point de vue dimensions, et le toit* mansardé a été remplacé, vraisemblablement entre 1915 et 1920, alors que la National Drug occupait l'édifice, par un étage en brique surmonté d'un toit plat. Le mur de brique a été recouvert d'un parement moderne.

L'intérieur est évidemment méconnaissable. Le couloir venant de la porte principale donnait sur des pièces séparées par des arches* elliptiques, autre marque distinctive du style géorgien. Sont disparues les arches elliptiques des pièces et du corridor de l'entrée, les moulures des plafonds, les plinthes et les lambris* des salles, les rampes d'escalier, les portes à panneaux, les manteaux* de foyer de style « Adam américanisé » et combien d'autres choses encore. En fait, les planchers et toutes les structures intérieures d'antan ont disparu.

La cour arrière, entourée de vieux murs, y compris ceux de l'auberge Saint-Gabriel, sur la rue du même nom.

N'était-ce du caractère historique de cet édifice, ce dernier serait presque sans intérêt, étant donné les transformations radicales qu'on lui a fait subir au fil des ans et qui ont complètement modifié son apparence, tant à l'intérieur qu'à l'extérieur.

La rénovation récente n'a rien fait pour améliorer la situation. Bernard Durante, directeur général de Les restaurants unis d'Amérique Inc., propriétaire de l'édifice, souhaitait restaurer le bâtiment en lui redonnant son toit mansardé. Hélas, la subvention attendue ne s'est pas concrétisée, si bien qu'il a fallu se contenter d'une rénovation, à cause du coût prohibitif d'une restauration.

REPÈRES

Nom: maison Simon McTavish.
Adresse: 411, rue Saint-Jean-Baptiste.
Métro: station Place-d'Armes, direction rue Notre-Dame, puis vers l'est jusqu'à la rue Saint-Jean-Baptiste.

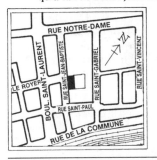

SOURCES:

Ministère des Affaires culturelles du Québec, Direction générale du patrimoine, Service de l'inventaire des biens culturels: *Maison McTavish*, par Diane Lapierre — McGill University Publications: *The House of Simon McTavish*, par Ramsay Traquair et G.A. Neilson — Collection *Les cahiers des dix* — Université Laval: *Dictionnaire biographique du Canada* — Association canadienne des automobilistes: *Héritage du Canada* — Centre d'études en enseignement du Canada inc.: *Horizon Canada* — Durante, Bernard: documents divers.

42

Le tunnel du Mont-Royal

Construction: 1912-1918
Ingénieur: Henry K. Wicksteed

Le concasseur temporaire, érigé à la sortie nord du tunnel, vers 1913.

Lorsqu'il est question des principales voies de circulation de Montréal, on pense généralement aux grands axes routiers qui quadrillent l'île, ainsi qu'aux ponts et aux tunnels qui permettent de s'en échapper en voiture, en chemin de fer ou en métro. Mais combien d'entre vous songeraient un instant à inclure le tunnel du Canadien National sous le mont Royal?

Pourtant, le 8 juillet 1987, on célébrait le 75e anniversaire du début du forage de cet ouvrage aussi gigantesque qu'hasardeux, entrepris grâce à l'impulsion et à la ténacité de trois hommes, Henry K. Wicksteed, Sir William Mackenzie et Sir Donald Mann. À l'âge d'or du chemin de fer au Canada, dans les années 50, cette voie souterraine était empruntée par près de 150 trains par jour.

Le fruit de la nécessité

Comme bien d'autres projets de même nature, le tunnel du Mont-Royal doit son existence beaucoup plus à une nécessité du moment qu'à un éclair de génie. Car si le chemin de

Les taupes du tunnel à l'oeuvre.

fer Canadian Northern avait pu atteindre le centre-ville de Montréal par un autre moyen, on peut supposer qu'on n'aurait jamais dépensé 5 millions de dollars (en dollars de 1918!) pour la construction d'un tunnel utilisé par seulement 16 trains par jour à l'époque!

Pour bien comprendre tous les aboutissants de la décision de percer un tunnel sous le mont Royal, il faut d'abord faire le point sur la situation qui prévalait dans le réseau ferroviaire montréalais vers 1910, lorsque Henry K. Wicksteed, chef ingénieur des arpenteurs du chemin de fer Canadian Northern, fit sa suggestion.

Au début des années 1910, trois sociétés ferroviaires principales desservaient Montréal. Le Canadien Pacifique possédait deux gares-terminus, la gare Windsor et la gare Viger (elle avait remplacé la gare Dalhousie au tournant du siècle). Le Grand Tronc aboutissait lui aussi au centre-ville, à la gare Bonaventure. Mais le Canadien Northern devait se contenter d'une gare minable (démolie en 1947), la gare Moreau, dans l'est de la ville.

Fondé en 1896 par Sir William Mackenzie et Sir Donald Mann pour desservir d'abord le Nord-Ouest du pays, le Canadian Northern obtint en 1903 du gouvernement de Sir Wilfrid Laurier la permission de construire un troisième réseau transcontinental, projet concrétisé en 1915.

Le Canadian Northern désirait évidemment s'installer au centre-ville

Photo CN Rail

L'intérieur du tunnel pendant la construction.

comme ses concurrents. Sauf que pour éviter de croiser les voies des autres sociétés ferroviaires et pouvoir se raccorder au chemin de fer du port de Montréal, l'emplacement cible devait forcément se trouver à l'intérieur d'un quadrilatère délimité par le square Victoria et les rues Sherbrooke, Windsor (actuelle rue Peel), et de La Gauchetière.

Le choix de l'emplacement

Le premier terrain envisagé, sensiblement à l'emplacement actuel du cinéma Parisien (alors connu sous le nom de théâtre Empress), fut vite abandonné, à cause de la spéculation qui avait poussé le prix à un niveau inacceptable. La société Canadian Northern jeta alors son dévolu sur un terrain délimité par les rues de La Gauchetière, Nazareth et Dalhousie, auquel il adjoignit d'autres espaces avec quelques bâtiments vétustes dans le quadrilatère formé par les rues Mansfield, Cathcart, Sainte-Monique (aujourd'hui disparue) et Dorchester.

Une fois l'emplacement de la gare choisi, il fallait déterminer le moyen d'y acheminer les voies. La première solution envisagée consistait à contourner la montagne par l'est. Elle fut vite écartée à cause des coûts exorbitants qu'aurait engendrés l'expropriation. C'est alors que Wicksteed eut la brillante idée — le chemin le plus court entre deux points n'est-il pas la ligne droite? — de percer un tunnel sous la montagne, dont les quelque 700 pieds de hauteur représentaient un barrage formidable.

On savait où serait située la sortie sud du tunnel, restait à déterminer la sortie nord. Après avoir envisagé pendant un moment la possibilité de la construire à proximité de Fletcher's Field (actuel parc Jeanne-Mance), le Canadian Northern opta pour un territoire non développé, au nord-ouest du mont Royal. La société acheta donc deux terrains, l'un près de Cartierville pour le triage, et un autre à la sortie nord du tunnel.

En acquérant ce dernier terrain d'environ trois milles carrés, la société désirait le lotir afin d'y ériger une ville modèle, avec l'espoir que la revente contribuerait au financement du projet. Les fonds pour le projet furent levés en Europe par les frères Lazard.

Le projet devint réalité, du nom de Ville-Mont-Royal, remarquable pour

Photothèque *La Presse*

Le premier «train» à franchir le tunnel se prépare à pénétrer par l'extrémité nord, le 10 décembre 1913. Pour la circonstance, on avait aménagé quelques wagons-tombereaux utilisés pour évacuer la pierre du forage, et tirés par une petite locomotive électrique.

Photothèque *La Presse*

La gare Bonaventure, terminus du Grand Tronc au centre-ville.

Projet de développement immobilier qui devait occuper le quadrilatère formé par les rues Sainte-Catherine (à l'avant-plan), McGill College, de La Gauchetière et Mansfield. Ironie du sort, cet emplacement est en grande partie occupé par la place Ville-Marie.

ses rues qui convergent toutes vers la gare, par opposition à l'habituelle grille qui privilégiait les rues à angle droit. La vente des terrains commença dès 1912.

Le forage du tunnel

Afin de faciliter le financement, les promoteurs Mackenzie et Mann durent obtenir une charte fédérale. Celle-ci fut émise le 12 août 1911 au nom de Canadian Northern Tunnel and Terminal Co. Ltd., société dont toutes les actions étaient la propriété de Mackenzie, Mann and Co. Ltd. Plus tard, le nom de la compagnie fut changé à «Mount Royal Tunnel and Terminal Co. Ltd.»

Dès le départ, il fut convenu que le tunnel à deux voies et la ligne ferroviaire jusqu'à la cour de triage de Cartierville seraient électrifiés.

Le forage commença le 8 juillet 1912 aux deux extrémités du tunnel séparées par une distance de 16 315 pieds. Lorsque les deux équipes se joignirent à une profondeur de 620 pieds sous le sommet du mont Royal, le 10 décembre 1913, 18 mois après le début des travaux, l'écart était de seulement un quart de pouce dans la pente (0,6 p. cent ou environ 40 pieds au mille), et de moins de un pouce dans l'alignement. Le résultat était absolument remarquable!

Au moment de la construction, on avait envisagé de construire deux stations souterraines, l'une à la hauteur

du chemin de la Côte-Sainte-Catherine, l'autre sous l'observatoire du Mont-Royal, avec l'espoir que cette dernière station permettrait d'éliminer le disgracieux funiculaire qui circulait du côté nord du mont Royal.

Après avoir employé des chevaux pour l'évacuation des matériaux au début des travaux, on décida d'essayer de petites locomotives à essence, vite abandonnées à cause des émanations de gaz qui viciaient l'air du tunnel, forçant les employés à débrayer pendant de longs moments. Finalement, on remplaça les moteurs à essence des petites locomotives par des moteurs électriques, et le tour fut joué. C'est d'ailleurs à bord d'un de ces trains que dirigeants et ingénieurs effectuèrent la toute première traversée du tunnel, dans l'après-midi du 10 décembre 1913.

L'excavation progressa à un taux moyen de 420 pieds par mois, avec une crête de 810 pieds. Au total, on excava environ 13 000 verges cubes de terre et 390 000 verges cubes de roc, surtout de la pierre calcaire de Trenton très dure.

Le roc sorti du côté sud était vendu à un entrepreneur, mais du côté nord, le Canadian Northern avait érigé un concasseur là où se trouve aujourd'hui la rue Simcoe. D'une capacité de 1 600 tonnes par jour, le concasseur fournit la pierre de ballast et la pierre à béton requises pour le projet.

Les travaux ne se déroulèrent pas sans problèmes. Ainsi, l'hon. H. B. Rainville faillit compromettre l'entreprise en obtenant une injonction qui força un arrêt momentané des travaux. M. Rainville réclamait la propriété du tunnel sous sa maison, mais heureuse-

La gare «temporaire» de la rue de La Gauchetière.

ment pour le Canadian Northern, l'affaire fut rapidement réglée hors cour.

La Grande Guerre causa encore plus de problèmes au Canadian Northern puisqu'elle mit temporairement fin aux travaux, à cause de l'impossibilité d'obtenir les matériaux requis. En fait, le bétonnage du tunnel ne fut terminé qu'en décembre 1916, soit trois ans après la fin du forage.

Le premier train régulier à emprunter le tunnel, le 21 octobre 1918, était tiré par la locomotive 601 (101 aujourd'hui) et il se dirigeait vers Ottawa et Toronto avec ses six voitures. À bord se trouvait S. J. Hungerford, qui accéda plus tard à la présidence du Canadien National. Cependant, aucune cérémonie officielle ne marqua l'événement, l'épidémie de grippe espagnole interdisant tout rassemblement public.

La gare « temporaire »

À l'extrémité sud du tunnel, située rue de La Gauchetière, il avait été convenu de construire la gare un peu à la manière de la gare Pennsylvania, à New York, les voies ferrées se trouvant à une profondeur de 50 pieds au-dessous du niveau de la rue. Au sud de la gare, une cour de triage surélevée était prévue entre les rues Nazareth et Dalhousie, au-dessus des rues Saint-Antoine, Saint-Jacques et Notre-Dame.

Le Canadian Northern souhaitait également que la nouvelle gare soit raccordée au système de tramways, en attendant la construction du métro dont on parlait déjà à l'époque. D'ailleurs, pendant de longues années, rue Dorchester, les usagers du transport en commun pouvaient, dès leur descente

Photo CN Rail

À l'avant-plan, la rue Dorchester, et à l'arrière-plan, la gare « temporaire », rue de La Gauchetière.

Photothèque La Presse

La gare Centrale avant la construction de la place Ville-Marie.

du tramway à l'angle de la rue Mansfield, atteindre le niveau de la gare à partir d'îlots construits au milieu de la rue Dorchester.

Considérée comme temporaire, la gare en béton armé se trouvait à 12 pieds du trottoir. Cinq portes cintrées* protégées par une marquise* permettaient l'accès à la salle des pas perdus de 100 pieds sur 60 sur 30 de hauteur. De magnifiques escaliers à balustrade* en laiton donnaient accès aux trois plate-formes*.

On était évidemment loin du gigantesque projet conçu par Mackenzie et Mann au début des années 1910, alors qu'ils avaient rêvé de construire, au-dessus des installations ferroviaires, un gigantesque développement résidentiel et commercial qui devait englober quatre édifices de 10 étages en forme de «U» occupant tout le quadrilatère, de la rue Sainte-Catherine à la rue de La Gauchetière, entre les rues McGill College et Mansfield. Ils ne pouvaient cependant pas se douter qu'un demi-siècle plus tard, l'emplacement serait utilisé pour y ériger un édifice très original, la place Ville-Marie, noyau d'un nouveau concept, la «ville souterraine».

La gare Centrale

Il faudra attendre 1927 avant que Sir Henry Thornton, président du Canadian National System (ancêtre du Canadien National) réactive le projet de gare, beaucoup plus modeste que celui des architectes Warren et Wetmore, en 1910. Mais le nouveau projet impliquait néanmoins la consolidation de tous les trains du chemin de fer qui aboutissaient alors aux gares Bonaventure et Moreau, à la gare «temporaire» de la rue de La Gauchetière et au terminus de la Montreal & Southern Counties Co., au pied de la rue McGill.

On entreprit d'excaver des deux côtés de la rue Dorchester, au nord pour l'installation de voies additionnelles, au sud pour la gare, mais le 4 octobre 1931, les difficultés financières de la société forcèrent l'arrêt des travaux. Pendant quelques années encore, la gare temporaire ne desservit que les trains urbains en provenance du nord-ouest.

Les travaux de la gare Centrale reprirent en 1938, mais les plans furent encore une fois réduits. Ainsi, les tramways de la M & SC demeurèrent à leur terminus de la rue McGill jusqu'à leur disparition le 13 octobre 1956. La gare Centrale fut ouverte à la circulation ferroviaire le 14 juillet 1943.

Dans ses meilleures années, le tunnel accueillait pas moins de 146 mouvements de trains par jour, un nombre qui a considérablement diminué depuis.

Mais malgré cet achalandage, un seul accident majeur est survenu dans le tunnel depuis son ouverture. Le 12 janvier 1946, deux trains se tamponnèrent près de la sortie sud du tunnel. Ils prirent feu, et il fallut fermer le tunnel pendant deux semaines. Les trains ne transportaient aucun passager, mais malheureusement quatre employés du CN y trouvèrent la mort.

Construit au coût de 5 501 901 $, le tunnel est aujourd'hui utilisé presque exclusivement pour les trains de banlieue de Deux-Montagnes. Il fut question jadis d'utiliser cette voie privilégiée pour l'instauration d'une nouvelle ligne de métro, mais ce projet n'a jamais abouti.

Ironie du sort, Sir William Mackenzie et Sir Donald Mann n'étaient même plus là au moment de l'ouverture officielle. Écrasée par les dettes, la société Canadian Northern fut nationalisée en 1917 et devint par la suite l'une des plus importantes composantes du Canadien National.

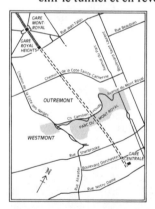

Une locomotive électrique sortant du tunnel à l'embouchure nord, dans Ville-Mont-Royal.

Photothèque *La Presse*

REPÈRES

Nom: tunnel du Mont-Royal.
Métro: station Bonaventure, direction gare Centrale. Il faut prendre un des trains de banlieue de la ligne Deux-Montagnes de la STCUM pour franchir le tunnel et en revenir.

Photo CN Rail

Angle des rues Mansfield et Dorchester, des escaliers permettaient aux usagers du tramway de descendre directement à la gare.

SOURCES:

Clegg, Anthony: *The Mount Royal Tunnel* — Archives du Canadien National: documents divers — Association canadienne des automobilistes: *Héritage du Canada* — Centre d'études en enseignement du Canada inc.: *Horizon Canada*.

43

Le château Dufresne

Construction : 1915-1918
Architecte : Wilfrid Vandal (?)
Monument historique classé

Le château en 1920. À noter la double balustra-
de à l'avant de la luxueuse demeure.

Quand les frères Dufresne construisirent leur extravagant «château», coin Pie-IX et Sherbrooke, au tout début du siècle, ils furent fidèles à eux-mêmes. On était alors au coeur de la ville de Maisonneuve (éventuellement annexée à Montréal), ville où les Dufresne avaient instauré une politique de grandeur, sinon de faste, en architecture publique. Qui plus est, ils ne se doutaient pas que l'histoire, qui a sa propre forme d'humour, ferait en sorte que près de leur somptueuse demeure, plus de 60 ans plus tard, s'élèverait le monumental complexe olympique signé Roger Taillibert, fruit des rêves de grandeur d'un maire entreprenant et du génie créateur d'un architecte téméraire.

Un « château », une ville, une famille

L'histoire du château Dufresne s'imbrique dans celles d'une ville, Maisonneuve, et d'une famille, celle des descendants d'Augustin R. Dufresne, qui marquèrent si profondément la brève histoire de cette ville avant-gardiste.

La ville s'appelait Maisonneuve. Jadis intégrée au village de Hochelaga, elle s'en était détachée en 1883 lors de l'annexion de Hochelaga à Montréal. Réputée pour son industrialisation forgée à coups d'exemptions de taxes, et pour la qualité de ses édifices publics, Maisonneuve attira une vingtaine d'usines grâce à ses politiques, au point d'occuper un moment le deuxième rang au Québec et le quatrième au Canada parmi les villes les plus indus-

trialisées. Hélas, Maisonneuve dut payer pour ses excès architecturaux, et en 1918, elle se retrouva elle aussi devant la terrible alternative de déclarer faillite ou de succomber à son tour à l'annexion à Montréal. La raison de cet endettement, c'était évidemment la construction, sous l'impulsion des frères Dufresne, d'équipements sans commune mesure avec la capacité de payer et les besoins de la ville.

Oscar Dufresne

Oscar Dufresne était un industriel peu érudit mais habile en affaires, qui avait assuré la continuité à la manufacture de chaussures fondée en 1891 par son père Thomas. Né le 17 octobre 1875 à Pointe-du-Lac, il était, comme Candide, Marius et Romulus, le fils de Thomas Dufresne et de Victoria Du Sault, et le petit-fils d'Augustin R. Dufresne, député dans le premier Parlement du Bas-Canada.

Après un bref séjour au collège de Yamachiche, Oscar occupa son premier emploi à 12 ans comme commis chez le marchand en gros Caverhill, Hughes & Co. Deux ans plus tard, on le retrouva caissier chez Bourgouin & Duchesneau. Puis, il passa au service de la manufacture de chaussures fondée par son père. Il y travaillait déjà lorsque l'entreprise déménagea à l'angle nord-est des rues Ontario et Desjardins, en 1899. Deux ans plus tard, la compagnie prit le nom de Dufresne & Locke Ltée, son père s'étant associé à Ralph Locke.

Le château en 1925.

En mai 1899, Oscar épousa Alexandrina Pelletier, fille de Pierre, et se fit construire une magnifique résidence qu'il habita avant de déménager au château Dufresne, et qui existe toujours, du côté ouest du boulevard Pie-IX, au sud de la rue Ontario. Cette maison côtoie le studio (facile à retracer grâce à sa façade en brique jaune) de Guido Nincheri, qui abrita jadis les bureaux de la Dufresne Construction, fondée en 1921 par Oscar et Marius.

En plus de diriger la manufacture familiale et de présider l'entreprise de construction, Oscar siégea au sein de différents conseils d'administration (Imprimerie populaire, propriétaire du journal *Le Devoir*, librairie Beauchemin, hôpital Notre-Dame, Slater Shoe Co., Banque Provinciale du Canada, etc.). Il participa à la fondation du Cercle des jeunes naturalistes, et joua un rôle prépondérant dans l'établissement du jardin botanique, à titre de président de la Commission du parc de Maisonneuve.

Oscar fit aussi sa marque sur la scène municipale, à titre de conseiller du quartier ouest de Maisonneuve et de président du Comité des finances. Le maire Michaud, son frère Marius et lui transformèrent Maisonneuve pendant leur « règne ».

Oscar Dufresne mourut en 1936, quelques mois après Alexandrina. Laurette, la fille adoptive du couple, fut la seule à leur survivre.

Marius Dufresne

Marius, son cadet de huit ans, était ingénieur et entrepreneur, et se prétendait même architecte. Marius naquit lui aussi à Pointe-du-Lac le 9 septembre 1883. Après ses études à l'École polytechnique, il travailla pendant un an à l'usine de la Montreal Locomotive Works (aujourd'hui Bombardier-MLW), avant de se joindre à l'équipe d'ingénieurs Lacroix et Piché, tout en exerçant le métier d'arpenteur de la province de Québec.

Le château après la restauration.

252

Oscar Dufresne

En 1910, il fut nommé ingénieur municipal de Maisonneuve. C'est pendant son séjour de huit ans à ce poste que seront construits l'hôtel de ville (actuelle maison de la Culture), le marché, le gymnase et les bains publics, et une caserne de pompiers aujourd'hui désaffectée.

Après l'annexion de Maisonneuve à Montréal, Marius fonda la Dufresne Engineering Co., dont le bureau se trouvait dans l'édifice de la Banque de Toronto (aujourd'hui Toronto-Dominion), à l'angle sud-ouest des rues Ontario et de LaSalle. Il travailla à de nombreux projets: des ponts (Sainte-Anne, Pie-IX, Viau, Jacques-Cartier); des tunnels (notamment ceux des rues Ontario et Wellington); et des installations hydro-électriques (centrale de Cadillac et barrage des Passes-Dangereuses) pour ne nommer que ceux-là. D'ailleurs, il surveillait les travaux du pont de Sainte-Rose lorsqu'il fut tué accidentellement, en 1945. Il laissa dans le deuil Edna Sauriol, qu'il avait épousée en 1914.

Puisque Marius Dufresne était ambitieux, érudit et grandement influencé par l'architecture française, on a pensé longtemps qu'il avait dessiné les plans de sa résidence, ce qui était d'autant plus plausible que les plans n'étaient pas signés (en revanche, tous sont da-

tés, du 5 août 1915 au 26 septembre 1916). Cependant, on peut affirmer aujourd'hui que le château fut plus vraisemblablement conçu par Wilfrid Vandal. Franco-Américain né à Pawtucket, dans le Rhode Island, Vandal fit ses études en architecture à l'Université McGill et à l'École des beaux-arts de Paris.

Grâce à un document soumis par l'architecte montréalais Roger A. Vandal, fils de Wilfrid, on sait également que Vandal effectua un voyage à Paris peu avant la construction du château Dufresne. Cette information permet de mieux comprendre pourquoi le château Dufresne rappelle le Petit Trianon de Versailles, Vandal ayant expressément fait le voyage à Paris pour établir les proportions exactes du château.

La prétention de Roger Vandal est d'autant plus plausible qu'elle s'appuie sur une lettre du 20 juillet 1921 signée par J. E. Vigeant, ex-échevin de la Ville de Maisonneuve, en 1915 et 1916, et qui confirme la présence de Wilfrid Vandal comme architecte des projets les plus intéressants de l'ex-ville de Maisonneuve.

L'emplacement

Le château Dufresne est situé rue Sherbrooke, entre la rue Jeanne-d'Arc et le boulevard Pie-IX (jusqu'à une dis-

Photothèque *La Presse*

Escalier en marbre importé d'Italie par Oscar Dufresne.

253

tance d'environ 330 pieds du côté sud de la rue Sherbrooke). Cet emplacement fit partie de la terre d'Alphonse Desjardins, qui s'étendait de la rue Notre-Dame jusqu'aux limites nord de Maisonneuve, du côté est de la rue Jeanne-d'Arc au côté est de la rue Desjardins.

Le remembrement des parcelles de terrain commença le 18 février 1915 et se termina le 21 juin 1928, donc 10 ans après la construction du château (sans doute existait-il une entente entre les frères Dufresne et les vendeurs). Les terrains furent achetés de François-Xavier Saint-Onge, L.J.A. Surveyer, Zaïde Paré (veuve de Louis-Édouard Desjardins), Sarah Mathieu (veuve d'Édouard Desjardins), Victor Bernier et la Compagnie des terrains de Maisonneuve.

La résidence

Construit entre 1915 et 1918, le château Dufresne traduit, par son échelle monumentale et son ordonnance architecturale symétrique, le goût pour la grandeur en vogue à Maisonneuve.

Même si de l'extérieur le château Dufresne présente l'aspect d'une résidence unique grâce à la symétrie parfaite de l'édifice, il contient deux résidences contiguës de 20 pièces chacune, séparées par un mur mitoyen souligné par une cheminée double au milieu de la toiture. Oscar habitait à l'est, et Marius à l'ouest.

Très au fait des courants architecturaux, Vandal et Dufresne optèrent pour le style néo-classique français d'inspiration Beaux-Arts, très populaire à Montréal à l'époque. Ce qui était bon pour Montréal l'était pour Maisonneuve... et les frères Dufresne pouvaient se l'offrir!

De forme rectangulaire, avec véranda* à l'arrière et aile latérale en retrait à un seul étage de chaque côté, le bâtiment comporte deux paliers rue Sherbrooke, et trois à l'arrière, à cause de la dénivellation du terrain entre la rue Sherbrooke et l'avenue Pierre-de-Coubertin. Le bâtiment mesure 133 pieds sur 64 dans ses parties les plus grandes.

La façade comprend six travées* verticales, soit un avant-corps* à chaque extrémité et quatre travées centrales

Le salon avec son piano extraordinaire.

encadrées par huit colonnes* monumentales d'ordre ionique. Son fenêtrage* et ses portes de style Empire sont cintrés* au rez-de-chaussée et rectangulaires à l'étage. La corniche* à modillons* est surmontée d'un toit* à terrasse bordé par une balustrade* dont l'ordonnance* est reprise pour le perron et les balcons de l'étage. À noter que jadis, au fond de l'entrée circulaire accessible par la porte centrale de la clôture en fer forgé typique des grilles

Le boudoir

254

Photo Musée des arts décoratifs
Le remarquable salon d'Oscar Dufresne.

des hôtels particuliers français, la balustrade était double, comme on peut le constater sur la photo de 1920.

Les faces latérales et l'élévation arrière retiennent la même ordonnance sauf qu'à l'arrière, de grandes fenêtres presque carrées remplacent (sauf à deux endroits) les fenêtres cintrées du rez-de-chaussée. Ces grandes fenêtres sont reprises au sous-sol, mais elles comportent un arc* surbaissé.

Le sous-sol comporte 20 piliers* massifs en béton armé, une primeur pour Montréal à l'époque. Un garage d'une capacité de huit voitures surmonté d'une terrasse complète la propriété.

Pour l'habillage du bâtiment, Dufresne et Vandal choisirent la pierre de taille blanche importée de l'Indiana.

L'intérieur

Comme on l'a souligné précédemment, un mur mitoyen partage parfaitement l'édifice en deux moitiés. Seule la décoration intérieure, plus abondante et plus raffinée chez Oscar, fit la différence.

La salle de billard, les offices, la cuisine et les quartiers des domestiques se trouvaient au sous-sol. Le hall d'entrée, le salon, la bibliothèque, la salle à manger et la véranda se trouvaient au

rez-de-chaussée, tandis que l'étage ne comptait que des chambres.

Pour la décoration intérieure, les Dufresne ne lésinèrent pas. Le marbre fut importé d'Italie, le bois du Japon, les meubles et les tapisseries de France. Mais de nombreux éléments décoratifs, reliefs, moulures, foyers, etc., furent commandés par catalogue aux États-Unis.

D'inspiration édouardienne, la décoration comporte donc un mélange hétéroclite de plusieurs styles : Louis XV, Louis XVI ou Empire pour le salon ; Renaissance italienne ou Adam pour la salle à manger ; gothique pour la bibliothèque ; et mauresque pour le fumoir.

Pour rendre justice à la richesse de la décoration intérieure, il faudrait lui consacrer tout un chapitre de ce livre, même en se limitant aux seules pièces restaurées (leur nombre augmente avec les années). Mentionnons quand même quelques éléments remarquables.

Pièces remarquables

Hall d'entrée : escalier en marbre avec rampe en bronze ciselée, importé d'Italie ; colonnes* à canelures d'ordre corinthien ; murs en marbre d'Italie blanc et noir ; plafond à caissons* Renaissance.

Boudoir ou petit salon : décoration de style Belle Époque, fresque au plafond

Photo Musée des arts décoratifs
Le salon de Marius Dufresne.

et 12 panneaux muraux réalisés par Guido Nincheri, artiste florentin qui vécut à Montréal de 1914 à 1942 (son fils Gabriele lui succéda à la tête de l'entreprise familiale, boulevard Pie-IX).

Bibliothèque d'Oscar: panneaux de bois d'acajou; foyer en pierre de style élisabéthain; plafond voûté; peintures de Nincheri; bureau en acajou avec pieds en griffes de lion d'influence Empire; fauteuils avec supports d'accoudoirs découpés en forme de cygne; sculpture en bronze.

Grand salon d'Oscar: boiseries en acajou et foyer de style Renaissance italienne; plafond à caissons avec tableaux de Nincheri; meubles en bois doré; piano Pleyel acheté à l'Exposition universelle de Paris en 1900; horloge à gaine en bois marqueté.

Salle à manger d'Oscar: plafond à caissons de style Renaissance italienne; murs lambrissés d'acajou; table, chaises et bahut d'influence Adam.

Les usagers subséquents

Les Dufresne occupèrent le bâtiment jusqu'en 1947, alors que mourut Candide, successeur d'Oscar dans la partie est à la mort de ce dernier en 1936 (la partie ouest était vacante depuis la mort de Marius en 1945).

Les pères de Sainte-Croix acquirent l'édifice le 28 octobre 1948 pour y installer l'externat classique Sainte-Croix. Leur présence se traduisit par d'importantes transformations à la décoration intérieure, plus particulièrement aux tableaux «érotiques» de Nincheri. Le 4 septembre 1957, les religieux échangèrent l'édifice à la Ville de Montréal, tout en continuant d'occuper les lieux jusqu'en juin 1961.

De 1965 à 1968, la Ville loua le château au gouvernement provincial qui y logea temporairement le Musée d'art contemporain.

Enfin après huit ans d'un abandon regrettable par la Ville, le château connut un regain de vie grâce à la fondation MacDonald Stewart, qui entreprit de le restaurer afin d'y loger le Musée des arts décoratifs, un travail qui se poursuit toujours.

Par son opulence, par la pureté de ses lignes d'inspiration «Beaux-Arts», par le soin qu'a consacré la fondation MacDonald Stewart à la restauration de l'édifice et de cinq de ses principales pièces, et par sa vocation nouvellement acquise en matière d'arts décoratifs, le château Dufresne compte parmi les plus beaux fleurons de l'architecture montréalaise.

REPÈRES

Nom: château Dufresne.
Adresse: 4040, rue Sherbrooke est.
Métro: station Pie-IX.
Musée: Le Musée des arts décoratifs est ouvert du mercredi au dimanche inclusivement, de 11h à 17h.
Droits d'entrée: Adultes, 2$; Étudiants, 75 cents; Âge d'or: 1$.
Services: Cafétéria, boutique et accès pour handicapés.

SOURCES:

Archives du Musée des arts décoratifs: documents divers — Communauté urbaine de Montréal, Service de la planification du territoire: documents divers — Ministère des Affaires culturelles: *Le Château Dufresne*, par Suzanne Bernier-Héroux, et documents divers — Archives de la Ville de Montréal: documents divers — Vandal, Roger A.: documents divers — Documentation de *La Presse*: documents divers.

44

La maison Cytrynbaum

Construction : c. 1835 ; 1837
Architecte : inconnu ; G. et J.J. Browne
Monument historique classé

Quand les historiens du ministère des Affaires culturelles du Québec ou de l'Inventaire des bâtiments historiques du Canada abordent un dossier, ils cherchent d'abord le « marché de construction » à cause de l'éclairage révélateur qu'il jette sur le bâtiment étudié. Si on ne le retrouve pas, on doit alors s'en remettre à d'autres documents variés, à la tradition et à sa propre expérience professionnelle pour établir certaines hypothèses architecturales.

Dans le cas de la maison Cytrynbaum, le fameux « marché de construction » est resté introuvable, de sorte que la trame de ce dossier repose — le lecteur sera à même de le constater — sur des hypothèses heureusement bien documentées.

La maison doit son nom actuel à deux citoyens de Hamstead, Mario et Brian Cytrynbaum, mais on notera que le Service de la planification du territoire de la Communauté urbaine de Montréal la connaît plutôt sous le nom de maison John Gordon Mackenzie, du nom de son premier propriétaire. Les frères Cytrynbaum l'acquirent de J. & Sales Inc., le 19 décembre 1975, une semaine après que cette société l'eut achetée du Centre de services sociaux du Montréal métropolitain (CSSMM).

La chaîne des titres

Établissons d'abord la chaîne des titres. Le premier propriétaire du fond de terrain fut Jean de Lauson, qui obtint l'île de Montréal comme concession le 15 janvier 1636, sous le nom de Jacques Girard de La Chaussée.

Devenu propriété de Jérôme Le Royer de la Dauversière et de Pierre Chevrier de Fancamp le 7 août 1640, le terrain passa ensuite à la société de Notre-Dame de Montréal le 25 mars 1644. Le 25 août 1662, les sulpiciens cédèrent un terrain de deux arpents de front sur 15 de profondeur à Jean Auger dit Baron (on lui doit l'expression côte à Baron pour identifier la dénivellation entre les rues Ontario et Sherbrooke).

Photo ministère des Affaires culturelles

Cette photo de 1976 permet d'apprécier la richesse de l'ensemble architectural qui occupe le côté nord de la rue Sherbrooke, entre les rues Saint-Urbain et Clark. À gauche, les deux parties de la maison Cytrynbaum. À l'extrême-droite, on peut apercevoir la maison Notman, dont il est question au chapitre 23.

La maison Cytrynbaum.

Les soeurs de la Charité, communément appelées Soeurs Grises, acquirent le terrain au début du XVIIIᵉ siècle. Elles en cédèrent une première partie au charpentier Jean-Baptiste Saint-Louis en novembre 1781, et une deuxième au charpentier Antoine Perrault en avril 1782. Le remembrement des deux terrains fut réalisé par John Wilson, d'avril 1801 à mai 1802, chez le notaire Jonathan Abraham Gray. Les propriétaires subséquents en furent John Gordon Mackenzie (1835), Charles John Brydges (1865), Louis-Adélard Sénécal (1883), William Miller Ramsay (1884), Victor Beaudry (1884), la succession Beaudry (1888), le Bureau d'assistance sociale aux familles (1949), la Société de service social aux familles Inc. (1954), et enfin le CSSMM.

Les principaux occupants

John Gordon Mackenzie était propriétaire de la maison d'importations J. G. Mackenzie & Co., fondée en 1829 ; il était aussi président du Conseil des commissaires du port de Montréal. On croit qu'il fut le gendre d'Horatio Gates, un des premiers dirigeants de la Banque de Montréal, puisqu'il épousa une dénommée Seraphina Gates.

Charles John Brydges naquit à Londres en février 1827. Orphelin dès l'âge de 7 ans, laissé seul sans frères ni proches parents, il passa sa jeunesse dans un orphelinat avant de se lancer dans le domaine ferroviaire à 16 ans à titre de petit commis à la London and South-Western Railway Co., à Londres. Son efficacité lui valut en 1852 le poste d'administrateur-gérant de la Great Western Railroad Co. of Canada. Par la suite, il fut directeur général du Grand Tronc (c'est alors qu'il s'installa rue Sherbrooke) ; membre du Conseil des commissaires des chemins de fer du Canada ; surintendant général de l'Intercolonial ; et commissaire des terres de la Compagnie de la Baie d'Hudson. Il mourut d'une crise cardiaque, le 16 février 1889, alors qu'il effectuait sa visite hebdomadaire à l'Hôpital général de Winnipeg, dont il était le président-fondateur.

Louis-Adélard Sénécal ne fut propriétaire que pendant un an, puisque sa maison fut l'objet d'une saisie à la fin de 1884. Cet homme d'affaires fort actif fut président de la Richelieu & Ontario Navigation Co., de la City Passenger Railroad Co. et de la Northshore Railway Co.

Victor Beaudry est un autre des personnages importants qui ont habité la maison ; lui et sa succession occupèrent les lieux de 1884 à 1949 (et jusqu'en 1957 pour le 75, rue Sherbrooke). Né à Sainte-Anne-des-Plaines en 1829, Victor était le frère de Jean-Louis, Jean-Baptiste, Louis et Prudent Beaudry. Malheureux dans l'entreprise commerciale de ses frères Jean-Louis et Jean-Baptiste, rue Notre-Dame est, Victor quitta Montréal pour l'Amérique centrale et la Californie en 1848. Victor revint momentanément à Montréal en novembre 1854, mais il dut repartir pour Los Angeles en février 1856 afin d'y remplacer temporairement son frère Prudent, atteint du mal du pays, à la direction de leur entreprise commune.

Fournisseur de vivres et de chevaux pour l'Armée américaine, exploiteur

Le 81 avec, à gauche, les rallonges de la rue Saint-Urbain.

Le porche, surmonté d'une grille basse en fer forgé et d'un fronton triangulaire dont le tympan est percé d'un oeil-de-boeuf. L'entrée se fait sous un grand arc surbaissé reposant sur des pilastres jumelés et richement ouvrés, dont on remarquera les corbeaux galbés. Une claustra formée de balustres nains jumelés masque en partie la frise à caissons qui surmonte l'arc surbaissé.

d'entreprises minières fructueuses, enrichi par ses transactions immobilières de Los Angeles, Victor rentra à Montréal en mai 1887 pour y terminer sa vie, dans la maison de la rue Sherbrooke qu'il avait fait acheter par son frère Jean-Louis. Mais il mourut dix mois plus tard, à l'âge de 59 ans.

Quant à Prudent, il avait littéralement fondé Los Angeles en acquérant à des prix ridiculement bas de vastes terrains au coeur même de l'actuelle Los Angeles. Il fut le président-fondateur de la compagnie d'aqueduc, et en 1874, il était élu maire de cette ville pour une première fois.

La maison

La maison comporte en fait deux parties: le 75, rue Sherbrooke, soit la partie la plus ancienne, à l'est; et le 81, à l'angle de la rue Saint-Urbain.

La maison est située dans le quadrilatère formé par les rues Sherbrooke, Saint-Urbain, Milton et Clark (jadis Saint-Charles-Borromée). Elle porte les numéros 75 et 81, rue Sherbrooke ouest. Dans ses dimensions maximales, elle mesure 75 pieds et demi de largeur rue Sherbrooke, sur 164 pieds de profondeur rue Saint-Urbain, sur 42 pieds et demi de hauteur.

On n'a pas retracé le marché de construction pour la partie la plus ancienne de la résidence, de sorte que le Groupe de recherche sur l'architecture et les sites historiques de l'École d'architecture de l'Université de Montréal, qui a étudié le dossier pour le ministère des Affaires culturelles, dut s'en remettre à des hypothèses, toutefois basées sur des données sérieuses provenant des actes de vente, des rôles d'évaluation municipale, des annuaires de résidants (Lovell et autres), et du contexte architectural alors en vigueur.

Selon toute vraisemblance, le gros oeuvre du 75 aurait été érigé vers 1835, ce qui correspond à la période de vente à Mackenzie. Rien ne permet de confirmer ou d'infirmer que la maison à deux paliers construite à cette époque-là incorporait des éléments de la première maison de pierre apparue sur l'emplacement vers 1802.

Le 81 fut construit en 1867 par George et John James Browne pour le compte de Brydges. Par la suite, d'autres transformations ont modifié le périmètre des édifices jumelés. Mentionnons les principales: ajout d'un étage au 75 entre 1880 et 1887; agrandissement à l'arrière du 81 entre 1881 et 1890; rallonge en brique à l'arrière du 75 entre 1907 et 1912; agrandissement en brique à l'arrière du 81 en 1951; modifications intérieures au 81 en 1953; construction de l'avant-corps et modifications au rez-de-chaussée du 75 en 1958.

Analyse architecturale

De courant néo-classique illustré par les pilastres* d'ordre colossal et le rythme du fenêtrage*, la maison Cytrynbaum témoigne d'une architecture simple, imputable à la tradition locale et au débat qui opposait «classiques» et «baroques» en Europe. D'inspiration victorienne, le porche* du 81 est nettement postérieur au reste de la maison par son exubérance architecturale, et sa surcharge ornementale contraste avec le style dépouillé du bâtiment.

Un examen attentif de la façade permet de déceler certaines différences malgré le parement en pierre de taille commun aux deux parties: hauteur de l'étage; fenêtrage (tant pour l'articulation architecturale que pour la décoration des trumeaux*); fini des pierres; bandeau* et ressaut* d'angle. Et comment pourrait-on expliquer la présence d'un mur mitoyen entre les deux parties autrement que par la construction de deux maisons à deux étapes différentes?

Deux faits en particulier permettent d'établir que le 75 est antérieur au 81. Il y a d'abord les dimensions du périmètre original, facile à assortir aux demeures qui se construisaient au Canada vers 1835. Ensuite, il faut observer le pilastre* de gauche: l'avant-corps* du 81 chevauche ce pilastre; cet avant-corps est donc sûrement postérieur au 75, et tout porte à croire qu'il en va ainsi de l'ensemble du 81.

Examinons maintenant la façade de la résidence; le bandeau est articulé sur deux plans et coupé en son extrémité par les pilastres, alors qu'il est plat et surmonte le ressaut au 81; les fenêtres du corps principal du 75 sont géminées* au-dessous du bandeau, et

Photo ministère des Affaires culturelles *Bordure du plafond.*

simples au-dessus; les trumeaux des fenêtres géminées sont unies au 75, et décorés d'une console au 81; le deuxième étage à fausse mansarde* à lucarnes* surmontées d'un fronton* est postérieur au corps principal du 75 puisqu'il est en brique et propose le type d'architecture de la fin du XIXe siècle, et en outre, à la partie supérieure de la façade, on peut déceler le léger ressaut de la pierre sous la corniche*, lequel dissimule les éléments de la toiture précédente.

Il ne fait pas de doute que l'avant-corps central du 75 a été rajouté; l'épaisseur du mur derrière l'avant-corps, les allèges* de fenêtre différentes et le vieillissement de la pierre permettent de l'affirmer.

La façade du 81 est plus intéressante que celle du 75 en grande partie à cause de son avant-corps incorporant le porche monumental visiblement ajouté au plus tard en 1890.

Le noyau central du 81 mesurait 36 pieds en façade sur 78 pieds et demi en profondeur. Sa charpente* en bois supporte le parement en pierre lisse et la toiture à plusieurs versants* qui se termine par une corniche en tôle légèrement saillante*.

L'avant-corps de près de 6 pieds et demi de profondeur comprend un large emmarchement* de maçonnerie et un porche, surmonté d'une grille basse en fer forgé et d'un fronton triangulaire dont le tympan* est percé d'un oeil-de-boeuf*.

L'entrée se fait sous un grand arc* surbaissé reposant sur des pilastres jumelés et richement ouvrés, dont on remarquera les corbeaux* galbés. Un claustra* formé de balustres* nains ju-

Photo René Picard, *La Presse*
Détails du claustra.

melés masque en partie la frise* à caissons* qui surmonte l'arc surbaissé. Des portes doubles vitrées et dotées de panneaux ouvrés donnent accès à l'intérieur de la maison. À noter également la fenêtre ronde sur le côté du 81.

L'intérieur

L'intérieur a subi tellement de transformations qu'il y a peu de choses à souligner. Tous les foyers ont été bouchés (on en trouvait pas moins de sept dans la vaste demeure d'antan) et la disparition des cheminées permet d'affirmer que la toiture du 81 a été refaite tout comme celle du 75.

Des boiseries, il y a peu à dire, à l'exception de l'escalier principal du 81, dont il faut remarquer la rampe en bois et le limon* en métal, et de la frise malheureusement sectionnée par l'ajout de cloisons.

Typologie

La maison Cytrynbaum est un bel exemple de la maison bourgeoise qu'on érigeait lors de \l'urbanisation montréalaise du XIXᵉ siècle.

Les conflagrations dont il fut question à l'occasion du chapitre consacré à la caserne centrale des pompiers, les épidémies de choléra (1832 et 1854) et de typhus (1847) et l'accroissement des activités dans le port de Montréal incitaient les bourgeois à quitter le Vieux-Montréal pour aller s'installer sur de vastes domaines «hors les murs». La rue Sherbrooke, au sommet de la terrasse du même nom, devint un lieu privilégié.

Mais à la suite de la division de la résidence en deux entités à caractère différent, seul le 81 répond aujourd'hui à la typologie de la résidence bourgeoise du XIXᵉ siècle, tandis que le 75 s'inscrit depuis ce moment dans l'habitation multifamiliale à densité moyenne, même si ce n'était pas là le but initial du concepteur.

Les frères Cytrynbaum se départirent de la propriété le 15 février 1982 en la vendant à la société Immeubles De Plour. Cette société a revendu le 81 ainsi que les annexes de la rue Saint-Urbain au groupe «À l'angle du 81» le 28 février 1986, et ces édifices sont occupés par le groupe Everest Inc., spécialisé en communications-marketing, depuis mars 1986. Son porte-parole, Alain Guilbert, souligne que le groupe a entrepris des démarches auprès du ministère des Affaires culturelles pour qu'on donne le nom de maison Everest au 81, puisque la propriété a été irrémédiablement scindée en deux.

REPÈRES

Nom: maison Cytrynbaum.
Adresse: 75/81, rue Sherbrooke ouest.
Métro: station Place-des-Arts, direction avenue du Président-Kennedy, vers l'est jusqu'à la rue Saint-Urbain, et vers le nord jusqu'à la rue Sherbrooke.

SOURCES:

Groupe de recherche sur l'architecture et les sites historiques de l'École d'architecture de l'Université de Montréal: *Maison Cytrynbaum*, par Réjean Bouvier, Anne-Marie Faugère et Jean-Luc Goudreau — Ministère des Affaires culturelles du Québec: documents divers — Archives de la Ville de Montréal: documents divers — Université Laval: *Dictionnaire biographique du Canada* — Bélisle, Louis-Alexandre: *Références biographique Canada-Québec* (Éditions de la Famille canadienne Limitée).

45

La gare Windsor

Construction: 1887-89
Architecte: Bruce Price

La partie originale de la gare Windsor, en 1899.

Craigellachie, près du col de l'Aigle, dans les Rocheuses, à des milliers de kilomètres de Montréal où mijote le projet d'une gare majestueuse pour loger avec panache les dirigeants de l'entreprise. Craigellachie, un coin perdu en Colombie-Britannique, a pour seul atout de se trouver sur le tracé d'une voie ferroviaire en construction.

Il est 11 heures du matin en ce 8 novembre 1885. Dignitaires et ouvriers se mêlent de part et d'autre de la voie lorsque s'approche Sir Donald Smith (futur Lord of Strathcona and Mount Royal), cousin et délégué de Sir George Stephen, président du Canadien Pacifique, pour poser le dernier tirefond* qui complète la construction du premier chemin de fer transcanadien.

Ces hommes ont une double raison de fêter: d'un côté, ils concrétisent un rêve grandiose caressé par toute une génération de Canadiens ambitieux, et de l'autre ils ont complété le projet en cinq ans alors qu'on en prévoyait dix, grâce au directeur général William Cornelius Van Horne.

Et pendant qu'on célébrait à Craigellachie, commençait à germer le besoin de doter l'entreprise d'un siège social à la hauteur des ambitions de ses actionnaires. C'était en quelque sorte le jour 1 de la planification de la gare Windsor.

De la place d'Armes au square Dominion

Au moment de cet événement marquant de son histoire, le Canadien Pacifique venait tout juste d'obtenir un droit d'entrée à Montréal grâce à l'achat de la division ouest de la société Quebec, Montréal, Ottawa & Occidental Railway Co.

Les activités montréalaises du CP se partageaient entre deux centres. Désuète et mal située, à la porte de Québec, du côté est de la ville (alors que le Canadien Pacifique lorgnait vers l'ouest pour son expansion), la gare Dalhousie devint le premier terminus pour voyageurs et marchandises du CP à Montréal, et servit de point de départ au *Pacifique Express*, premier train à quitter Montréal en direction de Vancouver, le 28 juin 1886. Quant au siège social, il se trouvait, depuis la fondation du CP en 1881, à la place d'Armes, à un emplacement aujourd'hui occupé par un édifice que la Banque de Montréal acquit du Trust Royal en 1980. Il fallait donc résoudre le problème de la distance entre les deux édifices par la construction d'un bâtiment qui logerait la gare et le siège social.

L'étonnant succès du Canadien Pacifique n'était pas le fruit du hasard. En effet, cette société réunissait de nombreuses personnalités remarquables du monde des affaires puisque, parmi les fondateurs, on remarquait la présence de George Stephen, Richard B. Angus, Duncan McIntyre, tous de Montréal; James J. Hill, de St. Paul; et John S. Kennedy, de New York (Donald Smith ne joignit le groupe que plus tard).

Après avoir envisagé un emplacement situé du côté nord de la rue

La gare, rue Windsor, vers 1890, et la rue Donegani, à gauche.

Sainte-Catherine, à l'est de la rue Peel, ces hommes jetèrent leur dévolu sur un terrain occupant la majeure partie du quadrilatère délimité par les rues Windsor (aujourd'hui Peel), Osborne (aujourd'hui de La Gauchetière), de la Montagne et Donegani (aujourd'hui disparue). Le terrain fut acheté en 1887 par D. McIntyre de la succession Coursol, au prix de 140 000 $. La maison Belestre-McDonell, où fut fondée la société Saint-Jean-Baptiste, en 1834, occupa jadis une partie de cet emplacement.

Le quadrilatère comprenait également la manufacture de la Windsor Coach Co., un dispensaire, des boutiques et la boulangerie d'Alexander Wall. À l'origine, la station occupait un terrain de 15 acres.

Le choix de l'architecte

Pour concrétiser ses rêves, la direction du CP retint les services d'un adepte des courants « revivalistes », l'architecte Bruce Price, disciple de Henry Hobson Richardson, grand propagateur du style néo-roman.

S'il a été de courte durée dans l'architecture nord-américaine, le style néo-roman à la Richardson a néanmoins eu un impact formidable. Au Québec, son influence s'est surtout fait sentir à Montréal, dans la construction de résidences privées cossues. Mais il faut également inclure l'édifice de la

New York Life Insurance Co., premier gratte-ciel construit à Montréal, du côté est de la place d'Armes; l'église Erskine and American, rue Sherbrooke; la bibliothèque Redpath de l'Université McGill; l'édifice de la Montreal Street Railway, à l'angle sud-ouest de la rue Saint-Antoine et de la côte de la Place-d'Armes; et l'ex-succursale de la Banque de Montréal, au 980, rue Sainte-Catherine ouest.

Peu d'édifices montréalais portent plus de symboles architecturaux que la gare Windsor, qui a marqué avec éclat le début de l'influence de l'architecture américaine sur l'architecture québécoise, au détriment de l'architecture britannique. Jean-Claude Marsan, dans *Montréal en évolution*, dit que « la gare est l'édifice qui reflète le mieux l'influence de Richardson au Canada ».

Natif de Cumberland, au Maryland, Price avait 41 ans quand il débarqua à Montréal en 1886. Il était alors au faîte de sa carrière aux États-Unis, et sa venue au Canada permit d'ajouter de grandes oeuvres à l'inventaire architectural du pays telles la gare Windsor, la gare-hôtel Viger, le Royal Victoria College de Montréal, l'hôtel Château-Frontenac à Québec, et l'hôtel Banff Springs, à Banff, pour ne nommer que celles-là.

Price eut deux enfants de Josephine, fille de Washington Lee, un garçon mort en bas âge et une fille, Emily. Cette dernière maria Edwin N. Post, et devint célèbre aux États-Unis pour sa chronique sur l'étiquette et les bonnes manières. Price mourut à Paris, en France, le 29 mai 1903.

Le square Dominion vers 1900 avec, à l'arrière-plan, la gare Windsor.

Photo archives Notman, Musée McCord

La gare en 1906, vue en plongée.

L'édifice original

Price dut soumettre quatre versions avant de satisfaire Van Horne... et le trésorier du Canadien Pacifique! La quatrième fut acceptée.

Les travaux débutèrent en juin 1887, avec un dénommé Clendenning comme entrepreneur général, le contrat de maçonnerie allant à la société William Davis & Son Co., d'Ottawa.

Pendant la construction, une clôture de 10 pieds de hauteur entourait le chantier. Et certain de vivre un moment inoubliable, Van Horne y avait écrit, en lettres noires de six pieds de hauteur: *« Beats all Creation...The New C.P.R. Station! »*

L'inauguration eut lieu le 1er février 1889, avec John Elliott comme premier chef de gare. Le premier train était parti de « Montreal Junction » (aujourd'hui Montréal-Ouest, où s'arrêtaient les trains venant de l'ouest avant l'ouverture de la gare Windsor)

et ne comportait qu'un wagon rempli de dignitaires. Le premier train régulier partit deux jours plus tard, en direction de Toronto et Chicago.

Les différents services de l'entreprise occupaient le deuxième palier, la direction le troisième, et les ingénieurs le quatrième. Au sous-sol, on avait logé les services aux voyageurs qui comprenaient notamment une salle de bains et de douches. La salle des pas perdus occupait la majeure partie du rez-de-chaussée.

Construit au coût de 300 000 $, l'édifice original, initialement connu sous le nom de « gare de la rue Windsor », mérite toute notre attention. De forme rectangulaire, le bâtiment longeait la rue Windsor, entre les rues Osborne et Donegani (située à mi-chemin entre les rues Osborne et Saint-Antoine). L'édifice comprenait quatre étages à la hauteur de la rue Osborne, et cinq le long de la rue Donegani à cause de la dénivellation du terrain. La façade de la rue Windsor mesurait 225 pieds, soit environ 45 p. cent de la façade actuelle de 500 pieds, et elle se terminait après le neuvième grand arc* en plein cintre à partir de l'actuelle rue de La Gauchetière.

Pour l'érection des murs* portants, Price choisit la pierre calcaire grise éclatée de Montréal. L'impressionnante épaisseur des murs en moellons* énormes décroît graduellement de 54 pouces à la base, à 28 pouces au sommet. À l'extérieur, les colonnes atteignent jusqu'à 7 pieds de largeur.

Photo CP Rail

La gare après l'addition de l'aile Maxwell, en 1906.

Photo CP Rail

Construction de l'agrandissement de l'édifice original, rue Windsor, en novembre 1910.

La gare vers 1912, en regardant vers l'est. En avant-plan, la toiture de la future salle des pas perdus.

Les fenêtres des trois premiers étages s'alignent dans une grande baie* à arc en plein cintre formé de voussoirs* encadrant le tympan*. Chaque baie forme une embrasure* qui permet d'apprécier l'épaisseur des murs. À l'étage supérieur, les fenêtres cintrées* sont groupées par trois au-dessus des grandes baies et, rue Osborne, chaque groupe est séparé par des colonnes* exhaussées. La ligne du toit confère à l'édifice un air de «château-forteresse» féodal grâce aux tourelles* en pierre à six pans* et aux lucarnes* à trois fenêtres. La tour* carrée de huit étages dotée de mâchicoulis* ressemble étrangement à la tour de l'Abbaye-aux-Dames de Caen et à celle de la porte de la ville d'Avignon.

Intérieur et voies ferrées

Située au niveau de la rue Osborne, la salle d'attente de 60 pieds sur 76 comportait de belles arcades* formées par des colonnes en granite surmontées de chapiteaux* en pierre calcaire. Cette salle disparut en 1913 lors de la construction de l'actuelle salle des pas perdus.

Quatre voies ferrées desservaient la gare grâce aux quais recouverts de 504 pieds de longueur. Des résidences s'interposaient entre les voies ferrées et la rue Osborne. Tout près de la rue de la Montagne, se trouvait l'église Olivet Baptist de forme octogonale. Les voies enjambaient la rue Bisson (parallèle à la rue Windsor, et aujourd'hui disparue) sur une voûte* en pier-

re, similaire à celle qu'on peut apercevoir sur le chemin Glen. L'espace sous les voies ferrées était occupé par trois étages de bureaux et de remises, et la chaufferie se trouvait au bout de la rue Donegani.

La première annexe

L'expansion ultra-rapide du CP força l'entreprise à agrandir ses locaux dès 1900. Afin de s'assurer que l'annexe prévue le long de la rue Osborne respecterait l'esprit du bâtiment principal, le CP fit appel à Edward Maxwell. Disciple de A. F. Dunlop, puis du cabinet bostonnais Shepley & Coolidge, Maxwell avait développé le même goût que Price pour le néo-romantisme.

Construite au coût de 300 000 $, l'annexe de trois étages à toit* à terrasse fut érigée en retrait de l'édifice principal. Maxwell veilla à ce qu'elle s'harmonisât parfaitement à l'oeuvre de Price par son vocabulaire architectural. Rien n'y manque, même pas les tourelles d'angle. La seule concession que fit Maxwell au «modernisme» fut de substituer l'acier à la pierre pour le gros oeuvre, la pierre ne servant que de revêtement, alors que les murs sont portants dans l'édifice principal.

Une arcade relie les deux édifices. Elle est ornée de motifs iconographiques typiquement néo-romans sous la forme de têtes émergeant d'un réseau végétal. Et grâce à la démolition des résidences du côté sud de la rue Osborne, cette annexe permit d'ajouter trois voies à la capacité de la gare. Parmi les autres conséquences, on peut souligner la fermeture de la rue Bisson et la démolition de la remise circulaire, devenue inutile avec l'ouverture du triage* Glen.

Six ans plus tard, s'effectuèrent d'autres travaux, rue Osborne: on ajouta, au coût de 142 000 $, immédiatement à l'ouest de l'aile Maxwell une rallonge d'un étage en brique recouverte de crépi* sans commune mesure avec l'ensemble; on la qualifia dérisoirement de «Mud Hut (hutte de boue)». On profita aussi de la circonstance pour exhausser l'annexe Maxwell d'un étage en remplaçant le toit à terrasse par un toit en pavillon percé de lucarnes en pierre parfaitement harmonisées avec l'oeuvre de Price.

Les travaux de 1910

Les travaux d'agrandissement les plus remarquables se déroulèrent de 1910 à 1912, alors qu'on prolongea l'édifice original de la rue Osborne jusqu'à la rue Saint-Antoine. La direction avait décidé de respecter l'architecture de Price, et même de l'améliorer si possible. Elle en confia donc la tâche à son ingénieur en chef, William Painter, collaborateur des architectes John H. Watts et L. Fennings Taylor, d'Ottawa.

Construite au coût de 1,5 million de dollars, cette aile s'harmonise parfaitement au bâtiment original dont elle a emprunté le langage architectural. Encore là, la seule concession fut l'utilisation d'une structure d'acier.

À proximité de la rue Saint-Antoine, on peut apercevoir une tour monumentale de 15 étages et de 225 pieds de hauteur. Cette tour-réservoir d'une capacité de 30 000 gallons compense, sur le plan architectural, l'effet décroissant produit par la dénivellation de la rue. Enfin, la position de l'entrée située sous une arche* en plein cintre et surmontée d'une balustrade* en pierre reprise au sommet valorise l'angle* tronqué du bâtiment à la rue Saint-Antoine. La tour est couronnée par un toit en pavillon à pente très aiguë et par des tourelles. La construction de cette aile entraîna la fermeture de la rue Donegani.

Photo CP Rail
Pendant la construction de la rallonge du «Mud Hut», en 1922.

La salle des pas perdus

Depuis l'ouverture, en 1889, le CP avait pu se contenter de quatre, puis de sept voies. Mais l'achalandage étant à la hausse, il fallait augmenter la capacité. On profita de la construction de la salle des pas perdus, en 1913, pour porter le nombre de voies à 11, abritées par des quais de type «Bush», avec fente dans la toiture pour faciliter l'évacuation de la fumée et de la vapeur.

Érigée au coût de 850 000 $, l'impressionnante salle des pas perdus est remarquable pour son toit en verre qui ne manquait pas d'audace à l'époque. La salle des pas perdus mesure 300 pieds sur 43, pour une superficie de 12 500 pieds carrés. Sa toiture est formée d'une structure d'acier supportant 1 500 panneaux de verre armé de fil de fer. De petites gouttières empêchent l'eau de la condensation d'atteindre les passagers. Outre les murs de marbre et les boiseries en noyer, la salle propose un magnifique monument de Coeur-de-Lion McCarthy érigé à la mémoire des employés du Canadien Pacifique morts au champ d'honneur.

Additions subséquentes

Les additions subséquentes sont moins intéressantes du fait qu'elles ne respectaient pas l'intégrité architecturale de l'oeuvre de Price. Mentionnons-les pour compléter le dossier: addition de deux étages à la «Hutte à boue» en 1922, au coût de 180 000 $; construction de l'aile «Express» entre 1951 et 1953 dans le prolongement de

Photo CP Rail
La gare en 1914, une fois l'aile nord-sud complétée.

Photo Jean-Yves Létourneau, *La Presse*

La gare aujourd'hui. À noter la marquise qui a fait son apparition à l'angle des rues de La Gauchetière et Peel.

la « Hutte à boue » ; construction d'une aile de huit étages pour les télécommunications, rue Saint-Antoine, en 1954 ; démolition de l'aile « Express » en 1972 ; enfin, construction d'une aile pour abriter les accumulateurs d'urgence, en 1978.

Des trains dignes d'un souvenir

Plusieurs trains ont particulièrement marqué l'histoire de la gare. En 1889, on assista au départ du premier train assurant la liaison entre Montréal et Saint-Jean, au Nouveau-Brunswick, deux ans après l'inauguration du service direct entre Toronto et Montréal.

Le premier service de banlieue fut instauré en 1893, entre Montréal et Pointe-Fortune, grâce à la locomotive 624 construite spécialement à cette fin.

Van Horne mourut à son domicile montréalais de la rue Sherbrooke le 11 septembre 1915. Le 14, la dépouille mortelle fut transportée jusqu'à la gare pour être placée à bord d'un train spécial qui devait la transporter à Joliet, Illinois, où elle fut inhumée. Au moment du départ, tous les trains stoppèrent pendant cinq minutes sur l'ensemble du réseau.

Deux trains historiques ont quitté la gare pendant la Dépression. À l'été de 1933, le *Royal Scot* quitta la gare Windsor pour entreprendre une tournée transcontinentale qui devait le conduire à l'Exposition de Chicago. Formé d'une locomotive et de huit wagons, le train avait été prêté par la société britannique London, Midland & Scottish. Plus tard, le 28 juin 1936, le train n° 7 tiré par la locomotive 2803 généreusement pavoisée, quittait Montréal à destination de Vancouver, pour souligner le 50ᵉ anniversaire du premier voyage transcanadien.

Le premier train de voyageurs tiré par une locomotive diesel, en l'occurrence la 8404, fit son entrée dans la gare à midi le 13 novembre 1949. Il faudra cependant attendre 11 ans avant que les locomotives à vapeur disparaissent complètement. Et pour l'occasion, en ce 6 novembre 1960, on avait jugé bon d'utiliser la vénérable locomotive 29 pour tirer le train spécial nolisé par des mordus du rail.

Le *Canadien*, premier train en acier inoxydable et doté de voitures panoramiques, quitta la gare à destination de Vancouver le 24 avril 1955.

Un seul accident mortel

Malgré son achalandage très élevé à l'âge d'or du chemin de fer, durant la première moitié du XXᵉ siècle, la gare ne connut qu'un seul accident tragique au cours de son histoire.

Le 17 mars 1909, en pleines célébrations de la Saint-Patrick, la locomotive 902 tirait le train en provenance de Boston, lorsque le chauffeur en perdit le contrôle entre *Montreal Junction* et la gare de Westmount. Emballée par la légère inclinaison, la locomotive roulait à une vitesse de 50 milles à l'heure lorsqu'elle arriva aux limites de la gare Windsor. Elle arracha le taquet d'ar-

Photo Jean-Yves Létourneau, *La Presse*

L'entrée de la rue Saint-Antoine.

*Le monument aux employés
victimes de la guerre.*

Grâce à la présence d'esprit du contrôleur de billets Thomas Whelan (père de Lawrence, futur évêque catholique auxiliaire de Montréal), on n'eut que quatre morts à déplorer, une femme et trois enfants dans la salle des pas perdus.

Quant aux occupants de la locomotive, ils connurent des sorts diamétralement opposés. Le mécanicien Mark Cunningham fut retrouvé mort, sur le ballast, les mains gravement brûlées par l'éclatement d'une manette. Le chauffeur, qui avait lui aussi abandonné la locomotive, s'en tira avec des blessures légères.

rêt, franchit le quai, défonça le mur et alla s'arrêter dans la salle d'attente où elle s'enfonça dans le plancher, en porte-à-faux au-dessus de la rue Donegani.

Photo CP Rail
La salle d'attente, en 1899.

REPÈRES

Nom: gare Windsor.
Adresse: 900, rue Peel.
Métro: station Bonaventure, direction Château-Champlain et gare Windsor.

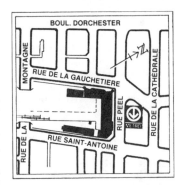

SOURCES:

Lavallée, Omer: *Gare Windsor, document de référence* — Friends of Windsor Station: *Windsor Station* (version complète) — Clugston, Catherine A.: *Windsor Station* — Bonar, James Charles: *The Centenary of Sir William Van Horne* — Silhy, Enrique: *The Windsor Street Station* — Doneff, Bissera: *Windsor Station* — Ministère des Affaires culturelles: documents divers — CUM, Service de la planification du territoire: documents divers — Les amis de la Gare Windsor: *La Gare Windsor* (version abrégée) — Brosseau, Mathilde: *Gare Windsor, histoire, relevé, analyse* — Canadien Pacifique: documents divers.

46

La brasserie Dawes, à Lachine

Vieille brasserie
Construction: 1811
Architecte: inconnu

Entrepôt
Construction: c. 1820-1850
Architecte: inconnu

Brasserie
Construction: 1861
Architecte: inconnu

Résidence Dawes
Construction: 1862
*Architectes: Alexander G. Fowler
et Victor Roy*

Entrepôt réfrigéré
Construction: 1878
Architecte: inconnu

Entrepôt incendié
Construction: 1880
Architecte: inconnu

Il est difficile de savoir si Thomas Andrew Dawes a été un visionnaire ou un sacré joueur. Cependant, deux certitudes s'imposent: il a joué un malheureux coup de poker quand il a décidé, en 1811, d'installer la troisième brasserie de Montréal à Lachine, au bord du lac Saint-Louis, en amont des rapides du sault Saint-Louis, et il a été le premier industriel canadien à utiliser le télégraphe et à voir les avantages du téléphone comme outil entre les mains des hommes d'affaires.

Des deux brasseries existant alors, l'une, fondée en 1786 par John Molson, se trouvait bien en aval, au pied du courant Sainte-Marie, l'autre, la brasserie Dunn, s'était installée dès 1808 rue Notre-Dame, près du port de Montréal, entre les rapides et le courant Sainte-Marie. Le fondateur de cette dernière, le brasseur britannique Thomas Dunn, avait compris qu'il avait commis une gaffe en 1790, quand il s'était d'abord installé à La Prairie. Mais le troisième venu dans l'industrie de la bière, Dawes, décida de miser sur Lachine parce qu'il était convaincu que cette ville se développerait plus vite que Montréal. Il a perdu.

L'histoire de la bière au Québec

La bière n'était pas un produit nouveau au pays. Les *Relations des Jésuites* en faisaient état dès 1636, un siècle et demi avant que Molson ne produise son premier tonneau de bière. D'autres documents évoquent l'existence de brasseries antérieures à celle de Molson. Ainsi par exemple, le contrat de mariage de Louis Prud'homme et Roberte Gadois, le 22 octobre 1650, stipulait que la terre de 30 arpents offerte par Paul Chomedey de Maisonneuve était «contiguë à la propriété de la brasserie», sans plus de détails.

En novembre 1666, Jean Talon, premier intendant de la Nouvelle-France, parlait de construire une brasserie, dans une lettre à Jean-Baptiste Colbert, ministre du «Roi-Soleil», Louis XIV. La brasserie du Roy ouvrit ses portes en 1670. En 1690, ce fut au tour de Charles Le Moyne, seigneur de Longueuil, de tenter sa chance. Enfin, les Charon, fondateurs de l'Hôpital géné-

Photo musée de la Ville de Lachine
La brasserie Dawes au milieu du XIXᵉ siècle.

La vieille brasserie en 1930.

ral, au lieu dit Pointe-à-Callière, ajoutèrent une brasserie à leur établissement hospitalier en 1704, mais s'en départirent en 1708 au profit de Jacques Charbonnier et Pierre Crépeau. Les allusions aux brasseries cessent après 1725, mais on continuait de fabriquer la bière de façon artisanale.

La brasserie Dawes

À la fondation de la brasserie Dawes en 1811, Napoléon dominait la France et l'Europe, James Madison était président des États-Unis d'Amérique et le régent George IV occupait le trône d'Angleterre, remplaçant son père George III atteint de débilité mentale. Pour sa part, Thomas A. Dawes résidait au Canada depuis trois ans, et il avait d'abord vécu à Howick, dans le comté de Châteauguay.

Dawes décida d'installer son établissement de brassage sur la rive du lac Saint-Louis, à Lachine, parce qu'il était convaincu que ce village, en amont des rapides, connaîtrait un essor formidable.

Dawes et ses descendants dirigèrent la brasserie — et le regroupement dont elle fera partie, comme nous le verrons au prochain chapitre — pendant cinq générations. Rappelons pour le moment que Norman J., arrière-petit-fils du fondateur, était président de la National Breweries Ltd. (le regroupement créé à l'instigation d'Andrew James Dawes) lorsque les Brasseries canadiennes en prirent le contrôle en 1952, que Kenneth Thomas, demi-

frère de Norman, occupait la vice-présidence, et que Donald, fils de Kenneth T. et arrière-arrière-petit-fils du fondateur, était directeur des relations publiques.

À la mort du fondateur de la société, ses fils James Powley et Thomas Amos prirent la relève. Comme leur père, les fils étaient appréciés comme employeurs et comme philanthropes. À la mort de James P., en 1878, ses deux fils, James Powley II et Andrew James, prirent la relève sous la direction de leur oncle Thomas A., et sous la raison sociale de Dawes & Co.

Initié aux secrets de la bière à Burton-on-Trent, en Angleterre, James P. II connut le succès autant dans les affaires que dans les sports. Il contribua à la fondation de la Dominion Bridge Co. et siégea au sein du conseil d'administration d'entreprises comme la Banque des Marchands, l'hôtel Windsor, l'Alliance, compagnie d'assurance, et la Montreal Gas Co. Il fut aussi propriétaire d'une écurie de chevaux de courses réputée, ses chevaux gagnant le Queen's Plate et le King's Plate pas moins de 13 fois. Enfin, son yacht, le *Surprise*, se révélait invincible, malgré les efforts de tous ses adversaires, yachtmen canadiens comme militaires anglais! James P. II mourut en 1907, un an avant son oncle Thomas.

La télégraphie et le téléphone

Andrew James devint président à la mort de l'oncle Thomas le 14 mai

La vieille brasserie aujourd'hui. Le mur à l'avant-plan comprend des vestiges de la toute première brasserie construite en 1811.

Photo Paul-Henri Talbot, *La Presse*

L'entrepôt du boulevard Saint-Joseph

1908. Son premier défi fut de regrouper les nombreuses brasseries disséminées au Québec. Il y parvint l'année suivante, et son leadership fut reconnu car il se vit confier la présidence de la toute nouvelle National Breweries Ltd. Il en a été le président jusqu'à sa mort, survenue en février 1921. Andrew J. fut maire de Lachine de 1888 à 1893. Il fut l'un des premiers à reconnaître la grande utilité de l'invention d'Alexander Graham Bell, le téléphone. Il fut administrateur de la compagnie Bell Téléphone du Canada, de la Northern Electric Co., et de la Banque des Marchands.

Norman J. entreprit sa carrière à la brasserie en 1894. Diplômé en chimie de l'Université McGill, il détenait un certificat de maître brasseur de la United States Brewing Academy, de New York. Il occupa différentes fonctions avant d'accéder à la présidence de la National Breweries Ltd., qu'il assuma de 1921 à 1952. Directeur d'une foule d'entreprises, de l'Atlas Construction Co. à la Dominion Engineering Co. en passant par la Canadian Arena Co. (propriétaire du Club de hockey Canadien) et la Beauharnois Light, Heat & Power Co., il fut président du Bureau de commerce (Better Business Bureau) en 1930. C'était aussi un sportsman invétéré.

Diplômé de la même académie que Norman J., son demi-frère, Kenneth T., débuta à la brasserie en 1911. Il fut vice-président de l'Asbestos Corp. et de la Canadian Arena Co., ainsi qu'administrateur de la Dominion Glass Co. et du Bureau des con-

ventions et du tourisme de Montréal. Il fut président de la Société canadienne pour la prévention de la cruauté contre les animaux et administrateur du Club automobile royal du Canada. Enfin, il fut l'un des propriétaires de la fameuse écurie Mont-Royal qui compta parmi ses chevaux *Marine*, rejeton de *Man o' War*.

La famille Dawes a toujours voulu être à l'avant-garde du progrès. La grande distance qui séparait la brasserie de Lachine des bureaux montréalais força l'entreprise à recourir (et c'était une première au Canada!) au télégraphe, inventé par Samuel Morse et breveté en 1840. La ligne télégraphique privée de la brasserie Dawes suivait la berge du canal de Lachine.

Cette ligne fut éventuellement transformée en ligne téléphonique, et son entretien confié par contrat à la première compagnie de téléphone fondée à Montréal en 1879. La brasserie Dawes céda finalement cette ligne à la compagnie Bell Téléphone du Canada, dont elle devint une des meilleures clientes.

Les bâtiments de la brasserie

Les bâtiments de l'entreprise furent construits sur quatre terres perpendiculaires au lac Saint-Louis acquises par Dawes et ses descendants. Ces terres s'étendaient sensiblement entre les 25e et 35e Avenue sur une profondeur de 20 arpents. Avec le résultat que, en 1886, la brasserie possédait 370 acres de terrain utilisé pour ses équipements, ses cultures (houblon et orge) et ses pâturages.

Photo Paul-Henri Talbot, *La Presse*

L'entrepôt incendié de la 27e Avenue.

Photo musée de la Ville de Lachine

L'entrepôt frigorifique en 1878...

Photo Paul-Henri Talbot, *La Presse*

et aujourd'hui.

Les bâtiments de Lachine comprenaient la malterie, la brasserie, des entrepôts, réfrigérés ou non, et autres bâtiments pertinents. Le siège social était cependant installé à l'angle des rues Saint-Jacques et McGill, à Montréal, où la brasserie utilisait aussi des entrepôts.

De tous ces bâtiments, il en reste quatre, et à des degrés de conservation très variés. De l'ancienne brasserie construite en 1811, il ne reste que le mur longeant le boulevard Saint-Joseph, au 2801, et derrière lequel se trouve un bâtiment qui aurait fait partie de la brasserie érigée vers 1861. C'est un édifice avec fondations et murs* portants en pierre des champs, coiffé par deux toits* en pavillons à quatre versants* dotés d'une lanterne* de faîte de forme carrée. Lors de la restauration en 1974, la rallonge arrière en bois a été remplacée par une rallonge en pierre. L'édifice est aujourd'hui utilisé par le Service des loisirs de Lachine.

L'édifice le plus ancien est l'entrepôt à deux paliers du 2875, tout juste à l'ouest de la brasserie. Construit entre 1820 et 1850, l'édifice comporte des fondations et des murs en pierre des champs sur charpente* en pièces de bois équarries*. Au sous-sol, on retrouve des passages voûtés* qui reliaient jadis cet entrepôt à la brasserie. Cet édifice est remarquable pour son fenêtrage absolument anarchique. En revanche, on ne peut que déplorer l'intervention récente et condamnable au faîte des murs de pierre. Le bâtiment à toit plat est aujourd'hui utilisé à des fins industrielles.

L'entrepôt réfrigéré du 150, 28e Avenue, aurait été construit en 1878 pour y conserver la bière blonde (*lager beer*). C'est un bâtiment en pierre des champs dont on n'a conservé que la partie nord. En effet, à l'origine, l'édifice à pignon comportait un jumeau au sud. Doté d'un fenêtrage en pierre de taille de formes variées (à arc* surbaissé, ronde ou à arc* infléchi) en façade, ce jumeau était aussi coiffé d'un toit* à pignon surmonté d'une tour* carrée à toit* mansardé percé de lucarnes* décoratives, et couronnée d'une balustrade* en fer forgé. Il est bien évident qu'on a démoli le mauvais bâtiment! Quant à l'entrepôt de brique longeant le versant sud de la rue Notre-Dame, entre les 27e et 28e Avenue, il a été construit en 1933 par les vins Bright, dernier utilisateur de ce qui restait de l'entrepôt réfrigéré.

Le dernier bâtiment encore existant se trouve au 233, 27e Avenue, en retrait des autres. Ce bâtiment en pierre des champs a été construit peu après 1880 comme entrepôt. Mais il a été lourdement endommagé par un incendie qui met son avenir en danger. Seuls les vieux murs ont résisté aux flammes.

La résidence Dawes

La maison Dawes fut dessinée par les

La maison Dawes (ou maison du Brasseur) en 1940, alors qu'elle abritait le café du lac Saint-Louis.

architectes Alexander G. Fowler et Victor Roy. Connue sous le nom de *Edgewood*, la maison fut construite en 1862 par les maçons Thomas Seath et William Wilson et le charpentier Norbert Faford. Thomas A. Dawes la céda à ses deux fils en octobre 1862, avant même qu'elle ne soit complétée. Sept ans plus tard, James P. cédait tous ses intérêts à son frère Thomas Amos, qui en devint le seul propriétaire.

Cette maison de style victorien demeura la propriété de la succession Dawes jusqu'en 1940, alors qu'Edith Sarah Dawes la vendit à Joseph Deslauriers.

Après le départ des Dawes, cette maison de deux étages et demi remplit différentes fonctions qui transformèrent irrémédiablement son intérieur. Seule la partie centrale est d'origine, les deux ailes s'étant ajoutées plus tard. Cette maison est plus particulièrement remarquable par son majestueux porche* à arc* cintré, surmonté d'un balcon tout aussi impressionnant par sa colonnade* supportant le fronton*. La ligne du toit à pignon à deux versants est brisée à l'avant par la toiture du fronton et des deux petits pignons qui encadrent des fenêtres cintrées.

Des milliers de résidants du secteur ont fréquenté le café Saint-Louis et le club El Paso sans nécessairement connaître le nom du tout premier propriétaire. La Ville de Lachine en fit l'acquisition en 1975 et la fit restaurer pour servir de centre culturel, sous le nom de maison du Brasseur.

Dawes se préoccupa également du logement de ses employés. Le secteur compte donc plusieurs maisons construites pour eux par la brasserie. On en trouve un exemple dans l'ensemble portant les numéros civiques 205 à 217, 27e Avenue. Construite en bois sur fondations de pierre, vers 1890, cette maison comprend cinq logements. Le toit mansardé à deux ver-

La brasserie Dawes, boulevard Saint-Joseph, vers 1910.

273

La brasserie Dawes, boulevard Saint-Joseph, vers 1930.

sants est percé de cinq lucarnes à fronton, à l'avant comme à l'arrière. À noter la galerie qui donne presque directement sur la rue. On peut en voir une autre au 3011-3019, boulevard Saint-Joseph, dont la partie la plus vieille (rez-de-chaussée) daterait de 1870. C'est une maison à trois paliers, avec murs en pierre des champs et en brique, coiffée d'un toit mansardé à deux versants et percé de lucarnes. La galerie du 1er étage a certainement été ajoutée en même temps que les étages supérieurs.

Employés de la Dawes en 1906 (de gauche à droite): 1. Léon Presseau (forgeron et maréchal-ferrant); 2. Charles Casbourn (contremaître cuivrerie); 3. Paul Necht (brasseur); 4. Walter Brisson (contremaître); 5. John Rathwell (commis); 6. Ted Whyte (ingénieur en chef); 7. John Whyte (assistant-brasseur); 8. Arthur Martel (contremaître des charpentiers); 9. Peter Petersen (attelagiste).

Malgré la formation de la National Breweries Ltd. en 1909, la brasserie Dawes utilisa ses bâtiments de Lachine jusqu'en 1922, alors qu'elle déménagea dans l'édifice de la brasserie Black Horse, rue Saint-Paul. La famille Dawes abandonna définitivement Lachine en 1927, plus d'un siècle après que Thomas Andrew Dawes eut choisi d'y installer sa brasserie.

REPÈRES

Nom: brasserie Dawes.

Adresses: 1 — Vieille brasserie, 2801, boulevard Saint-Joseph; 2 — Entrepôt, 2875, boulevard Saint-Joseph; 3 — Entrepôt réfrigéré, 150, 28e Avenue; 4 — Entrepôt Bright, rue Notre-Dame, entre les 27e et 28e Avenue; 5 — Entrepôt délabré, 233, 27e Avenue; 6 — Maison Dawes (maison du Brasseur), 2901, boulevard Saint-Joseph.

Métro: Station Lionel-Groulx, autobus 191, descendre à la 27e Avenue, rue Notre-Dame.

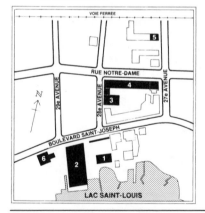

SOURCES:

Brasserie O'Keefe: *25e anniversaire de la National Breweries; History of National Breweries Limited, 1909-1949*, et documents divers — Revue Construction: *Offices of the National Breweries Limited, Montreal* — Revue L'Hôtellerie: *L'industrie de la bière au Québec, trois siècles d'histoire*, par J. Armand Desrochers — Ville de Lachine: *À la découverte de Lachine* — Communauté urbaine de Montréal, Service de la planification du territoire: documents divers.

47

La National Breweries

Entrepôt William Dow
Construction: 1846
Architecte: inconnu

Brasserie Dow de la rue Montfort
Construction: 1860
Architecte: inconnu

Brasserie Ekers
Construction: 1894
Architecte: Alexander Francis Dunlop

Brasserie Dow de la rue Colborne
Construction: 1924
Architecte: Louis A. Amos

Garage et ateliers Dow
Construction: 1929
Architecte: Louis A. Amos

Siège social de la brasserie Dow
Construction: 1930-31
Architecte: H. L. Fetherstonhaugh

Photo ministère des Affaires culturelles
La brasserie Ekers, vers 1900.

Depuis 1956, les Québécois friands de bière se sont habitués à un marché de la bière qui ne compte que trois concurrents. Et la lutte est féroce entre ces trois grandes entreprises, comme on ne cesse de le constater dans à peu près tous les dossiers, qu'ils soient culturels, économiques ou sportifs.

Une des trois, la brasserie O'Keefe Limitée, est plus particulièrement responsable du nombre restreint de brasseurs, car c'est dans sa «lignée ancestrale» que fut formée, en 1909, la National Breweries Ltd., un puissant consortium d'une quinzaine de brasseries.

Elle fut créée le 20 avril 1909 à l'instigation d'Andrew J. Dawes, président de la brasserie Dawes, dans le but de réduire les coûts de la production et de la mise en marché élevés à cause de la concurrence féroce opposant les différents brasseurs.

À l'exception de la brasserie Molson et d'entreprises moins importantes comme la brasserie Frontenac, de Montréal, et la brasserie Champlain, de Québec, toutes optèrent pour le regroupement, soit les brasseries Canadienne, Dawes & Co. Ltd., Wm. Dow & Co. Ltd., Ekers, Imperial, Montréal, C.S. Reinhardt et Union, de Montréal; Douglass, de Sainte-Thérèse; et Beauport, Boswell & Bros., Gauvin & Co., Georges E. Amyot, Proteau & Carignan et Royale, de Québec.

Certaines brasseries (Beauport, Douglass & Co., Imperial, Michel Gauvin et Cie, Montréal, Proteau & Carignan et Reinhardt) furent fermées presque immédiatement. La brasserie Canadienne résista jusqu'en 1912, tandis que la brasserie Union fusionna à la brasserie Ekers en avril 1921.

Le premier siège social de la National Breweries Ltd. fut logé dans l'édifice de la Banque des Cantons de l'Est, édifice aujourd'hui propriété de la Banque de la Nouvelle-Écosse, à l'angle des rues Saint-Jacques et McGill. En 1911, la direction déménageait au 990, rue Notre-Dame ouest, dans un édifice de la brasserie Dow. Construit en 1931 tout juste à l'est de l'ancien, le nouveau siège social a conservé le même numéro civique.

À la suite de l'adhésion de la brasserie Frontenac, en 1926 (elle fut conso-

L'entrepôt William Dow, rue William.

lidée en 1945), et de la brasserie Champlain, en 1948, seule la brasserie Molson put servir de rempart contre le monopole, du moins jusqu'à l'arrivée de la brasserie Labatt à LaSalle, en 1956. Entre-temps, les Brasseries canadiennes Ltée (à ne pas confondre avec la brasserie du même nom fermée en 1912), de Toronto, avaient, quatre ans plus tôt, pris le contrôle du groupe, après avoir réalisé, en Ontario, une fusion semblable à celle du Québec 42 ans plus tôt. Depuis 1968, la société porte le nom de brasserie O'Keefe Ltée.

La brasserie Ekers

Il serait fastidieux de raconter l'histoire de chaque brasserie du groupe. On se contentera de celles qui ont laissé des édifices dignes de mention à Montréal, à commencer par la brasserie Ekers.

Celle-ci fut fondée en 1845 par un dénommé Ekers (on ignore son prénom) venu du Devonshire, en Angleterre. Dès le départ, il installa sa brasserie boulevard Saint-Laurent, à l'endroit où fut construit en 1894 l'édifice à façade monumentale situé au 2115. La décision d'Ekers ne manquait pas de hardiesse puisqu'à l'époque, l'édifice se trouvait littéralement en pleine campagne. À peine trois ans après sa fondation, la brasserie passait sous le contrôle de Thomas Alfred Ekers, neveu du fondateur, puis, en 1861, sous celui de Henry Archer

Ekers, fils de Thomas. L'affaire progressant à un rythme effarant, Ekers décida en 1898 de s'associer avec Charles Strangman, Percy et Ernest Scott, de la Canadian Brewery Co., pour former la Canadian Breweries Ltd.

Citoyen intéressé à la vie politique de Montréal, H. A. Eckers fut échevin de 1898 à 1906, puis maire en 1907. C'était aussi un sportsman averti : son écurie personnelle comprenait de nombreux chevaux réputés.

Les édifices de la brasserie occupent les deux tiers sud du quadrilatère délimité par le boulevard Saint-Laurent et les rues Sherbrooke, Saint-Dominique et Saint-Norbert (Fortier à l'époque).

L'édifice original construit en 1894 fut l'un des rares bâtiments industriels dessinés par l'architecte Alexander Francis Dunlop, du cabinet Dunlop & Heriot. La façade est remarquable à plusieurs égards. Son avant-corps* surmonte de peu le parapet* qui ceinture le toit plat. Tout en privilégiant la pierre de taille rustique, l'architecte fit un usage intéressant de la pierre à bossage pour les fondations, l'arc* en plein cintre à voussure* de l'entrée principale, les arcs cintrés* et jumelés des fenêtres des étages, les linteaux*

La brasserie Dawes Black Horse, rue Saint-Maurice.

Photo Jean-Yves Létourneau, *La Presse*

Le garage n'a subi aucune modification notable, à l'extérieur, depuis sa construction, en 1929.

des fenêtres et les bandeaux*. Le chaînage* d'angle harpé est en pierre de taille polie et les autres murs sont en brique. L'édifice en longueur qui le jouxte au sud a été construit en 1920; le fenêtrage varié de sa façade demeure son seul point d'intérêt.

Le 1er janvier 1931, la brasserie Ekers fut utilisée pour la bière en fût Dawes Black Horse. Sa vocation brassicole prit fin en 1952.

La brasserie Dow

Voyons maintenant les composantes du groupe installé à proximité de la rue Colborne. La brasserie Dow fut fondée en 1790 par Thomas Dunn, qui avait choisi de brasser sa bière à La Prairie. Mais Dunn ne mit pas de temps à comprendre que pour le bien de son entreprise, il lui fallait déménager à Montréal, ce qu'il fit en 1808. Il s'installa à l'angle des rues Notre-Dame et Colborne (aujourd'hui Peel), emplacement que l'entreprise n'a jamais quitté.

En 1818, William Dow, fils d'un brasseur écossais, s'associa à la brasserie Dunn, et il en devint l'unique propriétaire à la mort de ce dernier. Dow laissa sa marque sur la communauté montréalaise, comme nous avons pu l'apprécier lors de l'étude du dossier du club des Ingénieurs, logé dans ce qui fut d'abord, sous le nom de *Strathearn House*, la résidence de William

Dow, au sommet de la côte du Beaver Hall.

En 1841, c'était au tour d'Andrew Dow, frère cadet de William, de se joindre à l'entreprise désormais connue sous le nom de Wm. Dow & Co. Mais cette association fut de courte durée puisque Andrew mourut prématurément en 1853. Parmi les dirigeants subséquents de la brasserie Dow, notons Gilbert Scott, premier associé de William après la mort d'Andrew (il fut également président de l'Intercolonial Coal Mining Company); A. C. Hooper; James Phillip Scott, fils de Gilbert; Angus W. Hooper, fils de A. C.; et le colonel G. R. Hooper, frère d'Angus W., qui était président au moment de la fusion, en 1909.

Le complexe brassicole

Le complexe brassicole a subi des transformations majeures au fil des ans, débordant largement le quadrilatère initial délimité par les rues Colborne, William, Montfort et Notre-Dame. Aux fins d'une rapide analyse architecturale, nous avons retenu six bâtiments de ce complexe aux nombreuses (et lointaines!) ramifications.

Photo Jean-Yves Létourneau, *La Presse*

La brasserie de la rue Colborne.

277

Les vestiges de la brasserie de la rue Montfort.

Les numéros se réfèrent aux emplacements indiqués sur la carte-repère.

1 — Entrepôt William Dow, 696, rue William : connu sous le nom de Hill Warehouse, cet entrepôt de pierre de taille sans jointoiement* apparent aurait été construit vers 1846, présumément par William Dow qui avait acquis le terrain à la suite de la faillite d'Arlin Bostwick. Le bâtiment initial traduisait le style vernaculaire des entrepôts du milieu du XIXᵉ siècle : bâtiment long et rectangulaire à trois paliers, en pierre taillée avec chaînage d'angle en pierre à refend, coiffé d'un toit* à pignon à faible pente, et doté d'un fenêtrage* régulier et dont les dimensions diminuent d'un étage à l'autre. Le bandeau de pierre en ressaut* délimite les deux étages supérieurs ajoutés après 1891, alors qu'un toit plat a remplacé le toit* à pignon.

2 — Brasserie Dawes Black Horse, 740, rue Saint-Maurice : construit en

Le siège social construit en 1931.

1909 pour la brasserie Imperial (l'entrée principale se trouvait alors rue Saint-Paul dans une partie du bâtiment démolie depuis), cet édifice fut utilisé à partir de 1911 par la brasserie Dawes Black Horse, dont l'usine d'embouteillage se trouvait alors à l'angle nord-est des rues Saint-Jacques et de la Cathédrale. L'édifice en pierre de taille et en brique rouge, avec sections en grès, comporte un fenêtrage très abondant en façade, encadré par de larges pilastres qui démarquent les travées*. À noter les bas-reliefs* de la partie supérieure, au-dessus du bandeau à modillons*, et la fenêtre en encorbellement*, du côté est. L'étage supérieur fut ajouté en 1924, après les agrandissements apportés entre 1911 et 1920. L'édifice fut longtemps surmonté d'une gigantesque annonce lumineuse illustrant le percheron. Le bâtiment est aujourd'hui utilisé par la société Michelin.

3 — Garage et ateliers, 333, rue Peel : construit en 1929 par la société Atlas Construction selon des plans de l'architecte Louis A. Amos, cet édifice en pierre de taille et en brique présente des faces intéressantes avec les travées* nettement démarquées, les deux travées cornières étant en ressaut par rapport à la façade. On remarquera que dans les trois travées centrales, l'arc* surbaissé des portes de garage est répété au dernier étage. De larges pilastres encadrent les fenêtres. En plus d'abriter les véhicules de l'entreprise, l'édifice logeait les magasins et les ateliers de réparations en tous genres, y compris une sellerie pour les étalons.

4 — Brasserie de la rue Colborne : dessiné par Amos et construit en 1924 par Atlas Construction tout comme le garage, cet édifice en pierre de taille et en brique brune est remarquable par les larges pilastres encadrant des rangées de fenêtres sur six étages, couronnées d'un arc* en plein cintre, dans l'axe des arcs cintrés du rez-de-chaussée. À noter les trois bandeaux et la corniche décorative en métal.

5 — Brasserie en pierre de la rue Montfort : on peut apercevoir des vestiges de cette brasserie construite en

*L'entrée principale
remarquable pour
ses ciselures dans le
métal et dans la
pierre.*

1860 à l'extrémité ouest de la rue
Saint-Paul, au sud de l'atrium* incorporant la nouvelle salle de réception
O'Keefe, construite au détriment des
vieux murs.

6 — **Siège social**, 990, rue Notre-
Dame ouest: édifice de style Art déco
dessiné par l'architecte H. L. Fetherstonhaugh et construit en 1930 et 1931
par la société Atlas Construction, tout
juste à côté de l'ancien siège social de
la brasserie Dow. La structure en acier
ignifugé supporte un parement en
pierre calcaire de Montréal, y compris
de nombreux bas-reliefs qui illustrent
les composantes de la bière et les symboles des brasseries du consortium. Le
fenêtrage rectangulaire en bronze est
encadré de larges pilastres, et un bandeau dégage les deux étages du rez-de-
chaussée. Les portes, au fond d'embrasures* profondes, allient le bronze et
les panneaux d'aluminium avec goût.

Dans le hall d'entrée, on appréciera
les panneaux de marbre de Notre-
Dame décorés de bois Jourdain. Des
blocs sculptés sont intégrés à l'encadrement des portes. La base des murs
est en marbre de Belgique noir et or.
Les planchers aux motifs géométriques
sont en terrazzo incrusté de laiton et
de marbre. Les plafonds en plâtre sont
ornementés de bandeaux dont les couleurs s'harmonisent aux marbres. L'encadrement des portes d'ascenseur est
en marbre grec de Tinos, ornementé
de bas-reliefs. Les murs d'escalier sont
dotés d'une plinthe en marbre de
Notre-Dame, et la rampe* nervurée en
bronze incorpore des panneaux d'alu-

minium. Les girons* de marche sont
en marbre blanc, et les contremar-
ches* en marbre noir de Belgique.

Dans le bureau du président, au
deuxième étage, le chêne du foyer est
rehaussé par le plâtre et la pierre de
couleur fauve. Le noyer domine dans
la salle du conseil, remarquable par
son foyer Art déco en marbre grec de
Tinos.

Parmi les autres édifices du complexe, on peut souligner l'usine d'embouteillage (au 1100, rue Notre-Dame
ouest) et l'ex-terminus de transport
ferroviaire (en face) conçus et harmo-
nisés par Fetherstonhaugh. De conception ultra-moderne, l'usine d'embouteillage fut construite par la société
Angus Robertson Ltd. Quant au terminus de 510 pieds de longueur sur 130
de largeur, il pouvait accueillir 40 wagons de chemin de fer, mais il a depuis
été transformé en centre de distribu-
tion routier.

Le réseau complet était réuni par des
tunnels. Un premier, de 1 480 pieds de
longueur reliait, huit pieds sous terre,
l'usine d'embouteillage Black Horse,
les vieux édifices Dow et la nouvelle
usine d'embouteillage. Un tunnel de
80 pieds de longueur relie cette usine à
l'ex-terminus ferroviaire.

Les chevaux *Black Horse*

Inspirée par le leadership imaginatif
de Norman J. Dawes, président de la
National Breweries de 1921 à 1952, la
brasserie Dawes innova maintes fois
en marketing. En 1927, avec ses ban-
des dessinées *T'as pas!* destinées à pro-
mouvoir avec humour la bière Black
Horse, la brasserie Dawes instaurait

*Le square Chaboillez en 1919. À l'avant-plan,
les premiers camions de la brasserie; à l'arrière-plan, la gare Bonaventure puis, plus loin, la
gare Windsor.*

une tradition reprise par toutes les branches du groupe.

Mais le coup de maître fut la création, en 1931, de l'écurie Black Horse, un des meilleurs concepts publicitaires de l'histoire des brasseries. L'écurie comprenait de 10 à 35 (selon les périodes) chevaux percherons noirs, que la brasserie Dawes entretenait tant pour ses propres besoins de transport que pour améliorer la qualité des chevaux de trait au Québec. Au fil des ans, l'écurie a engendré plus de 20 000 percherons, et les *Leo Magnus, Paramount Carleat* et *Crescent Carleat* ont été maintes fois primés. Tous ces chevaux, dit-on, descendaient du même étalon percheron, *Jean de Blanc*, dont la naissance remonterait à 1823.

Au tout début, l'écurie se trouvait à l'angle nord-ouest des rues Colborne (actuelle rue Peel) et William. Un incendie la réduisit en cendres en 1928, et la brasserie Dawes y perdit 61 chevaux (mais non les percherons) et 35 camions. L'écurie fut reconstruite au même emplacement, en biais avec le nouveau garage terminé en 1929, et fut ensuite aménagée dans des quartiers plus vastes à Verchères, en 1936, afin de faire place à la nouvelle usine d'embouteillage. De 1949 à 1952, les chevaux vivaient dans une écurie ultramoderne, chemin de la Côte-de-Liesse, entre Dorval et Saint-Laurent. Elle a depuis été démolie. Notons que les percherons et les chevaux de Paul Desjardins ont tiré les chars allégoriques du défilé de la Saint-Jean pendant de nombreuses années.

Mais le hasard est parfois cruel. En 1966, la bière Dow, une des plus populaires et une des plus anciennes, fut retirée du marché par la brasserie pendant l'enquête publique déclenchée par une malheureuse série de morts mystérieuses survenues à Québec. L'enquête disculpa la brasserie, mais le mal était fait pour la marque Dow.

Pour ne pas laisser qu'un mauvais souvenir aux Montréalais, la brasserie Dow, avant de disparaître, offrit à la Ville de Montréal le planétarium Dow construit au coût de 1,2 million de dollars sur le square Chaboillez. Le souvenir de William Dow était sauf.

REPÈRES

Nom : brasserie Ekers.
Adresse : 2115, boulevard Saint-Laurent.
Métro : station Saint-Laurent, direction nord, boulevard Saint-Laurent.

Nom : brasserie O'Keefe.
Adresses : 1 — **Entrepôt William Dow**, 696, rue William ; 2 — **Brasserie Dawes Black Horse**, 740, rue Saint-Maurice ; 3 — **Garage et ateliers**, 1050, rue William ; 4 — **Brasserie de la rue Colborne**, 355, rue Peel ; 5 — **Brasserie en pierre de la rue Montfort** ; 6 — **Siège social**, 990, rue Notre-Dame ouest.
Métro : station Bonaventure, direction Peel, vers le sud, rue Peel.

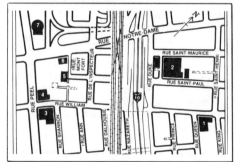

SOURCES :

Brasserie O'Keefe : *25ᵉ anniversaire de la National Breweries ; History of National Breweries Limited, 1909-1949* et documents divers — Revue Construction : *Offices of the National Breweries Limited, Montreal* — Revue L'Hôtellerie : *L'industrie de la bière au Québec, trois siècles d'histoire*, par J. Armand Desrochers — Ville de Lachine : *À la découverte de Lachine* — Communauté urbaine de Montréal, Service de la planification du territoire : documents divers.

48

La maison Brossard-Gauvin

Construction: c. 1761-1786
Architecte: inconnu
Monument historique reconnu

Gaétan Trottier est, par profession, historien de l'art, et de coeur, il est défenseur du patrimoine architectural. Il l'avait prouvé une première fois en faisant l'acquisition de la maison Pierre-Du Calvet, et il a répété son geste en achetant la maison Brossard-Gauvin à des fins de restauration et de recyclage de l'immeuble en des logements.

Quand il l'a acquise, cette maison était dans un état délabré. Elle a été construite en «pièce sur pièce»*, en deux temps, entre 1761 et 1815. Les maisons de ce type sont très rares (M. Trottier en a restauré une autre, la maison Brossard, au 454, rue Saint-Louis), et chacune d'elles vaut la peine d'être restaurée.

La restauration s'achève au rythme choisi par les propriétaires, ces derniers ayant décidé de ne réclamer au-

Photo ministère des Affaires culturelles
Vue aérienne du quadrilatère dévasté par les démolitions, où se trouve la maison Brossard-Gauvin, indiquée par une flèche.

cune subvention provinciale ou municipale, afin de conserver la latitude souhaitée. Évidemment, on pourra regretter un tout petit peu que les propriétaires, Ronald Dravigne et Gaétan Trottier (d'où l'appellation de maison Dravigne-Trottier que lui donne ce dernier), n'aient pas jugé bon de laisser le carré en pièce sur pièce visible de l'extérieur. Mais heureusement, tout n'est pas perdu à ce sujet puisque le carré en pièce sur pièce sera en partie visible de l'intérieur. Et force est de reconnaître que le travail effectué est de qualité et que le bâtiment a été sauvé du pic du démolisseur dans un secteur où celui-ci a été tout particulièrement actif, comme permet de le constater le terrain vague voisin de cette maison du XVIIIᵉ siècle.

Histoire de l'emplacement

La maison Brossard-Gauvin est située au 433-435, rue Saint-Louis. Elle doit son nom à Denis Brossard, qui a fait construire le premier carré, et à Joseph Gauvin, qui a fait ajouter la partie ouest. La rue Saint-Louis se trouve au faubourg du même nom. C'est une petite rue de deux blocs, parallèle à la rue Saint-Antoine et située tout juste au sud de cette dernière. Au milieu du XVIIIᵉ siècle, ce faubourg côtoyait les murs de la citadelle. Entre les fortifications et la rue Saint-Louis se trouvait un étang marécageux de forme irrégulière situé à l'intérieur d'un périmètre sommairement délimité par les rues Saint-Louis, Bonsecours, du Champ-de-Mars et Berri.

La maison est située «hors les murs»; son emplacement géographique permet de comprendre pourquoi elle put être construite en pièce sur pièce malgré l'ordonnance de 1721 de l'intendant Claude-Thomas Dupuy interdisant la construction de maisons en bois à l'intérieur des fortifications, afin de mettre un terme aux conflagrations qui périodiquement réduisaient en ruines des quartiers complets de Montréal.

Jadis propriété des sulpiciens, le terrain qui nous intéresse a fait l'objet de

La maison avant la restauration, avec son toit mansardé percé de larges lucarnes doubles.

L'arrière délabré de la maison avant la restauration.

deux concessions à Claude Brossard signées devant le notaire P. Raimbault, la première directement, le 12 avril 1707, la deuxième subséquente à une rétrocession de Louis Aguenier au séminaire des Sulpiciens, le 16 avril 1708.

Le terrain passa ensuite de Barbe Hébert, veuve Brossard, à Denis et Joseph Brossard, puis à Denis seul par donation de son frère Joseph, le 17 mars 1758, l'acte de donation faisant état de « la maison et bâtiment dessus construits ». S'agit-il de la maison qui nous intéresse ? Il est permis d'en douter car une carte de Montréal établie par P. Labrosse, en 1761, n'indique pas de maison à cet emplacement (celle de 1758 aurait-elle été détruite ?) Soulignons en passant que Denis se maria trois fois : avec Marie-Françoise Gagnier le 12 février 1753, Madeleine Duplessis le 1er juin 1760, puis avec Élisabeth Chapra le 1er février 1784.

Jean-Baptiste Brossard hérita de la propriété de son père Denis le 17 octobre 1786, « avec une maison et une écurie dessus construites et moitié d'une grange et d'une étable ». On aura la certitude qu'il s'agit bien d'une maison en bois dans un acte notarié du notaire Joseph Papineau (père de Louis-Joseph), le 31 mai 1797. Par cet acte, Catherine Vallée et Nicolas Berthelet (ce dernier avait acquis la propriété de Jean-Baptiste Brossard un an plus tôt) vendaient la propriété à Louis Guy, qui à son tour la céda à François Brossard.

Arrivée de Joseph Gauvin

Joseph Gauvin acquit de François Brossard, les 21 juillet 1804 et 16 décembre 1805, deux propriétés contiguës d'une superficie totale de 80 pieds de front sur 90 de profondeur.

Originaire de Québec, le maître-menuisier Joseph Gauvin était le fils d'Antoine Gauvin et de Dorothée Émond. Il s'établit à Montréal en 1797 au plus tard. Vivant très bien de son métier, Gauvin acquit des héritiers Picard une première propriété, une maison de pierre de la rue Bonsecours, le 17 novembre 1799 (il la revendra plus tard à Louis Viger ; située du côté est, cette maison a été démolie pour faire place à un stationnement). Jusque-là, il avait vécu dans une maison du maître-maçon Pierre Thibaut dit l'Africain. Le 18 janvier 1802, Gauvin épousa Marguerite, fille du maître-charpentier Pierre Barsalou.

La partie ouest de la maison est antérieure à 1819, comme en fait foi un acte de vente à la veuve de Denis Benjamin Viger, le 30 janvier de cette année-là, et elle fut vraisemblablement construite vers 1815.

À la mort de Gauvin, Marguerite devint propriétaire de l'inventaire immobilier de son défunt mari. Le 8 mai 1846, elle en fit la donation à ses deux filles, Élisabeth Éléonore, épouse du célèbre architecte John Ostell, et Marie Eulalie, épouse du notaire C. A. Brault. Ce partage ne sera officialisé que le 28 octobre 1863, et entre-temps,

Marie Eulalie avait obtenu la part d'Élisabeth Éléonore.

Élisabeth Éléonore et son mari reprirent possession de la maison paternelle en 1869, après qu'elle eut été saisie par le bailli en faveur du Trust & Loan Co. of Canada, vraisemblablement pour non-remboursement d'un emprunt.

Les Gauvin abandonnèrent définitivement les lieux le 8 février 1874 alors que les époux Ostell cédèrent la propriété à Patrick Jordan et François-Xavier Bénard, associés dans un commerce de bois sous le nom de Jordan et Bénard, et qui étaient déjà propriétaires de la maison Caron-Viger. C'est entre 1874 et 1878 que l'on transforma radicalement la toiture. Par la suite, la maison connut de nombreux propriétaires qu'il serait fastidieux d'énumérer.

Et si on passe en revue les différentes constructions, on obtient le résumé suivant: carré initial entre 1761 et 1786; ajout de la partie ouest entre 1815 et 1819; pose de la brique entre

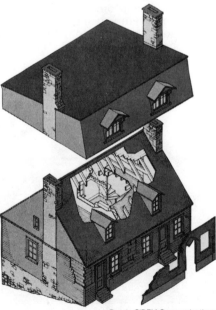

Dessin CIDEM-Communications

Ce croquis permet de comprendre l'évolution de la toiture de la maison.

1844 et 1863; et transformations majeures entre 1874 et 1878.

Avant la restauration

Une fois les travaux terminés, il sera difficile de croire qu'avant cette restauration, la maison était de style Second Empire. Et pourtant c'était bien le cas, comme les photos permettent de le constater.

Le bâtiment comportait à l'époque un sous-sol, un rez-de-chaussée et un étage. Il était coiffé d'un toit* à fausse mansarde avec brisis* recouvert de papier brique. Deux lucarnes* à deux châssis chacune étaient surmontées d'un toit à deux versants* formant un fronton* triangulaire appuyé sur trois consoles*. Sous le brisis se trouvait une corniche* ornée de modillons*. Le toit était supporté par une charpente* en bois formée de solives* transversales reposant sur des piliers*.

Le carré* en pièce sur pièce sur solage en pierre était recouvert de parements hétéroclites: brique peinte à l'avant, planches à déclin sur les côtés et matériaux divers à l'arrière.

Deux portes et trois fenêtres perçaient la façade — elles sont encore là. L'asymétrie indique bien que les deux logements n'ont pas les mêmes dimensions. L'étude architecturale du sous-sol permit de constater que la partie ouest fut construite postérieurement à la partie est, puisque le mur de maçonnerie en moellons* de pierre grise qui divisait le sous-sol en deux n'avait rien d'un mur* de refend et comportait des ouvertures (porte et soupirail*) bouchées ultérieurement, comme permit de le vérifier la présence d'une huisserie* dans la maçonnerie. Un examen plus attentif du solage des faces avant et arrière de la partie ouest permit éventuellement de constater que ces solages furent simplement accolés au solage du carré original. Celui-ci fut construit en madriers* équarris* avec jointoiement* de mortier. Là aussi on remarqua une différence entre le carré du logement est et celui du logement ouest. D'ailleurs, le mur qui sépare les deux logements est lui aussi en pièce sur pièce, ce qui contribue à accréditer la thèse de l'adjonction ultérieure du logement ouest.

Photo Jean Goupil, *La Presse*
L'avant de la maison après la restauration.

Photo Jean Goupil, *La Presse*
L'arrière de la maison après la restauration.

À cause des différentes utilisations, il ne restait rien de valable à l'intérieur, à l'exception des masses des cheminées sur les deux murs latéraux, et plus particulièrement le foyer du côté est, remarquable par son âtre* en pierre de taille à clé* de voûte. Et il y a, bien sûr, la partie visible des fondations, par l'intérieur, si riches de renseignements sur l'évolution du bâtiment.

La maison restaurée

La maison restaurée a retrouvé son apparence originale, avec toit* à pignon dont le versant sud est percé de trois minuscules lucarnes dotées de fenêtres à six carreaux. Le solage en maçonnerie de moellons et d'éclats de pierre grise de Montréal et le carré en pièce sur pièce sont conservés. Le revêtement de planches à déclin* en pin spécialement coupées et posées à la verticale a été de couleurs pastel qui surprennent dans ce secteur.

La charpente en pin de Colombie du toit à pignon est un petit chef-d'oeuvre signé par l'ébéniste artisan Louis Jacques. Elle a été réalisée sans clou et tient grâce aux chevilles et aux entraits* à demi-queue d'aronde* fabriqués par Jacques. La toiture en tôle galvanisée pincée est l'oeuvre de Pelmond Métal.

À l'intérieur, on a porté une attention toute particulière au vieux crépi. Les deux foyers seront en état de servir, tout comme le four à pain qui fut découvert dans la maçonnerie. Une porte à panneaux pleins ferme l'entrée principale de chaque logement, à trois marches de hauteur de la rue.

Soulignons en terminant que les propriétaires ont dû demander une autorisation spéciale de la Ville de Montréal pour apposer un revêtement extérieur en bois. Et la Ville a acquiescé, vu le caractère historique du bâtiment.

Exemple de revendications

Quelles pouvaient bien être les revendications des citoyens de Montréal au milieu du siècle dernier? Les recherches dans le dossier de la maison Brossard-Gauvin ont permis de retracer le document suivant, que nous reproduisons *in extenso*, dans la langue de l'époque.

Photo Jean Goupil, *La Presse*
Le mur ouest en cours de restauration.

Photo Jean Goupil, *La Presse*

Photo ministère des Affaires culturelles

La photo, à gauche, montre un pan de mur en pièce sur pièce. Les tenons des pièces horizontales sont retenus dans les mortaises du montant vertical par des chevilles en bois. À droite, photo montrant les énormes poutres et les piliers de bois, au sous-sol.

Au maire de Montréal,

Les propriétaires et locataires de la rue Saint-Louis exposent humblement qu'ils auraient besoin d'un canal commun pour les eaux de leurs cours à partir seulement du milieu de la longueur de la dite rue entre les rues Bonsecours et Lacroix, vu que les propriétés de M. Jackson qui sont à l'extrémité de la rue en question au nordest sont déjà pourvues d'un canal privé qui se décharge dans ce qu'on appelle là « le petit ruisseau » ou la petite rivière, en sorte que le dit canal ne sera nécessaire qu'à partir des maisons du curé Primault qui sont situées plus basses que la rue Saint-Louis à aller à la rue Bonsecours, une distance qui n'excède pas deux arpents. Au coin des rues Saint-Louis et Bonsecours il y a une branche du canal avec une grille... Vos pétitionnaires n'ont pas d'autres moyens pour jeter les eaux de leurs cuisines que de les laisser s'écouler par les passages de cour dans la rue — ce qui est défendu par les règlements de votre corporation — ; ils prient donc messieurs les honorables, maire, etc., de leur enseigner les moyens à prendre pour vider les eaux de leurs cours sans s'exposer à payer l'amende. Un trottoir en bois du côté sud de la rue serait bien acceptable. Mais tout cela devrait se faire sans que les dits pétitionnaires ne paient autre chose que le quart du canal commun suivant les (mot illisible) *Saint-Louis. Vos pétitionnaires ont aussi à faire remarquer combien ils ont à souffrir de l'odeur fétide qui s'exhale des écuries du nommé André Jackson, écuyer, au nord-est de la rue du Champ-de-Mars, vu que l'on jette sur les tas de fumier dans la dite rue toutes les immondices des cours, des cuisines, et même des privées, comme l'on peut s'en convaincre en traversant cette rue à cet endroit. Ils doivent aussi vous faire observer qu'il se dépose dans cet endroit de la dite rue une grande, une très grande quantité de paille d'écurie qui demeure des semaines entières, enfin qui reste dans la rue jusqu'à ce que l'on ait trouvé à vendre le fumier, ce qui ne se fait pas toujours aussi vite qu'on le désirerait. Il est étonnant que cette paille sèche et séchée au soleil n'ait pas mis le feu aux bâtiments voisins qui sont tous en bois d'un bout de la rue à l'autre, y compris les 5 ou 7 écuries de M. Jackson. Vos pétitionnaires sont persuadés que vous donnerez à ces trois questions toute l'attention qu'elles méritent.*

Montréal, le 9 mai 1845.

(Ont signé): Louis Lafricain; Augustin Lalongé; Étienne Lafricain; L. Drolet; Geo. Meekers; J. Perrault; James Duncan; J. B. Panthers.

REPÈRES

Nom: maison Brossard-Gauvin.
Adresse: 433-35, rue Saint-Louis.
Métro: station Champ-de-Mars, sortie Hôtel-de-Ville, traverser la rue Gosford et emprunter la rue Saint-Louis vers l'est.

SOURCES:

Ethnotech Inc.: *Maison Brossard-Gauvin, relevé et analyse* — Palazzo, Jean-Marc: *La maison Joseph Gauvin, faubourg Saint-Louis* — CIDEM-Communications: *Vieux-Montréal, Cité résidentielle* — Ministère des Affaires culturelles: documents divers — Archives nationales du Québec: documents divers.

49

L'édifice New York Life Insurance

Construction: 1887-89
Architectes: Babb, Cook & Willard

L'édifice des nouveaux bureaux montréalais de la compagnie d'assurance New York Life innovait à plusieurs égards lors de sa construction en 1887. La structure proposée était la plus haute de Montréal, elle était éclairée à l'électricité et complètement à l'épreuve du feu, et elle lançait à Montréal l'ère des édifices à bureaux dans un secteur où ils allaient justement se multiplier au cours des décennies suivantes, à proximité de la place d'Armes.

Construit en 1888 au coût de 750 000$ par l'entrepreneur général Simpsons & Peel, de Montréal, à partir de plans dessinés par Babb, Cook & Willard, un des cabinets d'architectes les plus en vue de l'avenue Broadway, à New York, l'édifice souleva, pendant sa construction, d'élogieux commentaires à cause de la qualité de la main-d'oeuvre et des matériaux utilisés. Il était aussi un des plus élégants de Montréal grâce à des sculptures réalisées par Henry Beaumont dont c'était la première oeuvre d'importance depuis son arrivée à Montréal.

Né à Manchester, en Angleterre, le 9 mai 1853, Henry Beaumont était le fils de William Marsden Beaumont, entrepreneur en construction dont la réputation n'était plus à faire. Responsable de la maçonnerie dans l'entreprise de son père, Henry ne mit pas de temps à développer ses talents artistiques, ce qui l'amena à entreprendre des études en sculpture, plus particulièrement à Londres.

Le fils Beaumont arriva au pays en 1888, et une fois son talent reconnu grâce à l'édifice de la New York Life Insurance, il obtint de nombreux contrats. On retrouve donc ses oeuvres en façade du Vieux Sun Life, de la résidence de Peter Lyall, de l'Université McGill, de l'église St. John The Evangelist et de l'édifice Canada Life; dans ce dernier cas, il s'agit de remarquables sculptures d'inspiration flamande.

Le choix de l'emplacement

Installée à Montréal depuis 1883 dans un bâtiment situé à l'angle des rues Saint-Jean et de l'Hôpital, la New York Life Insurance Co. Ltd. choisit, pour la construction de son nouvel édifice, un emplacement situé du côté est de la place d'Armes, à l'angle de la rue Saint-Jacques.

On avait opté pour la place d'Armes parce qu'elle était située en périphérie du monde des affaires de Montréal, qui étendait ses tentacules vers l'ouest.

Photothèque *La Presse*
L'édifice selon un dessin de 1888.

Depuis 1903, date à laquelle a été prise cette photo, le bâtiment a subi très peu de transformations, exception faite de la balustrade.

Maçonnerie portante

Cet immeuble à bureaux n'a subi aucune modification, ce qui nous permet d'en parler au présent. Il comporte huit paliers de pleine superficie et il atteint 152 pieds en incluant la tour* qui couronne l'angle sud-ouest du bâtiment. C'est l'invention d'un ascenseur sûr qui permit aux architectes de faire preuve d'autant d'audace.

Malgré la popularité grandissante à cette époque de l'acier pour les structures, la maçonnerie est portante, l'usage de l'acier étant limité aux planchers et à la toiture.

À cause de la hauteur de l'édifice, les architectes prirent un soin particulier à prévenir la propagation des flammes ; de fait, chaque pièce devait constituer, selon leurs désirs, une véritable « chambre forte » parfaitement ignifuge.

Comme pierre de parement, les architectes innovèrent encore une fois dans la construction des gratte-ciel en privilégiant le grès rouge importé

En outre, la place d'Armes de l'époque n'avait rien du monument de pierre et de béton qu'on trouve aujourd'hui ; c'était un parc gazonné, avec de grands arbres et des fleurs, ceinturé par une jolie clôture en fer forgé, un véritable havre de tranquillité en plein coeur de la ville.

Le terrain convoité était alors occupé par l'hôtel Compain, et il avait une superficie de 71 pieds sur 112. Cet établissement était le premier hôtel de Sébastien Compain qui, en 1850, avait fait aménager un hôtel de 60 chambres dans Monklands, l'ancienne demeure de James Monk construite en 1800 sur un vaste terrain de 180 acres, sur le flanc ouest du mont Royal. Ce bâtiment existe toujours, formant le coeur d'un ensemble conventuel connu sous le nom de Villa Maria.

Après la démolition de l'hôtel Compain, à l'automne de 1887, les travaux de fondations purent commencer. Après la traditionnelle pause hivernale, les travaux sur la structure durent attendre au printemps de 1888. L'inauguration eut lieu en mai 1889.

L'édifice tel qu'il se présente aux yeux des fidèles de la place d'Armes en 1987.

L'embrasure de l'entrée principale, rien de moins qu'une mosaïque d'oeuvres de Henry Beaumont.

Détail des riches sculptures de l'embrasure de l'entrée principale.

venant des carrières de Montréal, qui était largement utilisée dans presque toutes les constructions.

Les travaux de maçonnerie furent confiés à Peter Lyall, qui construisit dans le même matériau sa propre résidence et le Vieux Sun Life, dont on a parlé précédemment dans ce livre.

La pierre fut importée des carrières Gatelaw Bridge, à Thornhill, dans le Dumfriesshire. Cette pierre était réputée pour sa beauté et sa grande résistance; à preuve, les magnifiques sculptures conçues par Beaumont ont résisté à près de 100 ans d'intempéries, de pollution et de pluies acides.

La pierre fut taillée et sculptée dans les ateliers de Lyall, situés derrière sa maison de la rue Bishop. Les murs en grès rouge reposent sur une base en granite rouge des Mille-Îles. Le granite masque des assises très larges, rendues nécessaires par les murs porteurs en maçonnerie.

De style néo-roman inspiré par Henry Hobson Richardson, l'édifice comporte une façade tout simplement remarquable. L'oeil doit d'abord se porter sur le portique* à embrasure* profonde et doté d'un arc* en plein cintre. Au fond de l'embrasure, on

peut apercevoir la large porte à grille en fonte fabriquée par les ateliers E. Chanteloup, de Montréal. Richement décoré, le portique permet d'apprécier la qualité indéniable du travail de Beaumont et de Lyall.

Le fenêtrage* est de forme rectangulaire partout, à l'exception du dernier étage où on retrouve l'arc* cintré du portique. Les fenêtres du rez-de-chaus-

La grille d'entrée, oeuvre des ateliers E. Chanteloup.

288

Cette photo permet d'apprécier la beauté des détails des pierres taillées dans les bandeaux, les trumeaux, et plus particulièrement remarquable dans les consoles en forme de tête humaine.

sée et du premier étage sont encadrées de pilastres* couronnés de chapiteaux* sculptés. À l'horizontale, le fenêtrage est démarqué de manière irrégulière par des bandeaux en saillie. Une corniche* légèrement débordante surmontée d'une balustrade* en fer forgé couronne l'édifice. Jadis, cette balustrade était en pierre et identique à celle qui couronne actuellement la tour.

Parmi les autres détails à remarquer, soulignons les consoles* en forme de têtes humaines, les bas-reliefs* des trumeaux*, les chaînes* d'angles, la tour* et sa magnifique horloge, et en-

Le hall d'entrée principal, remarquable pour ses marbres, ses bronzes, ses métaux ouvrés, son plafond à caissons et son magnifique lampadaire.

fin la tourelle* à six pans* qui surmonte l'ensemble.

L'intérieur

L'intérieur de l'édifice ne manque pas de charme, et la récente modernisation n'a rien enlevé à son cachet. On y retrouve toujours le marbre, les riches boiseries de cerisier polies, les planchers en pin de Géorgie, les plafonds à caissons, les escaliers en fer avec marches en marbre, les appliques en plâtre de J. McLean et d'impressionnants lampadaires.

Évidemment, en 1987, l'éclairage à l'électricité et la présence d'une chute à lettres n'ébahiraient personne. Mais il faut se rappeler qu'il y a 100 ans, Montréal s'éclairait au gaz et non à l'électricité, et que la chute à courrier venait tout juste d'être brevetée.

L'édifice New York Life Insurance a également contribué à modifier les habitudes dans l'immobilier. À l'époque de son érection, les édifices construits

Un des beaux foyers de l'édifice, encadré de riches boiseries.

J. McLean a réalisé les ouvrages décoratifs en plâtre de l'édifice.

real Trust, puis à la London and Lancashire Insurance Co., à la Banque Canadienne Nationale, et à la Société de fiducie du Québec. Cette dernière l'occupa pendant six ans avant de le céder à ses nouveaux propriétaires, Les Immeubles Bona Ltée, qui réalisèrent sa modernisation. C'est d'ailleurs le président de cette société, Antonio Randacio, qui occupe avec beaucoup de fierté les locaux de la tour.

étaient généralement à la mesure des besoins des entreprises ; il n'était pas question de partager l'espace.

Or, la New York Life Insurance Co. Ltd. changea cette façon de faire ; en effet, la compagnie d'assurance n'occupait qu'un seul étage, le reste de l'espace étant cédé à des locataires, dont le plus important fut sans contredit la Banque du Québec, dont on peut encore apercevoir le nom anglophone gravé dans la pierre au fond de l'embrasure du portique.

La Banque du Québec fut fondée le 5 février 1818, à l'hôtel Union de Québec, par des marchands et des propriétaires de la capitale du Bas-Canada, sous la direction de James Ross. La Banque du Québec obtint sa charte le 16 septembre et entreprit ses opérations en octobre 1818, avec John W. Woolsey comme premier président. La Banque du Québec poursuivit ses activités jusqu'en 1917 alors qu'elle fut absorbée par la Banque Royale du Canada.

Quant à l'édifice New York Insurance, il fut vendu à la compagnie Mont-

REPÈRES

Nom : édifice New York Life Insurance.
Adresse : 511, place d'Armes.
Métro : station Place-d'Armes, en direction de la place d'Armes.

SOURCES :

Centre canadien d'architecture : documents divers — Les Immeubles Bona Limitée : prospectus de location, par Edgar Andrew Collard — *Dominion Illustrated* du 26 octobre 1889 — Ministère des Affaires culturelles : documents divers — Bibliothèque nationale du Québec : documents divers — Archives de la Ville de Montréal : documents divers — Grenier, Cécile, et Wolfe, Joshua : *Guide Montréal* — Communauté urbaine de Montréal, Service de la planification du territoire : documents divers.

290

50

La gare Dalhousie

Construction: 1883-84
Architecte: Thomas C. Sorby

La gare Hochelaga, première gare du Canadien Pacifique dans l'est montréalais, acquise de la société ferroviaire Quebec, Montreal, Ottawa & Occidental Railway Co. en mars 1882 et fermée en décembre 1884.

«Le premier train du chemin de fer Canadien Pacifique, pour Vancouver, a quitté la gare Dalhousie à 8 heures lundi soir. Il y avait plus de deux mille personnes présentes, parmi lesquelles on remarquait Son Honneur le maire Beaugrand, les membres du conseil de ville de Montréal et nombre de citoyens distingués.

«La compagnie du Pacifique était représentée par ses principaux officiers, MM. W.C. Van Horne, T.G. Shaughnessy, G.W. Sweet et George Olds. (...)

«Au moment du départ du train, la batterie de campagne du colonel Stevenson, postée sur le mur en face des hangars de la compagnie du Pacifique, tira une salve d'une quinzaine de coups de canons. La foule de son côté poussa des hourras enthousiastes en agitant des mouchoirs.

«Le train se composait de 2 wagons à bagages, d'un wagon pour les malles (wagon postal), d'un wagon de première classe, d'un wagon dortoir (wagon-lit) et de plusieurs wagons d'émigrants.»

Le départ du *Pacifique Express*, en ce 28 juin 1886, fut l'événement le plus marquant de la brève histoire de la gare Dalhousie, celui qui lui permit d'inscrire son nom dans l'épopée du chemin de fer canadien. Et pourtant, l'événement ne reçut pas toute l'attention méritée dans les journaux, sans doute parce qu'on ne comprenait pas encore toute son importance pour l'avenir du Canada. Publiés à la une de l'édition de quatre pages du 30 juin 1886 de *La Presse*, les quatre paragraphes qui précèdent représentent tout ce qu'on a pu trouver à ce sujet. Et le journal *The Gazette* ne fit guère mieux, quoiqu'il apportât quelques précisions additionnelles. Ainsi, s'il est vrai que le train partit à 8 h du soir, on écrivit plutôt 20 h car, précisa le quotidien anglophone, le Canadien Pacifique inaugura ce jour-là sa nouvelle façon d'indiquer l'heure, de 00h à 23h59. En deuxième lieu, *The Gazette* précisait que les wagons-lits Yokohama et Honolulu étaient dotés de baignoires, et que le wagon-restaurant Holyrood était doté d'une coutellerie évaluée à 3 000$!

L'emplacement

La gare Dalhousie est un édifice méconnu des Montréalais, et pourtant, il occupe un emplacement privilégié, à l'angle sud-est des rues Notre-Dame et Berri. Et il est heureux que la structure extérieure ait été conservée jusqu'à ce jour malgré de nombreuses tentatives de la confier au pic du démolisseur, car

Ce dessin, illustrant le départ d'un train de soldats vers l'Ouest canadien, en 1885, permet d'apprécier la qualité de la restauration.

les Montréalais auront bientôt l'occasion de la découvrir.

Le terrain occupé par la gare est riche en histoire. Rappelons-en les grandes lignes. Vers 1690, les Français construisirent une petite citadelle sur le plateau de 300 pieds sur 100 sis à l'extrémité est de la rue Notre-Dame (elle s'arrêtait alors à la rue Bonsecours). Ce monticule fut nivelé au début du XIXe siècle ; la terre servit à l'aménagement du champ de Mars. Le dernier propriétaire de la citadelle, Sir George Ramsay, comte de Dalhousie, avait fait don du terrain à la Ville de Montréal qui, pour perpétuer sa mémoire, donna le nom de square Dalhousie à l'emplacement aujourd'hui disparu, et qui se trouverait de part et d'autre de la rue Notre-Dame, dans l'axe de la rue Saint-Hubert.

En 1721, Gaspar-Joseph Chaussegros de Léry entreprit de remplacer, à la demande du roi de France, la palissade de bois par de vraies fortifications en pierre (elles furent démolies entre 1801 et 1821). Ces dernières comportaient huit portes ; la plus à l'est débouchait sur la rue Saint-Paul, à un endroit sis à peu près entre les actuelles rues Berri et Saint-Hubert. On l'appelait porte de Québec.

Au milieu du XVIIIe siècle s'ajoutèrent des casernes en pierre formant l'angle sud-est des rues Saint-Paul et Berri. Après la conquête, elles furent mieux connues sous leur nom anglais de *Quebec Gate Barracks*.

Photo SIMPA

La gare Dalhousie en 1893, vue de la rue Craig, au-delà du viaduc de la rue Notre-Dame construit au-dessus de la rue Berri. À noter sur le viaduc un tramway qui ressemble au « Rocket », premier tramway électrique à circuler dans les rues de Montréal.

Photo SIMPA

Photo montrant tout au bas la gare Dalhousie, et plus au nord la gare-hôtel Viger avec ses quais qui s'étendaient vers l'est, vers 1915.

En 1874, la Ville de Montréal versa 164 621 $ au Gouvernement fédéral pour l'acquisition des vieilles casernes et du terrain de 194 670 pieds carrés. La majeure partie de ce terrain, 157 710 pieds carrés, fut immédiatement remise à la Montreal Northern Colonization Railway Co. (ou « Chemin à lisses de la Colonisation du Nord de Montréal », comme on écrivit dans certains documents français de l'époque). Ce don s'inscrivait dans le cadre de la participation municipale de 1 million de dollars à la construction d'un « chemin à lisses » pour desservir le « Havre de Montréal ».

En 1880, la Quebec, Montreal, Ottawa & Occidental Railway décida de rapprocher du centre-ville son terminus qui se trouvait alors dans Hochelaga ; on choisit le terrain à l'angle des rues Notre-Dame et Berri. La grille de rues avait subi quelques modifications dans le secteur au fil des années. Soulignons notamment l'extension vers l'est de la rue Notre-Dame (elle portait le nom de rue Sainte-Marie, au-delà de la rue Berri) et le prolongement de la rue Berri de la rue Craig (aujourd'hui Saint-Antoine) à la rue Saint-Paul. On donna également le nom de Berri à la rue des Casernes qui s'étendait de la rue Saint-Paul à la rue des Commissaires (aujourd'hui de la Commune).

La construction de la gare

La construction de la gare Dalhousie entraîna la démolition des baraques, ainsi que la disparition du square Dal-

Photo montrant la gare avant la restauration.

housie, du tronçon de la rue Saint-Paul entre les rues Berri et Lacroix, et des rues Lacroix et Woodyard. La rue Notre-Dame, pour sa part, déroulait son tapis de bitume sur la crête d'un coteau qui s'étendait vers l'est, bien au-delà de la rue Berri.

Pour la construction de la gare et la pose des quatre voies ferrées prévues, le terrain fut ramené au niveau de la rue Berri, puis nivelé, de la rue Notre-Dame aux limites du port. Le mur nord du rez-de-chaussée de la gare fut donc appuyé sur la butte de terre ; cela permet de comprendre le fait que sur ce mur, le côté taillé de la pierre se trouve à l'intérieur de l'édifice, le côté brut étant tourné vers l'extérieur, comme on a pu le constater en 1896, au moment de l'enlèvement de la terre au nord et de la construction du viaduc de la rue Notre-Dame.

Le bâtiment rectangulaire de 180 pieds sur 60 sur 73 de hauteur (dont 48 pieds au-dessus de la rue Notre-Dame) comporte deux paliers : le rez-de-chaussée, au niveau de la rue Berri, et l'étage, au niveau de la rue Notre-Dame.

Construit en pierre bosselée, le rez-de-chaussée était remarquable par son fenêtrage * dans l'embrasure* des arcs* en plein cintre de l'arcade*. Une seule des fenêtres conserva son apparence originale jusqu'à ce jour et elle se trouve du côté est : le châssis fixe du tympan* de cette fenêtre est en éventail et surmonte de petits carreaux. Le chaînage* des arcs et les chaînes* d'angle harpées sont également intéressants.

L'étage fut construit en brique, vraisemblablement par mesure d'économie, comme le voulait d'ailleurs la politique de l'époque du Canadien Pacifique, plus porté à investir d'abord dans les voies ferrées. Deux bandeaux* de pierre bosselée délimitent le fenêtrage. Il faut cependant rappeler que le mur de la rue Notre-Dame était complètement vitré, ce qui donnait une allure beaucoup plus élégante au bâtiment. Il est à noter qu'en cours de restauration, il a fallu démolir l'étage en brique, pour ensuite le rétablir, au grand regret de Héritage Montréal. Mais selon la SIMPA, il était impossible de faire autrement, vu l'état avancé de la pourriture dans les poutres* de l'édifice.

Restauration du toit

La gare était couronnée par un toit* en croupe couvert de tôle* à baguettes. Des frontons* triangulaires coupaient la ligne du toit : un au centre des deux petites faces, un à chaque extrémité sur la face sud, et trois sur la face nord. La restauration est tout particulièrement réussie au niveau du toit. Hélas on ne peut en dire autant de la façade de la rue Notre-Dame.

Les six portes de la rue Notre-Dame

Un pan du mur sud avant la restauration.

donnaient accès aux différents services aux voyageurs, soit, en partant de l'est, la salle de télégraphie, les bureaux de l'administration, la consigne, la salle d'attente des dames, celle des hommes et enfin le grand hall d'entrée comprenant la billetterie et l'escalier double conduisant au niveau des voies.

Au rez-de-chaussée, se trouvaient la gare des marchandises avec bureau de réception à l'extrémité est et une allée-promenade permettant aux voyageurs de rester à l'abri en attendant le train.

L'étage reposait sur une structure formée de hautes colonnes* avec contre-fiches* au rez-de-chaussée, toutes étant chanfreinées* et peintes. Il en restait d'ailleurs deux exemples au début de la restauration. L'étage était isolé du rez-de-chaussée par un espace rempli de sciure de bois. La charpente*, les escaliers et les planchers étaient en bois.

L'architecte et l'entrepreneur

Le contrat de construction fut confié à Horace Jansen Beemer. Cet Américain de Pennsylvanie arriva au pays à titre de gérant de la compagnie Smith & Ripley, et construisit notamment le pont de chemin de fer d'Ottawa, de nombreuses lignes de chemin de fer et les voies des tramways de Québec. Beemer s'était engagé à livrer l'édifice en février 1884, au coût de 34 500 $.

Les plans de la gare furent dessinés par l'architecte britannique Thomas C. Sorby. Né à Wakefield, dans le Yorkshire, vers 1840, Sorby fut pendant dix ans arpenteur et architecte consultant pour les Travaux publics d'Angleterre et de Galles.

Arrivé à Montréal en 1883, il fut immédiatement engagé par le Canadien Pacifique pour la construction de gares. En 1886, il déménagea à Vancouver, puis à Victoria un an plus tard. Tout en étant à l'emploi du CP, il dessina d'opulentes demeures pour de riches citoyens de Victoria. Et en 1896, il reçut le deuxième prix lors du concours pour la construction du parlement de Victoria.

Dans la conception de la gare Dalhousie, Solby a été de toute évidence

Photo Jean-Yves Létourneau, *La Presse*
Les murs à arcades romaines de la gare pendant la restauration.

influencé par l'architecture des gares de Grande-Bretagne, car elle allie les vieilles idées importées d'Angleterre à la proverbiale efficacité de l'Amérique du Nord.

Le rez-de-chaussée fut inspiré par le style néo-roman à la manière de Henry Hobson Richardson alors très populaire à Montréal. La pierre bosselée, l'arcade majestueuse et le toit en croupe percé de frontons évoquent tous le style Richardson.

Moins évocateur sur le plan architectural, l'étage en brique compensait par le panorama qui s'offrait aux voyageurs vers le mont Royal et vers le fleuve Saint-Laurent.

La gare ouvrit ses portes en 1884, neuf mois après l'acquisition du chemin de fer QMO & O par le Canadien Pacifique. Elle portait le nom officiel de *Quebec Gate Barracks Station* (ou gare des casernes de la Porte-de-Québec), mais le public ne tarda pas à l'appeler gare du Square-Dalhousie, ou plus simplement gare Dalhousie.

À peine 10 ans après son inauguration, la gare Dalhousie était devenue nettement insuffisante, à cause de la grande popularité du chemin de fer. Le Canadien Pacifique décida alors de construire une gare plus grande dans l'est de Montréal, aussi prestigieuse que la gare Windsor dans l'ouest. C'est ainsi qu'on prit la décision de construire la gare-hôtel Viger. Cette gare d'une rare richesse architecturale ouvrit ses portes en 1898, 14 ans à peine après l'ouverture de la gare Dalhousie. Et bizarrement, la gare Viger connut elle aussi une «carrière ferroviaire» relativement courte, car elle fut victime du déplacement encore

Photo Jean Goupil, *La Presse*
Les murs ouest et sud après la restauration.

plus à l'ouest de l'activité économique de Montréal, comme nous le verrons dans un prochain livre.

Utilisations ultérieures

Au moment du déplacement du trafic des passagers de la gare Dalhousie à la gare-hôtel Viger, le rez-de-chaussée de la gare fut transformé en entrepôt, tandis que le Canadien Pacifique transforma les différentes salles de l'étage en bureaux. Cette vocation fut la même jusqu'en 1929, alors que l'édifice fut abandonné pour une période de cinq ans.

En 1935, l'édifice en entier reprit sa vocation d'entrepôt, après avoir subi d'importantes modifications : construction d'un entresol au rez-de-chaussée d'une hauteur démesurée de 25 pieds ; installation d'un monte-charge ; remplacement du mur généreusement vitré de la rue Notre-Dame par un mur en brique muni de rares ouvertures ; remplacement du toit en

Photo Jean Goupil, *La Presse*
Les murs nord et ouest après la restauration. La façade vitrée de la rue Notre-Dame ne fait pas l'unanimité chez les fervents du patrimoine architectural.

croupe par un toit plat. La Weddell Can Cork Ltd. s'y installa pour 30 ans, avant de céder la place à différents usagers. L'édifice avait cependant perdu ses lettres de noblesse lorsque la Ville de Montréal en fit l'acquisition puisqu'il servait de vulgaire entrepôt à pommes de terre.

Une fois la restauration terminée, il faudra lui trouver une nouvelle vocation. Il est question d'y installer l'École du cirque, mais rien n'est encore officiel même s'il faut reconnaître qu'un tel recyclage serait très intéressant.

La gare Dalhousie n'a pas connu que des moments de gloire. C'est malheureusement de ses entrailles que sont parties les troupes de soldats pour aller mater la « révolte » des Métis de Louis Riel dans l'Ouest canadien. C'est un « titre de gloire » dont elle aurait bien pu se passer.

REPÈRES

Nom : gare Dalhousie.
Adresse : 470, rue Notre-Dame est.
Métro : station Champ-de-Mars, direction rue Notre-Dame, et vers l'est rue Notre-Dame.

SOURCES :

SIMPA (Société immobilière du patrimoine architectural de Montréal) : documents divers — Canadien Pacifique : *Rails Around Montreal*, par Omer Lavallée, et documents divers — Ministère des Affaires culturelles du Québec : documents divers.

Lexique

Abside: espace derrière le choeur.

Accolade: arc surbaissé en courbes et contre-courbes qui ressemble à une accolade horizontale.

Acrotère: socle, en général porteur d'un ornement, disposé à chacune des extrémités et au sommet d'un fronton ou d'un pignon.

Alcôve: renfoncement dans un mur.

Allège: mur d'appui à la partie inférieure d'une fenêtre, moins épais que l'embrasure.

Alluchon: dent d'engrenage adaptable à une roue.

Ancre: pièce de fer destinée à empêcher l'écartement d'un mur.

Angle en pan coupé: angle à 45 degrés.

Angle tronqué: angle dont on a retranché une partie quelconque.

Appareil: assemblage ou agencement des pierres d'une construction.

Arbalétrier: ensemble de deux poutres qui soutiennent la couverture d'un bâtiment.

Arbre de couche: dans le cas d'un moulin à vent, arbre qui transmet le mouvement des ailes du moulin aux meules.

Arc cintré: arc bâti en cintre.

Arc en plein cintre: arc en demi-cercle.

Arc infléchi: arc incurvé, ployé.

Arc inversé: arc dont la clé de voûte est l'élément le plus bas.

Arc surbaissé: arc dont la hauteur est inférieure à la moitié de la largeur.

Arc surhaussé: arc dont la hauteur est supérieure à la moitié de la largeur.

Arc tronqué: arc dont on a retranché une partie quelconque.

Arcade: ouverture en arc; ensemble formé d'un arc et de ses montants ou points d'appui.

Architrave: partie inférieure de l'entablement qui porte directement sur les chapiteaux des colonnes.

Archivolte: bande moulurée concentrique à l'intrados d'une arcade.

Arête: ligne d'intersection de deux plans.

Arêtier: pièce de charpente qui forme l'encoignure d'un comble, recouvre l'arête ou les arêtes d'un toit.

Arqué: courbé en arc.

Assiette: sommet du mur de maçonnerie où repose la charpente.

Assise: rangée de pierres qu'on pose horizontalement pour construire une muraille.

Âtre: ouverture de la cheminée servant à chauffer la maison et à faire la cuisine.

Atrium: cour intérieure rappelant celle de la maison romaine, généralement entourée d'un portique couvert.

Attique: couronnement horizontal décoratif ou petit étage terminal d'une construction, placé au-dessus d'une corniche ou d'une frise importante.

Avant-corps: partie d'un bâtiment, en avancée sur l'alignement de la façade, correspondant ou non à un corps de bâtiment distinct.

Avant-toit: avancée, saillie d'un toit.

Baie: ouverture pratiquée dans un mur, dans un assemblage de charpente, pour faire une porte, une fenêtre.

Balconnet: petit balcon.

Baldaquin: ouvrage soutenu par des colonnes et couronnant un trône, un autel.

Balustre: colonnette ou court pilier renflé ou mouluré, généralement employé avec d'autres et assemblé avec eux par une tablette pour former un appui, une clôture, un motif décoratif.

Bandeau: plate-bande unie autour d'une baie.

Bas-relief: en sculpture, relief dont les motifs sont peu saillants.

Battant: partie d'une porte, d'une fenêtre, mobile sur ses gonds.

Battée: face latérale ou partie du dormant contre laquelle vient battre une porte quand on la ferme.

Blochet: pièce de bois retenant deux sablières; tige de fer assurant la jonction de la sablière externe aux poutres supérieures.

Blutoir: appareil servant à tamiser la farine pour la séparer du son.

Boisure: boiserie dont on revêt les murs d'un appartement.

Bonde: cheville en bois de forme trapézoïdale munie d'un manche.

Boutisse: pierre placée dans un mur selon sa longueur.

Brisis: versants inférieurs d'un toit.

Cabestan: treuil à arbre vertical sur lequel peut s'enrouler un câble, et qui sert à tirer des fardeaux.

Caisson: vide laissé par l'assemblage des solives d'un plafond; compartiment creux orné de moulures.

Capuchon de cheminée: garniture de tôle sur un tuyau de cheminée.

Cariatide (ou caryatide): statue de femme servant de colonne réelle ou décorative, ou soutenant une corniche sur sa tête.

Carré: ensemble des murs déterminant le périmètre-limite d'un bâtiment.

Cartouche (mot masculin): ornement en forme de feuille de papier à demi déroulée, ou de toute autre forme ou aspect, servant d'encadrement à une inscription.

Chaîne d'arête: assemblage de pierres plus grosses assurant la solidité de l'appareil d'un bâtiment.

Chaîne de pierre: série de pierres superposées qui consolident la maçonnerie.

Chaîne de pierre harpée: chaîne de pierre d'attente en saillie, servant au raccord d'une construction voisine.

Chambranle: encadrement d'une porte, d'une fenêtre, d'un foyer.

Chanfrein: demi-biseau que l'on forme en abattant l'arête d'une pierre, d'une pièce de bois.

Chantourné: à contour capricieux de courbes et de contre-courbes.

Chapiteau: partie élargie qui couronne le fût d'une colonne.

Charpente: assemblage de pièces constituant l'ossature d'une construction.

Charpente maçonnée: mode de construction impliquant un appareil de remplissage régulier, pour lequel on utilise de grosses pierres noyées dans le mortier.

Chevron: pièce de bois équarrie sur laquelle on fixe des lattes qui soutiennent la toiture.

Cintre: figure en arc de cercle.

Cintré: courbé en arc.

Claire-voie: suite de baies contiguës ajourant un niveau de bâtiment sur la longueur de plusieurs travées.

Claustra: paroi à appareil ajourée.

Claveau: pierre taillée en coin.

Cliquet: sorte de taquet mobile autour d'un axe, servant à empêcher un roue dentelée de tourner dans le sens contraire à son mouvement.

Clocheton: petit clocher; ornement en forme de petit clocher pyramidal décorant les contreforts, la base des flèches, les angles d'un édifice.

Collet de cheminée: boiserie de la couverture entourant la cheminée.

Colombage: montant utilisé pour la structure d'une cloison; système de charpente en pan de mur, dont les «vides» sont garnis d'une maçonnerie légère.

Colombage pierroté: mode de construction impliquant une charpente de pièces de bois équarries à la hache et érigées à la verticale.

Colonne: support vertical constitué d'un fût de section circulaire et, généralement, d'une base et d'un chapiteau.

Comble: grenier.

Console: organe en saillie sur un mur destiné à porter une charge.

Contre-porte: grand volet extérieur qui sert à protéger la porte contre les intempéries.

Contrecoeur: fond d'une cheminée.

Contrefiche: pièce de charpente d'un comble, qui relie un arbalétrier à son poinçon; étai oblique pour soutenir un mur.

Contremarche: paroi verticale formant le devant d'une marche.

Contrevent: grand volet extérieur qui sert à garantir la fenêtre des intempéries.

Coque: surface de couverture en béton armé, qui tire sa résistance de sa courbure, en général double.

Corbeau: élément encastré, à une ou plusieurs assises, en saillie sur un mur pour supporter un encorbellement.

Cordon: moulure décorative peu saillante.

Corniche: partie saillante qui couronne un édifice.

Coupole: voûte de base surtout circulaire, engendrée par la rotation sur un axe vertical, d'un arc de cercle ou de toute autre courbe.

Coyau: petite pièce de forme triangulaire ajoutée à la base d'un chevron, destinée à assurer le galbe de la toiture d'une maison rurale.

Créneau: ouverture pratiquée au sommet d'un rempart ou d'une tour, et servant de défense.

Crépi : couche de plâtre, de ciment d'aspect raboteux, dont on revêt une muraille.

Crête : ornement qui court sur le faîte d'un toit.

Croisée : châssis vitré qui ferme une fenêtre ; croisement d'un transept avec la nef d'une église.

Croix de Saint-André : assemblage en forme de « X » entre la panne faîtière et le sous-faîte, destiné à prévenir le déversement de la charpente vers un des deux versants d'un pignon.

Dalle : plaque de béton de grande surface employée comme plancher, couverture ou sol artificiel.

Dé : nom de certains éléments de supports plus ou moins cubiques.

Déclin : planches de recouvrement qui se chevauchent.

Décroché latéral : partie qui excède la surface de l'édifice.

Décrochement : écart de niveau, partie en retrait, notamment dans une façade.

Denticule : ornement décoratif en forme de dent.

Déversement : action d'un mur qui penche.

Dôme : toit galbé, de plan centré, à versant continu ou à pans.

Donjon : tour principale dominant un château fort et formant le dernier retranchement d'une garnison.

Dormant : partie fixe de la menuiserie dans laquelle s'emboîte la partie mobile du châssis mobile, de la porte.

Édicule : partie décorative d'une façade, imitant une petite construction ; petite construction secondaire à l'intérieur d'un bâtiment ; petit édifice élevé sur la voie publique.

Embase : partie renflée, servant d'appui ou de support dans certains instruments, certaines pièces mécaniques.

Embouvetage : compénétration de deux planches, ou de deux madriers, par un jeu de lamelles et de rainettes.

Embouveté : muni d'une rainure et d'une languette afin de faciliter la compénétration avec une autre pièce de bois.

Embrasure : ouverture pratiquée dans l'épaisseur d'un mur pour recevoir une porte, une fenêtre.

Enchevêtrure : pièce de la charpente du foyer.

Encoignure : angle intérieur formé par deux pans de mur.

Encorbellement : position d'une construction (balcon, corniche, tourelle, oriel) en saillie sur un mur, soutenue par des corbeaux, des consoles ; cette construction elle-même ; construction établie en surplomb sur le nu d'un mur et supportée par des consoles ou des corbeaux.

Enduit : couche de chaux, de plâtre, de mortier, etc., appliquée sur un mur, une cloison.

Enfigurage : répartition des baies de portes et de fenêtres dans un mur.

Entablement : rangée de pierres appuyée sur des piliers.

Entrait (de base) : pièce horizontale joignant deux chevrons à la base.

Entrait retroussé : entrait situé au-dessus de l'entrait de base.

Entrelac : ornement composé de lignes entrelacées.

Enture : entaille pratiquée dans une pièce de bois en vue d'en recevoir une autre.

Éperon : saillie se terminant en pointe.

Esse : ferrure en forme de « S » servant de cheville et apparente sur les murs extérieurs.

Étai : pièce de charpente.

Exèdre : édicule de pierre semi-circulaire rappelant la salle, parfois semi-circulaire et généralement munie de sièges, dans l'Antiquité.

Exhaussement : état de ce qui est augmenté en hauteur.

Faîtage : ligne de faîte, ou extrémité supérieure d'un toit à pignon.

Faîte : poutre formant l'arête supérieure d'un comble.

Fasce : bande horizontale plate.

Faux-entrait : entrait situé au-dessus de l'entrait de base.

Fenêtrage : ensemble, disposition des fenêtres d'un bâtiment.

Fenêtre à guillotine : fenêtre dont le châssis glisse verticalement entre deux rainures.

Fer à l'épine : fer à bouts piquants.

Ferme : assemblage de pièces destinées à porter le faîtage, les pannes et les chevrons d'un comble ; assemblage de poutres d'acier croisées.

Flèche : ce qui avance en pointe, comme une flèche ; hauteur verticale de la clé de voûte au-dessus des naissances de cette voûte ; déflexion verticale.

Fleuron : ornement en forme de fleurs ou de bouquets de feuilles stylisés.

Frise : partie de l'entablement comprise entre l'architrave et la corniche.

Fronton : couronnement d'un édifice ou d'une partie d'édifice consistant en deux éléments de corniche obliques ou en une corniche courbe se raccordant à la corniche de l'entablement.

Fruit : diminution d'épaisseur qu'on donne à un mur à mesure qu'on l'élève, l'inclinaison ne portant que sur la face extérieure, la face intérieure restant verticale.

Fût : tige d'une colonne entre la base et le chapiteau ; par analogie, corps principal d'un bâtiment.

Gable : pignon décoratif aigu, souvent ajouré et décoré.

Garde-corps : parapet établi pour prévenir les chutes.

Gargouille : dégorgeoir en saillie par lequel s'écoulent, à distance des murs, les eaux de pluie recueillies par les gouttières, les chéneaux, etc. ; partie (parfois décorative) d'une gouttière servant à l'écoulement des eaux pluviales.

Géminé : groupé deux par deux.

Giron : partie horizontale d'une marche d'escalier.

Glyphe : trait gravé en creux dans un ornement.

Gond : pièce de fer coudée en équerre, supportant la penture d'une porte, d'un vantail de châssis.

Gros fer : axe vertical.

Haquet : charrette étroite et longue, sans ridelles.

Haut-relief : en sculpture, relief dont les figures sont presque en ronde bosse, presque indépendantes du fond.

Herminette : hachette à tranchant recourbé.

Huisserie : partie fixe en bois ou en métal formant les piédroits et le linteau d'une porte dans une cloison, dans un pan de bois, etc.

Imposte : pierre en saillie supportant un arc.

Intrados : partie intérieure et concave d'un arc, d'une voûte.

Jambage : chacun des deux montants verticaux d'une baie de porte, de fenêtre ou d'un manteau de cheminée (il prend le nom de piédroit s'il est monolithique).

Jambe de force : étai oblique d'une ferme, entre l'entrait et la sablière.

Jambette : petite pièce de bois verticale pour soutenir quelque partie de la charpente.

Jointoiement : traitement d'une maçonnerie, d'un mur, de sorte que les joints en affleurent exactement le parement.

Lambourde : grosse pièce de bois encastrée dans un mur pour supporter les abouts des solives d'un plancher.

Lambris : revêtement extérieur en planches embouvetées des murs et des pignons.

Lame : bande plate et mince d'une matière dure.

Lanterne : dôme vitré éclairant par le haut un édifice ; tourelle ajourée, souvent garnie de colonnettes, et surmontant un dôme ; pignon à petits barreaux verticaux parallèles où s'engrènent les dents d'une roue.

Larmier : courbe d'un toit s'avançant au-delà de l'aplomb d'un mur, en porte-à-faux.

Limon : assemblage en bois, en métal ou en pierre sur lequel sont fixées les extrémités des marches et la rampe d'un escalier.

Linteau : pièce horizontale fermant la partie supérieure d'une ouverture et soutenant la maçonnerie.

Lit : surface horizontale de pose d'une pierre de taille.

Loggia : enfoncement formant un balcon couvert.

Lucarne : petite fenêtre pratiquée dans un toit d'un bâtiment.

Mâchicoulis : au Moyen Âge, galerie en encorbellement au sommet d'une muraille ou d'une tour, dotée d'ouvertures pour la surveillance.

Maçonnerie (on disait autrefois «massonne») : construction faite d'éléments (pierres, brutes ou taillées, moellons) assemblés et joints, surtout par l'adhérence du mortier.

Madrier : poutre plate, ou grosse planche, de cinq ou six pouces d'épaisseur.

Mansarde : comble brisé à quatre pans.

Manteau : partie de la cheminée en saillie au-dessus d'un foyer.

Margelle : assise de pierre, souvent circulaire, qui forme le rebord d'un puits, d'une fontaine, etc.

Marquise: auvent en charpente de fer et vitré, placé au-dessus d'une porte d'entrée, d'un perron.

Médaillon: petit bas-relief circulaire représentant une effigie.

Meneau: chacun des montants de pierre qui divisaient la baie des anciennes fenêtres; par extension, chacune des barres verticales et transversales d'une croisée.

Meurtrière: ouverture pratiquée dans un mur pour tirer sur des assaillants.

Modillon: ornement en forme de console renversée placé sous la saillie d'une corniche; ornement saillant répété de proche en proche sous une corniche, comme s'il la soutenait.

Moellon: pierre de construction maniable en raison de son poids et de sa forme.

Moise: pièces de bois plates assemblées deux à deux par des boulons et servant à maintenir la charpente.

Montant: pièce verticale dans une construction, dans une charpente.

Monte-sac: appareil de levage utilisé pour monter les sacs.

Mortaise: entaille faite dans une pièce de bois pour recevoir le tenon d'une autre pièce.

Moulure: ornement allongé à profil constant, en relief ou en creux.

Moulure-gouttière: moulure formant une gouttière.

Mur de refend: mur portant permettant de réduire la portée des poutres.

Mur portant: mur dont la fonction est de soutenir une structure.

Mur-rideau: mur extérieur, non portant, d'un bâtiment, généralement construit avec des éléments standardisés et préfabriqués, le plus souvent largement vitrés.

Muret: petit mur.

Mutule: modillon plat placé sous le larmier, juste au-dessus du triglyphe, dans l'entablement dorique.

Oculus (pluriel oculi): fenêtres aux formes arrondies.

Ogive: arc brisé, par opposition à arc cintré.

Ordonnance: disposition, arrangement d'un ensemble.

Oriel: ouvrage vitré, en général en surplomb, formant avant-corps sur la hauteur de plusieurs étages; fenêtre en encorbellement qui fait saillie dans la surface.

Oriel montant de fond: oriel partant des fondations d'une construction.

Pan: chacune des surfaces de la toiture d'un immeuble.

Panne: pièce de bois horizontale servant à soutenir les chevrons d'un comble.

Panne de faîtage: pièce formant un faîte, soutenue par des poinçons ou entourée dans un des deux chevrons.

Parapet: mur plein à hauteur d'appui, formant garde-fou.

Parpaing: pierre de taille (ou moellon) tenant toute l'épaisseur d'un mur et ayant deux parements.

Pavillon: corps de bâtiment qui se distingue du reste de l'édifice dont il fait partie.

Perche: pièce de bois, de métal, longue et mince, de section circulaire.

Péristyle: colonnade à l'avant d'une façade, formant un porche.

Pièce sur pièce: assemblage à chaque arête, le plus souvent à queue d'aronde, de billots équarris.

Pied-droit ou piédroit: montant vertical sur lequel retombent les voussures d'une arcade, d'une voûte.

Piédestal: support assez élevé sur lequel se dresse une colonne, une statue ou un élément décoratif; socle d'une colonne formé d'une base, d'un dé et d'une corniche.

Pierre bouchardée: pierre travaillée avec un marteau ou rouleau armé de pointes appelé boucharde.

Pierre d'eau: bloc de pierre taillé en forme d'évier.

Pierre-évier: pierre taillée de façon à imiter un évier.

Pierre rustiquée: pierre travaillée pour lui donner l'apparence d'une pierre brute.

Pilastre: pilier engagé, colonne plate engagé dans un mur ou un support et formant une légère saillie.

Pilier: support vertical, autre qu'une colonne, d'une charge de charpente ou de maçonnerie.

Plain-pied: de même niveau.

Plaque: feuille d'une matière rigide, plate et peu épaisse.

Plate-forme: surface plane et horizontale.

Plein cintre: courbure en demi-cercle.

Poinçon: pièce verticale, ferme reliant l'entrait au faîtage, assemblée par une cheville.

Porche : construction formant avant-corps d'un bâtiment, et abritant la porte d'entrée.

Portail : grande porte, parfois de caractère monumental (le portail comprend la porte, son embrasure et son appareil architectural).

Porte cochère : porte dont les dimensions permettent l'entrée d'une voiture.

Portée : distance entre deux murs.

Portique : galerie ouverte du rez-de-chaussée, à arcades ou à colonnade.

Poudrière : dépôt d'explosifs et de munitions.

Poutraison : assemblage de poutres (on dit aussi poutrage).

Poutre : grosse pièce de bois équarrie servant de support, généralement posée sur le côté, et sur laquelle repose le plancher.

Propylée : entrée monumentale comprenant un porche à colonnes ; hall d'entrée.

Quatre-feuilles : ornement formé de quatre lobes ou lancettes disposés autour d'un centre de symétrie.

Queue : extrémité d'une longue tige.

Queue d'aronde : assemblage de charpente ou de menuiserie dans lequel le tenon va s'élargissant.

Rampant : extrémité d'un versant aux murs pignons ; il y a quatre rampants dans un comble à deux versants.

Rampe : garde-corps contenant une main courante et bordant un escalier du côté du vide.

Redent ou redan : ressaut vertical ménagé de distance en distance dans un mur sur un terrain en pente ; ressaut sur une surface horizontale ou verticale.

Remplage : armature de pierre subdivisant une fenêtre.

Ressaut : saillie qui interrompt un plan vertical ; dénivellation.

Rotonde : construction de plan circulaire ou approchant, souvent surmontée d'une coupole.

Roue à aube : roue à palettes.

Rouet : charpente cylindrique, ou grande roue.

Sablière : lourde pièce étendue sur l'assiette des murs pour recevoir les chevrons ; on l'appelle «sole» dans le cas d'une sablière basse d'une maison de colombage ; et plate-forme si en fait il y a deux sablières jouxtées, l'une interne, l'autre externe.

Saillant : partie qui fait saillie, qui avance, dépasse.

Saillie : partie qui avance.

Socle : base surélevant une statue ou un support.

Soffite : dessous d'un ouvrage.

Solive : chacune des pièces d'une charpente qui s'appuie sur les poutres et sur lesquelles sont fixées, en dessus, les planches du plancher, en dessous, les lattes du plafond.

Soupirail : ouverture pratiquée dans le soubassement d'un rez-de-chaussée pour donner de l'air, du jour aux caves et pièces du sous-sol.

Sous-faîte : pièce de charpente posée horizontalement au-dessous du faîte.

Stéréobate : soubassement.

Table rentrante : surface horizontale qui forme un creux, une concavité.

Tableau : cadre extérieur d'une baie de fenêtre.

Tablette : dalle mince couvrant l'appui d'une fenêtre.

Tambour : petite entrée à double porte, servant à mieux isoler l'intérieur de l'édifice ; par extension, sorte de tourniquet formé de quatre portes vitrées, en croix.

Tenon : partie saillante ménagée à l'extrémité d'une pièce pour assemblage dans une mortaise ; crampon métallique qui relie les assises d'une construction.

Terrasson : versant supérieur d'un volume ou d'un comble à la Mansart ou mansardé.

Tirant : pièce de charpente neutralisant deux poussées divergentes en réunissant les parties auxquelles elles s'appliquent.

Tire-fond : grosse vis employée pour fixer un coussinet ou un rail à patin sur la traverse.

Toit à pignon : toit à deux versants se joignant par le sommet.

Toit à terrasse : toiture plate, parfois aménagée, d'une maison.

Toit en croupe : toit à pans de couverture de forme triangulaire.

Toit en pavillon : toit à quatre versants, dont deux sont triangulaires.

Toit mansardé : toit disposé en mansarde.

Tôle à baguettes: type de revêtement impliquant des lisières de tôle superposées en bordure et jointes pour former une baguette.

Torchère: candélabre monumental montant du sol.

Tour: bâtiment en hauteur, dominant un édifice ou un ensemble architectural.

Tourelle: petite tour, sur fondations ou en encorbellement.

Travée: espace compris entre deux points d'appui principaux d'un ouvrage de construction; partie verticale d'une élévation délimitée par des supports (colonnes, piliers) consécutifs.

Traverse: pièce perpendiculaire aux éléments principaux d'une construction et destinée à maintenir l'écartement de ces éléments; élément horizontal d'un remplage de fenêtre.

Triage: ensemble de voies de garage où s'exécute le tri des wagons de marchandises selon leur destination.

Triglyphe: Ornement de la frise dorique, composé de deux glyphes et de deux demi-glyphes.

Trumeau: distance entre deux baies dans un mur; partie d'un mur entre deux ouvertures verticales.

Tympan: partie intérieure du fronton.

Vanne: panneau vertical mobile, disposé dans une canalisation, pour en régler le débit.

Vantail: panneau mobile (par exemple d'une fenêtre).

Vasistas: petit vantail mobile pouvant s'ouvrir dans une porte ou une fenêtre.

Ventre: renflement, gonflement dans un parement extérieur.

Véranda: pièce ou galerie, entièrement vitrée, du rez-de-chaussée.

Vérin: appareil de levage formé de deux vis ou d'une vis double mue par un écrou.

Vernaculaire: propre au pays.

Verrière: grand vitrage, paroi vitrée.

Versant: chacune des pentes d'un toit.

Voile: coque mince en béton armé.

Volée: partie d'un escalier qui s'élève d'un palier à l'autre.

Voussoir: pierre taillée en forme de coin d'une plate-bande, d'un arc, d'une voûte.

Voussure: courbure (d'une voûte); chacun des arcs concentriques formant l'archivolte d'une arcade, d'un portail.

Voûte: ouvrage de maçonnerie cintré.

Index

Chronologique

1668 — Laiterie de la maison Saint-Gabriel (20)

1675 (circa) — Maison Chartier (2)

1698 — Maison Saint-Gabriel (20)

1705 (circa) — Moulin de la pointe du Moulin (14)

1750 (circa) — Maison Wilson

1752 — Aile est-ouest de la maison Papineau (21)

1756 — Château Ramezay (12)(13)

1761 — Maison Brossard-Gauvin (48)

1765 — Maison Peter Lust ou manoir Beaurepaire (4)

1770 — Maison Du Calvet (39)

1785 — Maison Louis-Joseph-Papineau (21)

1785 (circa) — Maison du meunier de Pointe-du-Moulin (14)

1785 (circa) — Maison Simon McTavish (41)

1786 — Brasserie Molson (3)

1800 — Premier palais de justice (32)

1804 — Entrepôt de la Compagnie de la Baie d'Hudson à Lachine (30)

1806 (circa) — Pressoir de la maison du Pressoir (22)

1808 — Prison du Champ-de-Mars (29)

1811 — Maison de La Sauvegarde (16)

1811 — Brasserie Dawes (46)

1812 — *Silver Dollar Saloon* (18)

1819 — Premier siège social de la Banque de Montréal (27)

1820-50 (circa) — Entrepôt de la brasserie Dawes (46)

1825 — Canal de Lachine (28)

1826 — École britannique et canadienne (9)

1830 — Maison Hertel (2)

1835 — Maison Cytrynbaum (44)

1836 — Prison du Pied-du-Courant (29)

1837 — Maison Sir-George-Étienne-Cartier (1)

1842 (circa) — Bâtiment existant de la maison du Pressoir (22)

1845 — Maison Notman (23)

1846 — Entrepôt William Dow (47)

1847 — Deuxième siège social de la Banque de Montréal (27)

1848 — Église Free Presbyterian (9)

1856 — «Vieux» palais de justice (32)

1859 — Pont Victoria (15)

1860 — Club des Ingénieurs (19)

1860 — Brasserie Dow (47)

1862 — Maison Dawes, à Lachine (46)

1872 — Maison Holland (24)

1875 — Maison Shaughnessy (35)

1878 — Entrepôt réfrigéré de la brasserie Dawes (46)

1880 — Entrepôt de pierre de la brasserie Dawes (46)

1882 — Maison Craig (31)

1884 — Gare Dalhousie (50)

1885 — Édifice Waddell (7)

1888 — New York Life Insurance (49)

1889 — Gare Windsor (45)

1890 — Maison Peter Lyall (6)

1891 — Vieux Sun Life (7)

1894 — Église Erskine et américaine unie (11)

1894 — Maison Béïque (24)

1894 — Brasserie Ekers (47)

1895 — Maison Atholstan (25)

1899 — Pont Victoria Jubilee (15)

1901 — Maison Reid Wilson (31)

1903 — Caserne centrale des pompiers (40)

1904 — Appartements Bishop Court (5)

1906 — Édifice Grothé (17)

1909 — Brasserie Dawes Black Horse (47)

1914 — Bibliothèque Saint-Sulpice (37)

1918 — Édifice Sun Life (8)

1918 — Tunnel du mont Royal (42)

1918 — Château Dufresne (43)

1924 — Brasserie Dow (47)

1926 — «Nouveau» palais de justice (33)

1928 — Hôtel Berkeley (24)

1928 — Siège social de la Banque Royale du Canada (34)

1929 — Siège social de Bell Canada (36)

1929 — Garage et ateliers Dow (47)

1931 — Siège social de la brasserie Dow (47)

1933 — Entrepôt Bright (46)

1949 — Écurie Black Horse (47)

1960 — Troisième siège social de la Banque de Montréal (27)

1971 — Palais de justice (33)

Édifices et infrastructures

Événements

Lieux géographiques

Noms de personnes

Morin, Nicolas, maçon, tailleur de pierre, 92, 106
Morin, Victor, journaliste, 107
Morrill, M. J., architecte, 64
Morse, Samuel, inventeur du télégraphe, 271
Morton, Robert, menuisier, plâtrier, 173
Motier, Gilbert, voir La Fayette.
Mowatt, Andrew J., pasteur, 63
Munn, David, commerçant, 25
Munroe, Hector, constructeur, 70
Murphy, J., 35
Murray, James, gouverneur militaire du Canada, 229, 230
Murray, John, dessinateur, 105
Musseaux, voir Ailleboust.

Napoléon III, empereur français, 206
Narbonne, Pierre-Rémi, patriote pendu, 175
Nelson, Horatio, amiral britannique, 105, 108
Nelson, John, journaliste, 127
Nelson, Wolfred, patriote, politicien, maire de Montréal, 18, 94, 175
Nesbitt, Evelyn, épouse de Harry Thaw, 160
Niaux dit Destaillys, Marin de, 121
Nicolas, François, patriote pendu, 175
Nicholson, Peter, entrepreneur en construction, cousin de Peter Lyall, 36, 142
Nimmo, Alexander, 136
Nincheri, Gabriele, artiste, 256
Nincheri, Guido, artiste, 252, 256
Nobbs, Percy, architecte, 64
Normandie, Ernest Rocbert de la, administrateur, 200
Notman, Charles, fils de William, photographe, 135, 136
Notman, George, fils de William, photographe, 135
Notman, William, photographe, 135, 136, 138, 139
Notman, William McFarlane, fils de William, photographe, 135, 136

O'Brien, J., 35
O'Connor, Daniel, 52
O'Donnell, James, architecte, 52
O'Donnell, John, architecte, 42, 51
Ogilvie, Alexander Walker, actionnaire de la Sun Life, 39
Ogilvie, John, homme d'affaires, commerçant en fourrure, 242
Ogilvie, W. W., homme d'affaires, 155

Olds, George, administrateur, 291
Oman, Christina, épouse de Peter Lyall, 36
Ostell, John, architecte, arpenteur et marchand de bois, 54, 109, 176, 187, 190, 282, 283
Ouimet, André, avocat, conseiller municipal, 195
Oury dit Lamarche, Jean, propriétaire terrien, 223

Pahlevi, Reza Shah, empereur d'Iran, 149, 150
Paillé dit Paillard, Léonard, maître charpentier, 77, 78
Painter, William, ingénieur, 266
Papineau, Denis-Benjamin, homme politique, 94
Papineau dit Montigny, Joseph, grand-père de Louis-Joseph, 124
Papineau, Joseph, notaire, arpenteur-géomètre, politicien, père de Louis-Joseph, 104, 124, 127, 128, 232, 282
Papineau, Louis-Joseph, notable, politicien, 18, 52, 94, 123, 124, 125, 126, 127, 128, 152
Papineau, Louis-Joseph Amédée, fils de Louis-Joseph, 125
Papineau, Marie-Julie Azélie, épouse de Napoléon Bourassa, mère de Henri Bourassa, 125, 128
Paradis, Monique, mère de G. E. Cartier, 18
Paré, Zaïde, veuve de Louis-Édouard Desjardins, 254
Parsons, Edmond Henry, éditeur du *Montreal Daily Telegraph*, 146
Parthenais, Louis, propriétaire terrien, 172
Patch, Christopher, briqueteur, 173
Payet, Madeleine, épouse de Antoine Malard, père, 105
Payette, Eugène, architecte, 217, 219, 220
Pelletier, Alexandrina, épouse d'Oscar Dufresne, 252
Pelletier, Pierre, 252
Pelletier, Wilfrid, musicien, 222
Pépin, Anthime, propriétaire terrien, 131
Périnault, Joseph, député, spéculateur bourgeois, 104
Perkins, J.-A., avocat, 190
Pérodeau, J. A., notaire, 225
Perrault, Amable, charpentier, menuisier, 179
Perrault, Antoine, charpentier, 258
Perrault, H.-Maurice, architecte, arpenteur, neveu de John Ostell, 41, 159, 176, 187, 190, 191, 237
Perrault, J., 285

Raisons sociales

Routes et places

Autoroutes

Autoroute Bonaventure, 121, 170, 209
Autoroute 15, 121
Autoroute Ville-Marie, 49, 171

Avenues

Avenue Broadway (New York), 286
Avenue Colborne, 172
Avenue de Lorimier, 172
Avenue des Pins, 112
Avenue Pierre-de-Coubertin, 254
Avenue Union, 113
Avenue University, 113
Avenue Woodland, 30
25e Avenue (Lachine), 271
27e Avenue (Lachine), 272, 273
28e Avenue (Lachine), 272
35e Avenue (Lachine), 271

Boulevards

Boulevard de Maisonneuve, 33
Boulevard Dorchester, 43, 50, 51, 59, 60,
    193, 205, 206
Boulevard Pie-IX, 251, 252, 253, 256
Boulevard Saint-Joseph (Lachine), 272, 274
Boulevard Saint-Laurent, 21, 27, 97, 98, 99,
    100, 101, 116, 147, 171, 192, 198, 241, 276

Chemins

Chemin de la Côte-de-Liesse, 280
Chemin de la Côte-des-Neiges, 145
Chemin de la Côte-Sainte-Catherine, 248
Chemin de la Rivière-Saint-Pierre, 121
Chemin du Roy, 22, 23, 24, 223
Chemin Glen, 265
Chemin Lakeshore, 28, 30
Chemin Upper Lachine, 165

Côtes

Côte-à-Baron, 136, 217, 257
Côte de la Place-d'Armes, 263
Côte de la Visitation, 121
Côte du Beaver Hall, 112, 113, 211, 212,
    213, 214, 215, 277

Parcs

Fletcher's Field, 247
Parc de Maisonneuve, 252
Parc Jeanne-Mance, 247
Parc LeBer, 121

Parc Marguerite-Bourgeoys, 121
Parc Sohmer, 24

Places et Squares

Champ de Mars, 65, 66, 172, 175, 187, 189,
    292
Place d'Armes, 19, 37, 45, 137, 157, 158,
    160, 187, 190, 262, 263, 286, 287
Place d'Youville, 70, 137, 173, 236, 237, 239
Place du Canada, 45
Place du Frère-André, 109
Place du Marché, 19, 171, 232, 238
Place Jacques-Cartier, 66, 72, 90, 91, 92,
    102, 104, 105, 127, 158, 232, 236
Place Royale, 19, 20, 171
Place Vauquelin, 65, 105, 171, 187, 188
Square Chaboillez, 279, 280
Square Dalhousie, 236, 292, 293, 294
Square Dominion, 43, 45, 262, 263
Square du Beaver Hall, 109, 113
Square Phillips, 110, 113
Square Victoria, 247

Ruelles

Ruelle des Fortifications, 160
Ruelle Dollard, 200, 201

Rues

Rue Atwater, 201, 205
Rue Baile, 205, 210
Rue Belmont, 113, 213, 215
Rue Berri, 15, 16, 64, 96, 222, 281, 291, 292,
    293
Rue Bishop, 32, 33, 35, 288
Rue Bisson, 265
Rue Bleury, 97, 136, 144
Rue Bonaventure, 27
Rue Bonsecours, 124, 125, 236, 281, 282,
    285, 292
Rue Bridge, 121,
Rue Cathcart, 112, 247
Rue Chenneville, 50, 51, 56, 59, 60
Rue Clark, 98, 99, 100, 101, 105, 136, 257,
    259
Rue Colborne, 275, 277, 278, 280
Rue Côté (Cotté), 50, 51, 54
Rue Craig, 96, 97, 160, 161, 172, 194, 237,
    292
Rue Crescent, 52, 62
Rue Dalhousie, 247, 249
Rue de l'Esplanade, 222

Tunnels

Notes

Notes

Notes

La composition de ce volume
a été réalisée par
les Ateliers de La Presse, Ltée

Achevé d'imprimer
par le
Groupe d'Imprimeries **Inter Mark** (1987) Inc.

IMPRIMÉ AU CANADA